MW00639936

Los Cantos de JESÚS

Un año de devocionales diarios en Los Salmos

TIMOTHY KELLER

con KATHY KELLER

Poiema Publicaciones
Medellín, Colombia

Mientras lees, comparte con otros en redes usando
#LosCantosDeJesús

Los Cantos de Jesús / Timothy Keller
© Poiema Publicaciones, 2016

Traducido con el debido permiso del libro *The Songs of Jesus:
A Year of Daily Devotions in the Psalms* © Timothy Keller, 2015,
publicado por Viking Publishing. Traducción por Giancarlo
Montemayor y revisión por Naíme Bechelani de Phillips
y Eliana Granda.

El libro de Los Salmos ha sido tomado de *La Santa Biblia, Nueva
Versión Internacional* ®, NVI ® Copyright © 1999 por Biblica, Inc. ®
Usado con permiso. Todos los derechos reservados. Lo mismo aplica
para todas las referencias bíblicas aparte de Los Salmos.

Poiema Publicaciones
info@poiema.co
www.poiema.co

Categorías: Religión - Cristianismo; Devocionales, Estudios bíblicos

Impreso en Colombia
ISBN: 978-1-944586-26-3
SDG

A la familia Midwood
Louise
Jese, Meg y Abby
Y en honor a nuestro querido amigo David (1949-2014)
Esposo, padre, abuelo, amigo, mentor
y ministro del evangelio,
quien está cantando con Jesús en toda Su gloria

INTRODUCCIÓN

Los Salmos fueron el himnario inspirado divinamente para la adoración pública de Dios en el antiguo Israel (1 Crónicas 16:8-36). Debido a que no solamente eran leídos sino también cantados, ellos penetraban en las mentes y en la imaginación de las personas de una manera en la que solamente la música puede hacerlo. Saturaban el corazón y la imaginación de la persona común de tal manera que, cuando Jesús entró a Jerusalén, fue natural que la multitud lo recibiera espontáneamente recitando una frase que se encontraba en algunos de esos salmos (Marcos 11:9; Salmo 118:26).

Los cristianos del primer siglo también cantaban y recitaban los Salmos (Colosenses 3:16; 1 Corintios 14:26). Cuando Benedicto formó sus monasterios, estableció que los Salmos debían cantarse, leerse y recitarse al menos una vez por semana. En la época medieval, los Salmos eran la parte más conocida de la Biblia para muchos cristianos. los Salmos eran la única parte de la Biblia que un cristiano común podía poseer. En el tiempo de la Reforma, los Salmos jugaron un papel muy importante. Martín Lutero estableció que "todo El Salterio, Salmo por Salmo, debía seguir utilizándose". Juan Calvino ordenó que los Salmos fueran los principales cantos en la adoración de las congregaciones.[1] Escribió: "El designio del Espíritu Santo [respecto a los Salmos era...] proveerle a la iglesia una forma común de oración".[2]

Todos los teólogos y líderes de la iglesia han creído que los Salmos deben ser utilizados y reutilizados en el acercamiento personal de cada cristiano hacia Dios y en la alabanza pública. No solamente debemos leer los Salmos; también debemos sumergirnos en ellos para que moldeen profundamente la forma de relacionarnos con Dios. Los Salmos son la meta establecida que nos lleva a brindarle devoción a Dios.

¿Por qué? Una razón es que son, como les llamaba Martín Lutero, una "MiniBiblia". Presentan una perspectiva general de la historia de salvación, desde la creación, pasando por la impartición de la ley en el Monte Sinaí, el establecimiento del tabernáculo y del templo, el exilio debido a la infidelidad, hasta el futuro, la llegada de la redención mesiánica y la renovación de todas las cosas. Los Salmos nos hablan de doctrinas clave como lo son la revelación (Salmo 19), la naturaleza de la Deidad (Salmo 139), la naturaleza humana (Salmo 8) y el pecado (Salmo 14).

Los Salmos, sin embargo, son más que un mero instrumento de instrucción teológica. Uno de los padres de la iglesia, Atanasio, escribió: "Cualquiera que sea tu necesidad o problema particular, en este mismo Libro [Los Salmos] puedes encontrar palabras adecuadas [...] para aprender el camino para remediar tu pesar".[3] Toda situación de vida está representada en Los Salmos. Ellos se anticipan y te preparan para toda posible condición espiritual, social y emocional —te muestran cuáles son los peligros, qué debes recordar, cuál debería ser tu actitud, cómo debes hablar con Dios y cómo puedes obtener Su ayuda en medio de tu necesidad. "Los Salmos ponen su entendimiento de la grandeza del Señor junto a nuestras circunstancias, para que podamos tener una perspectiva adecuada de la proporción de las cosas". Cada detalle y circunstancia de la vida es "trasladada a la presencia del Señor y puesta en el contexto de Su verdad".[4] Así que los Salmos no son solamente una incomparable herramienta de enseñanza, sino también un botiquín para el corazón y la mejor guía posible para una vida práctica.

Al llamar al Libro de Los Salmos "una medicina", trato de hacerle justicia y sobresaltar lo que le hace tan diferente a otras partes de la Biblia. Los Salmos han sido escritos para ser recitados y cantados —para *practicarse,* no solo para ser leídos. El teólogo Gordon Wenham concluye que utilizarlos repetidamente es "un acto que transforma nuestra relación con Dios de una forma en que la lectura no puede".[5] Debemos incluirlos en nuestras oraciones, o quizá incluir nuestras oraciones en ellos, y acercarnos a Dios de esa manera. Al hacer esto, los Salmos envuelven a la persona en nuevas actitudes, compromisos, promesas e incluso emociones. Cuando, por ejemplo, no solamente leemos el Salmo 139:23-24 —*Examíname, ponme a prueba, fíjate si voy por mal camino*— sino que lo oramos, invitamos a Dios a probar nuestras motivaciones y damos nuestro consentimiento a la forma de vida que se enseña en la Biblia.[6]

Los Salmos nos llevan a hacer lo que los salmistas hacen —encomendarnos a Dios a través de súplicas y promesas, a depender de Dios a través de peticiones y expresiones de aceptación, a buscar consuelo en Dios a través del lamento, a encontrar compasión divina a través de la confesión y del arrepentimiento, y a obtener nueva sabiduría y perspectiva divina mediante la meditación.

Los Salmos nos ayudan a ver a Dios —no a un dios como deseamos o esperamos que sea, sino a Dios como realmente se revela a Sí mismo. Las descripciones de Dios en Los Salmos van más allá de la imaginación humana. Él es más santo, más sabio, más temible, más tierno y más amoroso de lo que jamás imaginaríamos que fuera. Los Salmos impulsan nuestra imaginación a nuevas dimensiones y, a la vez, la dirigen al Dios que realmente existe. Esto provee una realidad a nuestra vida de oración que ningún otro texto puede darnos. "Si dependiera de nosotros, oraríamos a un dios que diga lo que queremos oír o a la porción de un dios que logramos comprender. Pero lo que es importante y crítico es que oremos al Dios que nos habla junto con todo lo que nos habla. [...] Lo que es esencial en la oración no es que aprendamos a expresarnos a nosotros mismos, sino que aprendamos a responderle a Dios".[7]

La mayoría de los salmos, leídos a la luz de toda la Biblia, nos conducen a Jesús. Los Salmos *eran* el himnario de Jesús. El himno que Jesús entonó en la Pascua (Mateo 26:30; Marcos 14:26) habría sido el gran Hallel (Salmos 113 – 118). Sin duda existen muchas razones para asumir que Jesús cantó todos los Salmos, constantemente, a lo largo de Su vida. El Libro de Los Salmos es el libro de la Biblia que más cita. Pero los salmos no solo fueron cantados por Jesús; también tratan de Él, como veremos en este libro.

Los Salmos son los cantos de Jesús.

El propósito de este libro

Este libro es una serie de devocionales que te conducirán a través de cada versículo del Libro de Los Salmos en 365 días. En cierto sentido, los Salmos no necesitan convertirse en un libro devocional, ellos *son el libro devocional* inspirado. Muchos piensan que los libros devocionales modernos son muy sentimentales, muy doctrinales o muy místicos, ya que reflejan la perspectiva y la experiencia de un simple autor humano. Pero los Salmos nos otorgan una variedad de voces inspiradas con diferentes temperamentos y experiencias. Ningún otro libro, incluso dentro de la Biblia, puede competir contra este como base para la oración diaria. El Nuevo Testamento, por supuesto, nos presenta a Jesucristo de una forma más explícita y directa, pero ninguna de sus secciones está diseñada para ser un curso de oración ni de teología que te ayude a procesar cada situación personal mediante la verdad divina.

De esta manera, los Salmos *son* el libro devocional de Dios. Sin embargo, muchos de nosotros necesitamos la ayuda de una guía para comenzar nuestros primeros pasos por ellos. Muchos de los salmos presentan un contenido histórico complejo y te podría resultar difícil comprenderlo aun después de leerlos en varias ocasiones. No podemos orar o recitar un texto si lo encontramos confuso.

Cada devocional te provee una lectura diaria de un salmo. Después te brinda una pequeña meditación sobre el significado del mismo y una oración que puedes utilizar en tu corazón como método para aproximarte a Dios. Las oraciones deben ser tomadas como una ayuda introductoria a tu oración, no como oraciones completas. Debes seguir la trayectoria de las oraciones y continuar así, llenando los espacios con tus propias experiencias y siempre orando en el nombre de Jesús (Juan 14:13).

Diseñamos este libro devocional para que pueda utilizarse de tres formas distintas. La manera más simple es leer el salmo, luego leer la meditación lentamente y por último utilizar la oración para comenzar a orar tú mismo. Las oraciones presentan una oportunidad para continuar orando sobre cualquier cosa que estés enfrentando ese día. Esto puede llevarte no más de quince minutos.

La segunda forma de utilizar este libro devocional es tomar tiempo para leer las referencias bíblicas adicionales que se encuentran en la meditación o, a veces, en la oración. Las declaraciones hechas en la meditación son comprensibles sin las referencias, pero leerlas aumentará notablemente tu comprensión del significado del salmo y también enriquecerá tu tiempo de oración.

La tercera forma de utilizar este libro devocional es utilizarlo en conjunto con un diario. Lee el salmo lentamente, dos o tres veces. Después, hazte las siguientes preguntas y escribe tus respuestas en el diario:

» *Adora* ¿Qué aprendiste acerca de Dios? ¿Por qué cosas puedes alabarlo o agradecerle?

» *Admite* ¿Qué aprendiste acerca de ti mismo? ¿De qué debes arrepentirte?

» *Aspira* ¿Qué aprendiste acerca de la vida? ¿A qué puedes aspirar o qué puedes pedir?

Una vez que hayas contestado estas preguntas, tendrás tu propia meditación sobre el salmo. Ahora lee la meditación del devocional e incorpora su perspectiva a las notas de tu diario. Finalmente, convierte tu meditación —ya catalogada como adoración, confesión y petición— en una oración personal, utilizando también la oración introductoria provista en el devocional. Esto te conducirá al profundo nivel de sabiduría al que los Salmos pueden llevarte. ¡Ahora estás listo para comenzar los devocionales! Que Dios te otorgue "espíritu de sabiduría y de revelación para que lo conozcas mejor" (Efesios 1:17).

Enero 1

Salmo 1. ¹Dichoso el hombre que no sigue el consejo de los malvados, ni se detiene en la senda de los pecadores, ni cultiva la amistad de los blasfemos, ²sino que en la ley del Señor se deleita, y día y noche medita en ella. ³Es como el árbol plantado a la orilla de un río que, cuando llega su tiempo, da fruto y sus hojas jamás se marchitan. ¡Todo cuanto hace prospera! ⁴En cambio, los malvados son como paja arrastrada por el viento. ⁵Por eso no se sostendrán los malvados en el juicio, ni los pecadores en la asamblea de los justos. ⁶Porque el Señor cuida el camino de los justos, mas la senda de los malos lleva a la perdición.

PALABRA QUE NUTRE. El Salmo 1 es la puerta de entrada al resto de los salmos. La "ley" es toda la Escritura, "meditar" en ella es pensar en las implicaciones que tiene para nuestra vida, "deleitarse" en ella no significa solamente consentir con ella, sino amar lo que Dios ordena (versículos 2 y 3). Los cristianos han recibido un cambio de actitud respecto a Dios, de una actitud de obligación a una de entrega amorosa y voluntaria, y todo gracias a lo que Cristo hizo en la cruz por nosotros. Así que conocer cómo meditar y cómo deleitarse en la Biblia es el secreto de una relación con Dios y es el secreto de la vida misma. Las perspectivas contrarias a la Palabra de Dios nos proveen un ancla en tiempos de necesidad. Ella nos provee la resistencia de un árbol plantado junto a una fuente de agua viva que nunca se secará.

Oración: Señor de la Palabra, no permitas que sea seducido por el mundo —ya sea que sutilmente me deje llevar por la multitud o que me convierta en un cínico endurecido. Ayúdame a meditar en Tu Palabra y a deleitarme en ella. Provéeme estabilidad y contentamiento en medio de cualquier circunstancia. ¡Cuánto necesito esto! Amén.

Enero 2

Salmo 2:1-4. [1]¿Por qué se sublevan las naciones, y en vano conspiran los pueblos? [2]Los reyes de la tierra se rebelan; los gobernantes se confabulan contra Él y contra Su ungido. [3]Y dicen: "¡Hagamos pedazos sus cadenas! ¡Librémonos de su yugo!". [4]El rey de los cielos se ríe; el Señor se burla de ellos.

SIN INTIMIDACIÓN. Cada día, los medios resaltan nuevas cosas a las que deberíamos temer. Los "poderes sociales" nos dicen que obedecer a Dios nos pone grilletes, limitando nuestra libertad. En realidad, la liberación es posible solamente cuando servimos a quien nos creó. Esas personas y esas fuerzas que aparentemente gobiernan el mundo están bajo Su señorío, y un día se percatarán de ello. Dios reina y, al sentir temor, podemos refugiarnos en Él. Así que intimidarnos ante el mundo (Salmo 2) es tan fatal espiritualmente hablando como dejarnos atraer por él (Salmo 1).

Oración: Señor del mundo, las personas rechazan Tu señorío sobre la humanidad. Tengo miedo de hablar de Ti por temor a ser avergonzado o a provocar la ira de las personas. Pero Tú no te intimidas ante los "poderes" de este mundo, por lo que yo tampoco debo hacerlo. Ayúdame a conocer el gozo de la obediencia y la valentía que lo acompaña. Amén.

Enero 3

Salmo 2:5-12. [5]En Su enojo los reprende, en Su furor los intimida y dice: [6]"He establecido a Mi rey sobre Sion, Mi santo monte". [7]Yo proclamaré el decreto del Señor: "Tú eres Mi hijo", me ha dicho; "hoy mismo te he engendrado. [8]Pídeme, y como herencia te entregaré las naciones; ¡Tuyos serán los confines de la tierra! [9]Las gobernarás con puño de hierro; las harás pedazos como a vasijas de barro". [10]Ustedes, los reyes, sean prudentes; déjense enseñar, gobernantes de la tierra. [11]Sirvan al Señor con temor; con temblor ríndanle alabanza. [12]Bésenle los pies, no sea que se enoje y sean ustedes destruidos en el camino, pues su ira se inflama de repente. ¡Dichosos los que en Él buscan refugio!

REFUGIO EN DIOS. La respuesta de Dios hacia el orgullo y el poder humano es instalar a Su Hijo en Sion. Esto apunta a alguien más allá del rey de Israel, a Jesús, el verdadero Hijo de Dios. Un día, Él pondrá todo en Su lugar correspondiente; pero hará esto al ir primeramente a Sion —a Jerusalén— a morir por nuestros pecados. "Besarle los pies" (versículo 12) significa descansar en Él y vivir para Él. Si hacemos esto, tendremos la certeza de que, pase lo que pase, todo estará bien. Si no vivimos para Él, nos encontraremos luchando contra Dios mismo. Así que "no existe refugio contra Él; pero solo existe refugio *en* Él".[8]

Oración: Señor, la respuesta para el caos y la lucha del mundo es Tu Hijo, Jesucristo. Él finalmente destruirá la destrucción, matará la muerte y absorberá toda pena. Enséñame a refugiarme en Ti, en Tu perdón a través de Jesús, en Tu sabia voluntad y en mi certero y glorioso futuro. Amén.

Enero 4

Salmo 3. [1]Muchos son, Señor, mis enemigos; muchos son los que se me oponen, [2]y muchos los que de mí aseguran: "Dios no lo salvará". [3]Pero Tú, Señor, me rodeas cual escudo; Tú eres mi gloria, ¡Tú mantienes en alto mi cabeza! [4]Clamo al Señor a voz en cuello, y desde Su monte santo Él me responde. [5]Yo me acuesto, me duermo y vuelvo a despertar, porque el Señor me sostiene. [6]No me asustan los numerosos escuadrones que me acosan por doquier. [7]¡Levántate, Señor! ¡Ponme a salvo, Dios mío! ¡Rómpeles la quijada a mis enemigos! ¡Rómpeles los dientes a los malvados! [8]Tuya es, Señor, la salvación; ¡envía Tu bendición sobre Tu pueblo!

PAZ EN MEDIO DEL PELIGRO. Absalón, el hijo de David, intentaba matar a su padre. Las semillas de esa disfunción familiar habían sido culpa del propio David. Quería tanto la aprobación de Absalón que nunca lo corrigió, incluso cuando Absalón asesinó a uno de sus hermanos. Ahora David está huyendo para salvar su vida. En esta oración, él entiende que ni siquiera el amor de un hijo o la aclamación pública sirven para obtener seguridad y valor. David reacomoda su gloria y esperanza en Dios y encuentra paz en medio del peligro. Dios es el único que te sostiene, ya sea que un ejército te persiga o que te encuentres acostado en tu cama. Dios sostiene cada respiro que das.

Oración: Señor y Salvador, estoy enfrentando tantos problemas, algunos incluso por mi culpa. Pero puedo levantar mi cabeza porque soy Tu hijo y Tu siervo. Así que sé mi escudo, protégeme. Y sé mi gloria, dame la confianza de que Tú estás conmigo y me acompañarás a través de esto. ¡Ayúdame! Amén.

Enero 5

Salmo 4. ¹Responde a mi clamor, Dios mío y defensor mío. Dame alivio cuando esté angustiado, apiádate de mí y escucha mi oración. ²Y ustedes, señores, ¿hasta cuándo cambiarán mi gloria en vergüenza? ¿Hasta cuándo amarán ídolos vanos e irán en pos de lo ilusorio? ³Sepan que el Señor honra al que le es fiel; el Señor me escucha cuando lo llamo. ⁴Si se enojan, no pequen; en la quietud del descanso nocturno examínense el corazón. ⁵Ofrezcan sacrificios de justicia y confíen en el Señor. ⁶Muchos son los que dicen: "¿Quién puede mostrarnos algún bien?". ¡Haz, Señor, que sobre nosotros brille la luz de Tu rostro! ⁷Tú has hecho que mi corazón rebose de alegría, alegría mayor que la que tienen los que disfrutan de trigo y vino en abundancia. ⁸En paz me acuesto y me duermo, porque solo Tú, Señor, me haces vivir confiado.

GOZO A PESAR DE LAS CIRCUNSTANCIAS. ¿Cómo podemos tener paz y alegría al acostarnos (versículo 8) incluso cuando otros prosperan y nosotros no (versículo 7)? Considera si tu corazón está dividido —convirtiendo tu éxito o tus relaciones en ídolos— y arrepiéntete (versículo 2). Considera si tu corazón está lleno de amargura, y perdona (versículo 4). Por último, en oración, busca el rostro de Dios; busca Su presencia y amor en tu corazón (versículo 6). Entonces podrás tener la certeza de que estás seguro en Dios, venga lo que venga.

Oración: Señor, otros "dioses" compiten contigo para obtener la lealtad de mi corazón. Guardo resentimiento contra las personas que me han fallado y, a veces, guardo resentimientos contra Ti. Estas cosas no me permiten conocer la alegría de Tu presencia y la paz de Tu protección. Ayúdame a deshacerme del resentimiento y llena mi corazón con Tu alegría. Amén.

Enero 6

Salmo 5:1-6. ¹Atiende, Señor, a mis palabras; toma en cuenta mis gemidos. ²Escucha mis súplicas, rey mío y Dios mío, porque a ti elevo mi plegaria. ³Por la mañana, Señor, escuchas mi clamor; por la mañana te presento mis ruegos, y quedo a la espera de Tu respuesta. ⁴Tú no eres un Dios que se complazca en lo malo; a tu lado no tienen cabida los malvados. ⁵No hay lugar en Tu presencia para los altivos, pues aborreces a los malhechores. ⁶Tú destruyes a los mentirosos y aborreces a los tramposos y asesinos.

DERRAMANDO NUESTRO CORAZÓN. Muchos de los Salmos comienzan con "lamentos" desesperados, con llamados de auxilio desde lo más profundo del ser. Estas son oraciones sin censura, las cuales provienen directamente del corazón. Incluso cuando no tenemos palabras para expresar nuestra angustia, podemos presentar nuestras peticiones ante Dios. Él espera que vayamos a Él en busca de refugio frente a nuestro dolor y nuestros miedos; Él espera que no disfracemos esas emociones con distracciones que prometen alivio, pero que nunca cumplen. Debemos tener confianza en que Él es el Dios que le dijo a Moisés que nos amaría por Su gracia a pesar de nuestros pecados y fracasos (Éxodo 6:7).

Oración: Señor omnisciente, Tú conoces lo que hay en mi corazón. Señor todopoderoso, no tengo el poder para realizar la tarea que tengo por delante, así que traigo mis peticiones ante Ti. Señor sabio, sé que me escuchas y actuarás, pero también sé que debo esperar en Tu tiempo perfecto y así lo haré. Amén.

Enero 7

Salmo 5:7-12. [7]Pero yo, por Tu gran amor puedo entrar en Tu casa; puedo postrarme reverente hacia Tu santo templo. [8]Señor, por causa de mis enemigos, dirígeme en Tu justicia; empareja delante de mí Tu senda. [9]En sus palabras no hay sinceridad; en su interior solo hay corrupción. Su garganta es un sepulcro abierto; con su lengua profieren engaños. [10]¡Condénalos, oh Dios! ¡Que caigan por sus propias intrigas! ¡Recházalos por la multitud de sus crímenes, porque se han rebelado contra Ti! [11]Pero que se alegren todos los que en Ti buscan refugio; ¡que canten siempre jubilosos! Extiende Tu protección, y que en Ti se regocijen todos los que aman Tu nombre. [12]Porque Tú, Señor, bendices a los justos; cual escudo los rodeas con Tu buena voluntad.

ORANDO POR PROTECCIÓN. Los Salmos de David frecuentemente hablan sobre sus enemigos. Los antiguos reyes siempre estaban en peligro por personas que querían matarlos. Quizá nosotros tenemos menos enemigos que procuran agredirnos físicamente, pero existen muchas fuerzas en el mundo que pueden arruinarnos económica, emocional, física y espiritualmente. Debemos hacer lo que hizo David. Él pidió a Dios que le extendiera Su protección. Está seguro de que Dios hará esto porque observa el templo, el lugar en donde sus pecados son expiados. Los cristianos hacen los mismo cuando recuerdan a Aquel que dijo ser el último templo (Juan 2:20-21), el último sacrifico y la prueba concluyente del amor de Dios por nosotros.

Oración: Señor justo, pido Tu protección contra todas las fuerzas hostiles que me rodean. Cuando me molesten las fallas de los demás, ayúdame a recordar mi propio pecado; ayúdame a recordar que puedo acercarme a Ti solo por gracia. ¡Cuánto necesito odiar el pecado y al mismo tiempo no enojarme ni sentirme superior a los demás! Dame protección, pero también dame humildad. Amén.

Enero 8

Salmo 6. ¹No me reprendas, Señor, en Tu ira; no me castigues en Tu furor. ²Tenme compasión, Señor, porque desfallezco; sáname, Señor, que un frío de muerte recorre mis huesos. ³Angustiada está mi alma; ¿hasta cuándo, Señor, hasta cuándo? ⁴Vuélvete, Señor, y sálvame la vida; por Tu gran amor, ¡ponme a salvo! ⁵En la muerte nadie te recuerda; en el sepulcro, ¿quién te alabará? ⁶Cansado estoy de sollozar; toda la noche inundo de lágrimas mi cama, ¡mi lecho empapo con mi llanto! ⁷Desfallecen mis ojos por causa del dolor; desfallecen por culpa de mis enemigos. ⁸¡Apártense de mí, todos los malhechores, que el Señor ha escuchado mi llanto! ⁹El Señor ha escuchado mis ruegos; el Señor ha tomado en cuenta mi oración. ¹⁰Todos mis enemigos quedarán avergonzados y confundidos; ¡su repentina vergüenza los hará retroceder!

ESPERAR ES DIFÍCIL. "¿Hasta cuándo, Señor, hasta cuándo?" es el lamento de alguien que ha sufrido más dolor y enfermedad de la que pensó que podía soportar. Dios escucha el clamor de los necesitados debido a Su "gran amor" (del hebreo *chesedh*: el amor constante de un Dios de pactos que nos cuida no por ser perfectos, sino porque Él lo es, versículo 4). Aunque David apenas tiene fuerza para orar, sus lágrimas no son en vano. Él recibe respuesta (versículos 8 y 9) —la seguridad de que Dios lo escucha a pesar de que Él no ha hecho nada para cambiar sus circunstancias— pero todavía falta por cumplirse (versículo 10). Dios camina con nosotros y nos ayuda a correr "con perseverancia la carrera que tenemos por delante" (Hebreos 12:1).

*Oración: Tu promesa es mi único estandarte; con ella no voy a la deriva. Tú llamas a las almas atribuladas y eso, oh Señor, es lo que soy.*⁹ Sé que Tu amor no falla, aunque a veces no lo siento así. Pero te pido, por Tu gracia, que me hagas sentir Tu presencia a mi lado. Amén.

Enero 9

Salmo 7:1-5. [1]¡Sálvame, Señor mi Dios, porque en Ti busco refugio! ¡Líbrame de todos mis perseguidores! [2]De lo contrario, me devorarán como leones; me despedazarán, y no habrá quien me libre. [3]Señor mi Dios, ¿qué es lo que he hecho? ¿Qué mal he cometido? [4]Si le he hecho daño a mi amigo, si he despojado sin razón al que me oprime, [5]entonces que mi enemigo me persiga y me alcance; que me haga morder el polvo y arrastre mi honra por los suelos.

CAMPAÑA DE CALUMNIAS. ¿Cómo enfrentamos los chismes, las calumnias y la pérdida de una buena reputación? David nos muestra el camino. Él no *dice*: "Tomaré refugio en Dios", sino que nos muestra que ya lo ha hecho, que ya está seguro. ¿Cómo puede sentirse de esa manera aun sin saber si la campaña de calumnias contra él será frustrada? La respuesta es esta: si confiamos en la sabiduría y voluntad de Dios, entonces tendremos paz sin importar los resultados inmediatos. Solamente la opinión de Dios cuenta, y esa es la opinión que prevalecerá.

Oración: Señor, algunas críticas son terriblemente injustas. Mi mayor consuelo es saber que Tú ves todas las cosas y, al final, las pondrás en su lugar correcto. Así que no me defenderé desesperadamente ni lucharé contra mis acusadores. Tú conoces la verdad y eso es suficiente para mí. Dejo todo esto en Tus manos. Amén.

Enero 10

Salmo 7:6-11. [6]¡Levántate, Señor, en Tu ira; enfréntate al furor de mis enemigos! ¡Despierta, oh Dios, e imparte justicia! [7]Que en torno Tuyo se reúnan los pueblos; reina sobre ellos desde lo alto. [8]¡El Señor juzgará a los pueblos! Júzgame, Señor, conforme a mi justicia; págame conforme a mi inocencia. [9]Dios justo, que examinas mente y corazón, acaba con la maldad de los malvados y mantén firme al que es justo. [10]Mi escudo está en Dios, que salva a los de corazón recto. [11]Dios es un juez justo, un Dios que en todo tiempo manifiesta Su enojo.

DIOS EN LO ALTO. David no era culpable de lo que se le acusaba (versículo 8). Él quiere que Dios, desde lo alto, corrija las cosas (versículo 7). Él, correctamente, deja en manos de Dios la retribución, quien es el único que tiene la sabiduría para determinar lo que las personas merecen, así como el poder y la voluntad de impartir justicia. Lo mismo deberíamos hacer nosotros. Pero ¿cómo estamos seguros de que nosotros sobreviviremos al día del juicio? Los cristianos saben que antes de que el Señor ascendiera a Su trono para juzgar, fue puesto en una cruz para expiar nuestros pecados (Juan 12:32). De esta manera, en el día final, un pueblo gozoso y redimido se reunirá a Sus pies (versículo 7).

Oración: Señor justo, hay muchos que me acusan *falsamente*. ¡Defiéndeme de ellos! Pero también conozco mi pecado y mi corazón me acusa *correctamente*. Descanso en el sacrificio expiatorio de Jesús por mí. *Se Tú mi escudo y mi refugio, para que, a Tu lado, pueda enfrentar a mi acusador y decirle que Tú has muerto.*[10] Amén.

Enero 11

Salmo 7:12-17. [12]Si el malvado no se arrepiente, Dios afilará la espada y tensará el arco; [13]ya ha preparado sus mortíferas armas; ya tiene listas sus llameantes saetas. [14]Miren al preñado de maldad: concibió iniquidad y parirá mentira. [15]Cavó una fosa y la ahondó, y en esa misma fosa caerá. [16]Su iniquidad se volverá contra él; su violencia recaerá sobre su cabeza. [17]¡Alabaré al Señor por Su justicia! ¡Al nombre del Señor altísimo cantaré salmos!

LA AUTODESTRUCCIÓN DEL MAL. Debido a que vivimos en un mundo caído, muchas injusticias no serán castigadas sino hasta el día del juicio. Sin embargo, la mayor parte del tiempo, la justicia de Dios obra en el curso de la historia. La maldad carga dentro de sí misma las semillas de su propia destrucción. No solamente es vana— que conduce a la insatisfacción y al vacío (versículo 14)— sino que se destruye a sí misma. Caes en el foso que has cavado para otros. Los que odian son odiados, los que engañan son engañados, y se produce chisme sobre los chismosos. Recuerda esto hasta que no seas intimidado, desanimado o tentado por la maldad que veas a tu alrededor.

Oración: Señor, admito que parte de mi resentimiento hacia los que me hieren va acompañado de envidia. Ellos viven como desean y parecen más felices que yo. Pero eso es una ilusión. La maldad es como una célula cancerígena: crece, pero solo para autodestruirse. Ayúdame a ver esto claramente para poder perdonarlos y no ser tentado por ellos. Amén.

Salmo 8. [1]Oh Señor, soberano nuestro, ¡qué imponente es Tu nombre en toda la tierra! ¡Has puesto Tu gloria sobre los cielos! [2]Por causa de Tus adversarios has hecho que brote la alabanza de labios de los pequeñitos y de los niños de pecho, para silenciar al enemigo y al rebelde. [3]Cuando contemplo Tus cielos, obra de Tus dedos, la luna y las estrellas que allí fijaste, [4]me pregunto: "¿Qué es el hombre, para que en él pienses? ¿Qué es el ser humano, para que lo tomes en cuenta?". [5]Pues lo hiciste poco menos que un dios, y lo coronaste de gloria y de honra; [6]lo entronizaste sobre la obra de Tus manos, todo lo sometiste a su dominio: [7]todas las ovejas, todos los bueyes, todos los animales del campo, [8]las aves del cielo, los peces del mar, y todo lo que surca los senderos del mar. [9]Oh Señor, soberano nuestro, ¡qué imponente es Tu nombre en toda la tierra!

CUIDADO MARAVILLOSO. El universo revela la gloria de Dios. ¿No son los hombres solo partículas de polvo comparados a semejante inmensidad? Físicamente, sí; sin embargo, Dios piensa en nosotros (versículo 4). El asombro del salmista también debe ser el nuestro. ¿Por qué Dios debería preocuparse por nosotros? Porque nos ha hecho a Su imagen y ha entregado a nuestro cuidado el mundo que creó. Cuidar la tierra, el mar, el aire, todos los seres vivientes, y hacer justicia a cada ser creado a Su imagen trae gloria a Dios. Como raza humana no estamos haciendo correctamente esta tarea. Pero Jesús ha venido y algún día el mundo estará bajo Sus pies (versículo 6; Hebreos 2:5-9) y entonces todo estará en su lugar correcto.

Oración: Dios majestuoso, ¿cómo es posible que pienses en nosotros? Nos amas tanto que estuviste dispuesto a convertirte en un niño vulnerable y débil para salvarnos. Ayúdame, en mis relaciones diarias, a tratar a cada persona como preciosa a Tus ojos. Amén.

Enero 13

Salmo 9:1-12. [1]Quiero alabarte, Señor, con todo el corazón, y contar todas Tus maravillas. [2]Quiero alegrarme y regocijarme en Ti, y cantar salmos a Tu nombre, oh Altísimo. [3]Mis enemigos retroceden; tropiezan y perecen ante Ti. [4]Porque Tú me has hecho justicia, me has vindicado; Tú, juez justo, ocupas Tu trono. [5]Reprendiste a los paganos, destruiste a los malvados; ¡para siempre borraste su memoria! [6]Desgracia sin fin cayó sobre el enemigo; arrancaste de raíz sus ciudades, y hasta su recuerdo se ha desvanecido. [7]Pero el Señor reina por siempre; para emitir juicio ha establecido Su trono. [8]Juzgará al mundo con justicia; gobernará a los pueblos con equidad. [9]El Señor es refugio de los oprimidos; es su baluarte en momentos de angustia. [10]En Ti confían los que conocen Tu nombre, porque Tú, Señor, jamás abandonas a los que te buscan. [11]Canten salmos al Señor, el rey de Sion; proclamen sus proezas entre las naciones. [12]El vengador de los inocentes se acuerda de ellos; no pasa por alto el clamor de los afligidos.

AGRADECIMIENTOS. Este salmo nos conduce al bienestar espiritual de un corazón agradecido. Debemos discernir las "maravillas" de Dios en nuestras vidas, palabra que puede referirse a milagros grandiosos como la división del Mar Rojo (versículo 1). Sin embargo, también debemos aprender a percibir maneras más sutiles en las que Dios nos alienta cuando estamos a punto de rendirnos, como cuando nos proporciona un buen amigo o un buen libro en el momento que más lo necesitamos. Reconoce y proclama los maravillosos actos diarios de Dios y tendrás una nota de alegría como música de fondo para tu vida.

Oración: Señor, Tú nunca desamparas al afligido o al necesitado. Cuando pienso en Tus innumerables misericordias hacia mí, grandes y pequeñas, solo puedo llorar... ¡Cuánta gratitud y amor te debo! Ayúdame a ver las formas en las que me guías diariamente, para que siempre pueda encontrar razones por las que agradecerte. Amén.

Salmo 9:13-20. [13]Ten compasión de mí, Señor; mira cómo me afligen los que me odian. [14]Sácame de las puertas de la muerte, para que en las puertas de Jerusalén proclame Tus alabanzas y me regocije en Tu salvación. [15]Han caído los paganos en la fosa que han cavado; sus pies quedaron atrapados en la red que ellos mismos escondieron. [16]Al Señor se le conoce porque imparte justicia; el malvado cae en la trampa que él mismo tendió. [17]Bajan al sepulcro los malvados, todos los paganos que de Dios se olvidan. [18]Pero no se olvidará para siempre al necesitado, ni para siempre se perderá la esperanza del pobre. [19]¡Levántate, Señor! No dejes que el hombre prevalezca; ¡haz que las naciones comparezcan ante Ti! [20]Infúndeles terror, Señor; ¡que los pueblos sepan que son simples mortales!

NUNCA OLVIDES. Este salmo pasa repentinamente de la gratitud a la súplica por ayuda en medio del sufrimiento. Así es la vida. David se aferra a la verdad que le evita hundirse. El pecado más grave es olvidar que Dios es Dios y que nosotros no lo somos. Aquí se manifiesta la justicia: los que se olvidan de Dios serán olvidados, pero los que se acuerdan de Dios serán recordados por siempre (Isaías 56:5). Los cristianos conocen a Alguien que se acordó de Dios pero que fue abandonado completamente (Mateo 27:46). Pero debido a que Jesús murió *en nuestro lugar*, podemos estar aún más seguros que David de que Dios siempre estará con nosotros.

Oración: Señor, muchos de mis problemas se deben a que me olvido de ti. Olvido Tu sabiduría y me preocupo. Olvido Tu gracia y me creo autosuficiente. Me olvido de Tu misericordia y guardo resentimiento contra otros. Ayúdame a recordar quién eres Tú en cada momento del día. Amén.

Enero 15

Salmo 10:1-11. ¹¿Por qué, Señor, te mantienes distante? ¿Por qué te escondes en momentos de angustia? ²Con arrogancia persigue el malvado al indefenso, pero se enredará en sus propias artimañas. ³El malvado hace alarde de su propia codicia; alaba al ambicioso y menosprecia al Señor. ⁴El malvado levanta insolente la nariz, y no da lugar a Dios en sus pensamientos. ⁵Todas sus empresas son siempre exitosas; tan altos y alejados de él están Tus juicios que se burla de todos sus enemigos. ⁶Y se dice a sí mismo: "Nada me hará caer. Siempre seré feliz. Nunca tendré problemas". ⁷Llena está su boca de maldiciones, de mentiras y amenazas; bajo su lengua esconde maldad y violencia. ⁸Se pone al acecho en las aldeas, se esconde en espera de sus víctimas, y asesina a mansalva al inocente. ⁹Cual león en su guarida se agazapa, listo para atrapar al indefenso; le cae encima y lo arrastra en su red. ¹⁰Bajo el peso de su poder, sus víctimas caen por tierra. ¹¹Se dice a sí mismo: "Dios se ha olvidado. Se cubre el rostro. Nunca ve nada".

DOLOROSA REALIDAD. Agustín enseñó que existen dos "ciudades" o caminos para vivir en sociedad: uno basado en servir a los demás y otro en servirse a sí mismo. Alabarse a sí mismo (versículo 3) conduce a hábitos de autoservicio en vez de a hábitos de amor. Este es el estilo de vida que aparentemente prospera en el mundo; las personas viven creyendo en un Dios que parece estar distante, que no hace nada (versículo 1). El Salmo describe esta situación con detalles dolorosos, como una forma de advertirnos de que no sigamos este estilo de vida.

Oración: Señor, ayúdame a no ser ingenuo o cínico frente a la maldad humana. No dejes que me acostumbre a la injusticia o, aun peor, a ser cómplice de ella. Esto requiere vigilar y reflexionar constantemente sobre mi manera de vivir. Ayúdame a amar lo que Tú amas y a odiar lo que Tú odias. Amén.

Enero 16

Salmo 10:12-18. [12]¡Levántate, Señor! ¡Levanta, oh Dios, Tu brazo! ¡No te olvides de los indefensos! [13]¿Por qué te ha de menospreciar el malvado? ¿Por qué ha de pensar que no lo llamarás a cuentas? [14]Pero Tú ves la opresión y la violencia, las tomas en cuenta y te harás cargo de ellas. Las víctimas confían en Ti; Tú eres la ayuda de los huérfanos. [15]¡Rómpeles el brazo al malvado y al impío! ¡Pídeles cuentas de su maldad, y haz que desaparezcan por completo! [16]El Señor es rey eterno; los paganos serán borrados de su tierra. [17]Tú, Señor, escuchas la petición de los indefensos, les infundes aliento y atiendes a su clamor. [18]Tú defiendes al huérfano y al oprimido, para que el hombre, hecho de tierra, no siga ya sembrando el terror.

ÁNIMO. Esta segunda parte del salmo nos muestra un hombre que nunca obtiene las respuestas a sus preguntas de "¿por qué?" (versículo 13); sin embargo, confía plenamente en Dios. Aunque el día de justicia esté en el futuro, la promesa de aliento y fortaleza está en el presente si confiamos en Él. ¿Cómo podemos confiar en Él si vemos que la opresión reina? Los cristianos saben que Dios ama tanto a los indefensos (versículo 12) como a las víctimas (versículo 14) y a los oprimidos (versículo 18), al punto de convertirse en uno de ellos (Isaías 53:3-8). Por tanto, entrégate a Él.

Oración: Señor, ¡el mundo está lleno de tantas tragedias e injusticias! Desearía conocer el "porqué" de muchas cosas. Pero a pesar de las apariencias y de mi limitada perspectiva, nunca le has hecho injusticia a nadie. Ayúdame a confiar en Tu sabiduría y dale a mi corazón la fortaleza y el ánimo que solamente Tú puedes dar. Amén.

Salmo 11. ¹En el Señor hallo refugio. ¿Cómo, pues, se atreven a decirme: "Huye al monte, como las aves"? ²Vean cómo tensan sus arcos los malvados: preparan las flechas sobre la cuerda para disparar desde las sombras contra los rectos de corazón. ³Cuando los fundamentos son destruidos, ¿qué le queda al justo? ⁴El Señor está en Su santo templo, en los cielos tiene el Señor Su trono, y atentamente observa al ser humano; con Sus propios ojos lo examina. ⁵El Señor examina a justos y a malvados, y aborrece a los que aman la violencia. ⁶Hará llover sobre los malvados ardientes brasas y candente azufre; ¡un viento abrasador será su suerte! ⁷Justo es el Señor, y ama la justicia; por eso los íntegros contemplarán Su rostro.

NO DESFALLEZCAS. Cuando la vida se desmorona, el deseo de huir y hundirse en la desesperación es muy fuerte. David contrarresta este impulso con tres perspectivas: una teológica —Dios está en Su trono e impartirá justicia en Su tiempo (versículo 4); una práctica —las crisis realmente son pruebas, oportunidades para diferenciar lo que es verdadero y sólido de lo que es falso y descartable (versículo 5); y una espiritual —lo que realmente necesitamos es contemplar el rostro de Dios (versículo 7). Solamente el amor provoca el deseo de contemplar el rostro de alguien. Ora hasta que Dios y Su amor sean más reales para ti. Cuando esto suceda, no correrás asustado.

Oración: Señor, la gente dice: "Se terminó, ríndete". Pero no me intimidaré —¿O debería decir: "Señor, ayúdame a no tener miedo"? Yo sé que estás en Tu trono, pero mi corazón no lo siente así. Por tanto, habla a mi corazón. Permíteme amarte lo suficiente para no tener miedo. Amén.

Enero 18

Salmo 12. [1]Sálvanos, Señor, que ya no hay gente fiel; ya no queda gente sincera en este mundo. [2]No hacen sino mentirse unos a otros; sus labios lisonjeros hablan con doblez. [3]El Señor cortará todo labio lisonjero y toda lengua jactanciosa [4]que dice: "Venceremos con la lengua; en nuestros labios confiamos. ¿Quién puede dominarnos a nosotros?". [5]Dice el Señor: "Voy ahora a levantarme, y pondré a salvo a los oprimidos, pues al pobre se le oprime, y el necesitado se queja". [6]Las palabras del Señor son puras, son como la plata refinada, siete veces purificada en el crisol. [7]Tú, Señor, nos protegerás; tú siempre nos defenderás de esta gente, [8]aun cuando los malvados sigan merodeando, y la maldad sea exaltada en este mundo.

EL PODER DE LAS PALABRAS. Quizá nunca ha sido más cierta en la actualidad la afirmación de que "la maldad es exaltada en este mundo". Los cristianos necesitan que Dios los proteja de las mentiras, calumnias y decepciones porque las palabras tienen gran poder no solo para herir, sino también para derrocar toda una cultura (versículos del 3 al 8; comparar con Santiago 3:1-11). El gran peligro es responder de la misma forma. En lugar de ello, debemos moldear nuestras palabras tomando como referencia las de Dios, que son palabras puras (versículo 6). Nuestro deber es confiar en la protección de Dios e imitar las acciones de nuestro Maestro y Salvador, Jesús, quien cuando era maldecido, no maldecía. Damos gloria a Dios cuando sufrimos y no respondemos con agravio.

Oración: Señor, estoy rodeado de personas cuyas palabras son aduladoras o maliciosas. No dejes que sea intimidado por ellas. Permite que mis palabras sean honestas, sinceras, sabias, bien escogidas y amables. Dame tanto amor como gracia para que este tipo de conversación sea natural en mí. Amén.

Enero 19

Salmo 13. ¹¿Hasta cuándo, Señor, me seguirás olvidando? ¿Hasta cuándo esconderás de mí tu rostro? ²¿Hasta cuándo he de estar angustiado y he de sufrir cada día en mi corazón? ¿Hasta cuándo el enemigo me seguirá dominando? ³Señor y Dios mío, mírame y respóndeme; ilumina mis ojos. Así no caeré en el sueño de la muerte; ⁴así no dirá mi enemigo: "Lo he vencido"; así mi adversario no se alegrará de mi caída. ⁵Pero yo confío en Tu gran amor; mi corazón se alegra en Tu salvación. ⁶Canto salmos al Señor. ¡El Señor ha sido bueno conmigo!

HONESTIDAD. David está en agonía y no siente la presencia de Dios. Exclama que Dios ha ignorado su dolor y su pena. Es casi un alarido y el hecho de que se incluya en la Biblia nos muestra que Dios quiere escuchar nuestros sentimientos, aun si estamos enojados con Él. Sin embargo, David nunca cesa de orar y esa es la clave. Mientras clamemos a Dios y recordemos Su salvación por gracia (versículo 5), terminaremos en un lugar de paz. Si los cristianos hacen esto al escuchar a Jesús orando los versículos de 1 al 4 mientras colgaba de la cruz, perdiendo la comunión con el Padre mientras pagaba por nuestros pecados, sin duda podremos orar los versículos 5 y 6.

Oración: "Reposa, alma abatida; recibe mi gracia prometida", dice Jesús—yo puedo y debo creerle.[11] Señor, esto me recuerda que creer en la promesa de Tu presencia en medio del sufrimiento lleva tiempo y requiere oración, así que oraré hasta que mi corazón se regocije en Ti. Amén.

Salmo 14. ¹Dice el necio en su corazón: "No hay Dios". Están corrompidos, sus obras son detestables; ¡no hay uno solo que haga lo bueno! ²Desde el cielo el Señor contempla a los mortales, para ver si hay alguien que sea sensato y busque a Dios. ³Pero todos se han descarriado, a una se han corrompido. No hay nadie que haga lo bueno; ¡no hay uno solo! ⁴¿Acaso no entienden todos los que hacen lo malo, los que devoran a mi pueblo como si fuera pan? ¡Jamás invocan al Señor! ⁵Allí los tienen, sobrecogidos de miedo, pero Dios está con los que son justos. ⁶Ustedes frustran los planes de los pobres, pero el Señor los protege. ⁷¡Quiera Dios que de Sion venga la salvación de Israel! Cuando el Señor restaure a Su pueblo, ¡Jacob se regocijará, Israel se alegrará!

NECEDAD. En la Biblia, la necedad significa egoísmo destructivo. Los necios no pueden aceptar tener a nadie por encima de ellos, así que ignoran a Dios o niegan Su existencia. Parte de esta rebeldía existe en cada corazón. Cada pecado es una forma de ateísmo, de actuar como si Dios no estuviera ahí. Esto también implica que la fe en Dios es un regalo. Este salmo es famosamente citado en Romanos 3:11: "No hay nadie [...] que busque a Dios". Si dependiera de nosotros, nunca tendríamos el deseo de buscar a Dios, mucho menos de conocerlo. Así que cobra ánimo... Si buscas a Dios, es porque Él quiere que le encuentres.

Oración: Señor, frecuentemente lucho con dudas sobre Ti y este salmo me enseña que muchas de estas dudas no vienen de mi intelecto, sino que vienen de mi corazón. Parte de mí no desea que haya un Dios al que tenga que obedecer. Aumenta mi fe a través de Tu Palabra, de Tu Espíritu y de amigos creyentes, "los justos". Amén.

Enero 21

Salmo 15. ¹¿Quién, Señor, puede habitar en Tu santuario? ¿Quién puede vivir en Tu santo monte? ²Solo el de conducta intachable, que practica la justicia y de corazón dice la verdad; ³que no calumnia con la lengua, que no le hace mal a su prójimo ni le acarrea desgracias a su vecino; ⁴que desprecia al que Dios reprueba, pero honra al que teme al Señor; que cumple lo prometido aunque salga perjudicado; ⁵que presta dinero sin ánimo de lucro, y no acepta sobornos que afecten al inocente. El que así actúa no caerá jamás.

INTEGRIDAD. *¿Quién podrá acercarse a Dios?* Aquellos que dicen la verdad (versículo 2) con amabilidad (versículo 3) y que son generosos (versículo 5). Aquellos que son transparentes, honestos y fieles a Su palabra, sin cambiar constantemente de forma de pensar (versículos 4 y 5). Si engañamos, adulamos o hacemos falsas promesas, no podemos esperar que Dios esté presente en nuestras vidas. Este estándar no solo nos reta; también nos recuerda que podemos ir a Dios solamente a través de Su gracia. Nadie, fuera de Jesús, ha vivido en perfecta integridad (Hebreos 4:15), pero como Él es nuestro Salvador, podemos acercarnos a Dios (Hebreos 4:16).

Oración: Señor, ¡los pecados de mi lengua son demasiados! Perdóname por hablar de más (a causa de mi orgullo), por hablar muy poco (a causa del miedo), por no decir la verdad (debido al orgullo y al miedo), por hablar palabras hirientes que lastiman la reputación de otros a través del chisme. Purifica mis palabras con Tu Palabra. Amén.

Enero 22

Salmo 16:1-6. ¹Cuídame, oh Dios, porque en Ti busco refugio. ²Yo le he dicho al Señor: "Mi Señor eres Tú. Fuera de Ti, no poseo bien alguno". ³Poderosos son los sacerdotes paganos del país, según todos sus seguidores. ⁴Pero aumentarán los dolores de los que corren tras ellos. ¡Jamás derramaré sus sangrientas libaciones, ni con mis labios pronunciaré sus nombres! ⁵Tú, Señor, eres mi porción y mi copa; eres Tú quien ha afirmado mi suerte. ⁶Bellos lugares me han tocado en suerte; ¡preciosa herencia me ha correspondido!

ÍDOLOS QUE RENUNCIAN. Quizá no creamos en aquellos seres divinos de belleza, placer, riqueza o fertilidad. Pero todos vivimos por algo, y si vivimos por algo o amamos ese algo por encima de Dios mismo, entonces somos culpables. Este algo se convierte en cosas que debemos tener, así que gastamos toda nuestra energía persiguiéndolas. Pero esto nos conduce al sufrimiento (versículo 4), ya que la vida inevitablemente nos quita esas cosas. En lugar de ello, debemos hacer de Dios nuestra porción (nuestro verdadero tesoro), nuestro bien más preciado.

Oración: Señor, deseo las bendiciones de Tu mano más que la gloria de Tu rostro. Puedo darme cuenta de que mi felicidad se basa en diversión, música, comida o un buen clima. Pero cuando el sufrimiento llega a mi vida, estas cosas muestran ser vanidades. Sin Tu presencia constante ni Tu favor ninguna cosa es buena. Así que las recibo con gratitud, pero mi corazón y mi esperanza reposan en Ti. Amén.

Enero 23

Salmo 16:7-11. ⁷Bendeciré al Señor, que me aconseja; aun de noche me reprende mi conciencia. ⁸Siempre tengo presente al Señor; con Él a mi derecha, nada me hará caer. ⁹Por eso mi corazón se alegra, y se regocijan mis entrañas; todo mi ser se llena de confianza. ¹⁰No dejarás que mi vida termine en el sepulcro; no permitirás que sufra corrupción Tu siervo fiel. ¹¹Me has dado a conocer la senda de la vida; me llenarás de alegría en Tu presencia, y de dicha eterna a Tu derecha.

LO MEJOR ESTÁ POR VENIR. Si Dios es nuestro mayor tesoro, obtendremos lo que no podemos perder, sino que solo puede aumentar de manera infinita. El Señor está a nuestra derecha. Ser la mano derecha de alguien significa ser su abogado en un juicio, su refuerzo en la batalla o su compañero de viaje. En Cristo, esto es literalmente cierto (Hechos 2:24-36). Debido a que murió y resucitó por nosotros, Él es nuestro representante en el cielo (por Él somos completamente perdonados) y es nuestro compañero en la tierra (por ello somos profundamente amados). Algún día no solamente sentiremos Su presencia a nuestro lado, sino que le veremos cara a cara. Tendremos dicha eterna en nuestros cuerpos resucitados (versículos del 9 al 11). No tenemos nada que temer.

Oración: Señor, así como dormí la noche anterior y me desperté esta mañana solo por Tu gracia, mantenme en el recuerdo alegre de que, a pesar de lo que pueda suceder, un día conoceré mi último despertar —la resurrección— gracias a que Cristo murió por mí y resucitó para justificarme. Amén.

Enero 24

Salmo 17:1-9. ¹Señor, oye mi justo ruego; escucha mi clamor; presta oído a mi oración, pues no sale de labios engañosos. ²Sé Tú mi defensor, pues Tus ojos ven lo que es justo. ³Tú escudriñas mi corazón, Tú me examinas por las noches; ¡ponme, pues, a prueba, que no hallarás en mí maldad alguna! ⁴¡No pasarán por mis labios palabras como las de otra gente, pues yo cumplo con Tu palabra! ⁵Del camino de la violencia he apartado mis pasos; mis pies están firmes en tus sendas. ⁶A Ti clamo, oh Dios, porque Tú me respondes; inclina a mí Tu oído, y escucha mi oración. ⁷Tú, que salvas con tu diestra a los que buscan escapar de sus adversarios, dame una muestra de Tu gran amor. ⁸Cuídame como a la niña de Tus ojos; escóndeme, bajo la sombra de Tus alas, ⁹de los malvados que me atacan, de los enemigos que me han cercado.

UNA CONCIENCIA LIMPIA. David no está diciendo que es un humano sin pecado; está negando ser un gobernante corrupto. No le ha mentido a su pueblo (versículo 3) ni ha aceptado sobornos (versículo 4). Él estaba siendo falsamente acusado, pero su conciencia estaba limpia. ¿Cómo podemos mantener siempre una conciencia limpia? Existen dos formas. Haz lo correcto. Pero cuando no lo hagas, arrepiéntete inmediatamente, sabiendo que eres "la niña de los ojos de Dios" (versículo 8). En Cristo, asombrosamente, Dios nos ve como perfectos (Filipenses 3:9-10). Así que aunque seas acusado falsamente o hayas caído y te hayas levantado, puedes caminar con tu frente en alto.

Oración: Señor, ayúdame a no darle tanta importancia a lo que otros piensen de mí. Ayúdame a no darle tanta importancia a lo que yo pienso de mí mismo. Recuérdale a mi corazón que cuando Tú me ves, me ves "en Cristo". Ayúdame a descansar en esto. Amén.

Salmo 17:10-15. [10]Han cerrado su insensible corazón, y profieren insolencias con su boca. [11]Vigilan de cerca mis pasos, prestos a derribarme. [12]Parecen leones ávidos de presa, leones que yacen al acecho. [13]¡Vamos, Señor, enfréntate a ellos! ¡Derrótalos! ¡Con Tu espada rescátame de los malvados! [14]¡Con Tu mano, Señor, sálvame de estos mortales que no tienen más herencia que esta vida! Con tus tesoros les has llenado el vientre, sus hijos han tenido abundancia, y hasta ha sobrado para sus descendientes. [15]Pero yo en justicia contemplaré Tu rostro; me bastará con verte cuando despierte.

ESPERANZA EN MEDIO DE LA OSCURIDAD. Las personas insensibles que cruzan cualquier límite, quebrantan cualquier ley, se burlan de la compasión y hacen todo lo necesario para ser felices en el presente son las personas que sin duda debemos temer. Vivir una vida egocéntrica siempre perjudicará a todos los demás. En un mundo tan oscuro, David mantiene la esperanza. Él recuerda que la crueldad siempre recibe su merecido (versículo 14). Pero el versículo 15 va aún más allá, recordándonos que un día veremos al Señor tal y como Él es (1 Juan 3:2; 2 Corintios 3:18). Contemplar tal hermosura y recibir tal amor infinito nos dará una satisfacción que perdurará por siempre.

Oración: Gracias, Señor, por la confianza que tu resurrección me da, de que al final todo lo malo se corregirá. Gracias por permitirme descansar en la seguridad de mi futura resurrección y de vivir contigo para siempre, sabiendo que esto sana toda herida. Amén.

Enero 26

Salmo 18:1-6. ¹¡Cuánto te amo, Señor, fuerza mía! ²El Señor es mi roca, mi amparo, mi libertador; es mi Dios, el peñasco en que me refugio. Es mi escudo, el poder que me salva, ¡mi más alto escondite! ³Invoco al Señor, que es digno de alabanza, y quedo a salvo de mis enemigos. ⁴Los lazos de la muerte me envolvieron; los torrentes destructores me abrumaron. ⁵Me enredaron los lazos del sepulcro, y me encontré ante las trampas de la muerte. ⁶En mi angustia invoqué al Señor; clamé a mi Dios, y Él me escuchó desde Su templo; ¡mi clamor llegó a Sus oídos!

TE AMO, SEÑOR. Los salmos constantemente se refieren a Dios como un refugio debido a que necesitamos uno con mucha frecuencia. Habitualmente, ir a Dios en busca de refugio es el único verdadero apoyo que tenemos en la vida. En el Salmo 2, David toma refugio en Dios al recordar que Él corregirá todas las cosas algún día. En el Salmo 7, David toma refugio en Dios al descansar en el hecho de que Él tiene el control de las circunstancias por las que atraviesa. Aquí vemos a David tomando refugio al agradecer a Dios las bendiciones del pasado. Cuando dice: "Cuánto te amo, Señor", utiliza una palabra hebrea inusual que implica gran emoción y pasión. Cultiva tal amor por Dios al considerar cómo Él te ha rescatado a través del sacrificio en la cruz (Romanos 5:8). Eso te fortalecerá.

Oración: Gracias, Señor, por dejar el refugio celestial para hacerte vulnerable y morir por mí, para que ahora, a pesar de mi pecado, pueda ser bienvenido en los brazos del Padre, encontrando refugio en Él. Te amo por lo que has hecho y por lo que eres. Amén.

Enero 27

Salmo 18:7-19. [7]La tierra tembló, se estremeció; se sacudieron los cimientos de los montes; ¡retemblaron a causa de Su enojo! [8]Por la nariz echaba humo, por la boca, fuego consumidor; ¡lanzaba carbones encendidos! [9]Rasgando el cielo, descendió, pisando sobre oscuros nubarrones. [10]Montando sobre un querubín, surcó los cielos y se remontó sobre las alas del viento. [11]Hizo de las tinieblas Su escondite, de los oscuros y cargados nubarrones un pabellón que lo rodeaba. [12]De Su radiante presencia brotaron nubes, granizos y carbones encendidos. [13]En el cielo, entre granizos y carbones encendidos, se oyó el trueno del Señor, resonó la voz del Altísimo. [14]Lanzó Sus flechas, Sus grandes centellas; dispersó a mis enemigos y los puso en fuga. [15]A causa de Tu reprensión, oh Señor, y por el resoplido de Tu enojo, las cuencas del mar quedaron a la vista; ¡al descubierto quedaron los cimientos de la tierra! [16]Extendiendo Su mano desde lo alto, tomó la mía y me sacó del mar profundo. [17]Me libró de mi enemigo poderoso, de aquellos que me odiaban y eran más fuertes que yo. [18]En el día de mi desgracia me salieron al encuentro, pero mi apoyo fue el Señor. [19]Me sacó a un amplio espacio; me libró porque se agradó de mí.

LA COMPRENSIÓN RETROSPECTIVA DE LA FE. David dice que Dios descendió del cielo como una tormenta (versículos 8 y 9) y como viento (versículo 15) para salvarlo. Aunque Dios ya había hecho estas cosas anteriormente (Josué 10:11; Éxodo 14:21), es la primera vez que las hace para ayudar a David a escapar de Saúl. Sin embargo, con comprensión retrospectiva, David ahora se percata de que Dios estaba detrás de todas las cosas, incluso cuando parecía estar ausente en el momento "porque se agradó de mí" (versículo 19). Los cristianos saben que Cristo descendió del cielo por ellos porque "los amó y dio Su vida por ellos" (Gálatas 2:20) en la cruz, y Dios se deleita en ellos por medio de Cristo (Colosenses 1:22).

Oración: Señor, el simple hecho de que otro día ha sido añadido a mi vida es debido a Tu amor y a Tu presencia activa. Mientras envejezco un día más, permíteme crecer en el conocimiento de que soy completamente aceptado y amado en Cristo, a pesar de mis errores y fracasos. Amén.

Salmo 18:20-27. ²⁰El Señor me ha pagado conforme a mi justicia; me ha premiado conforme a la limpieza de mis manos, ²¹pues he andado en los caminos del Señor; no he cometido mal alguno ni me he apartado de mi Dios. ²²Presentes tengo todas Sus sentencias; no me he alejado de Sus decretos. ²³He sido íntegro con Él y me he abstenido de pecar. ²⁴El Señor me ha recompensado conforme a mi justicia, conforme a la limpieza de mis manos. ²⁵Tú eres fiel con quien es fiel, e irreprochable con quien es irreprochable; ²⁶sincero eres con quien es sincero, pero sagaz con el que es tramposo. ²⁷Tú das la victoria a los humildes, pero humillas a los altaneros.

AMISTAD CON DIOS. La palabra "fiel" (versículo 25) se refiere a un amor entre compañeros de un pacto. Dios responde amablemente (versículo 25 y 26) porque no es solamente un rey; es un amigo. Aristóteles pensaba que era imposible que los hombres pudieran ser amigos de algún dios, porque los amigos tienen cosas en común y pueden preguntarse: "¿También tú?". Pero al convertirse en humano, el primer gran acto de amistad de Dios fue hacerse como uno de nosotros, acercándose a nosotros para que nosotros podamos acercarnos a Él. Debido a que se humilló a Sí mismo para acercarse a nosotros, solo los humildes, no los altivos, pueden ser Sus amigos. En Su segundo gran acto de amistad, Él dio Su vida por nosotros (Juan 15:13). En nuestro sufrimiento, podemos mirar a Jesús y preguntarle: "¿También Tú?".

Oración: Señor, parece inimaginable que el rey del universo también es el amigo de mi corazón, pero así es. Al escuchar Tu Palabra, orar de forma constante y honesta, y servirte, permíteme crecer en amistad y comunión contigo. Amén.

Salmo 18:28-33. [28]Tú, Señor, mantienes mi lámpara encendida; Tú, Dios mío, iluminas mis tinieblas. [29]Con Tu apoyo me lanzaré contra un ejército; contigo, Dios mío, podré asaltar murallas. [30]El camino de Dios es perfecto; la palabra del Señor es intachable. Escudo es Dios a los que en él se refugian. [31]¿Quién es Dios, si no el Señor? ¿Quién es la roca, si no nuestro Dios? [32]Es Él quien me arma de valor y endereza mi camino; [33]da a mis pies la ligereza del venado, y me mantiene firme en las alturas.

FORTALEZA A TRAVÉS DE LA PALABRA. Este salmo, desde el primer versículo, trata de cómo Dios nos da la fortaleza para enfrentar cualquier cosa. ¿Cómo obtenemos esa fuerza? Aquí David nos dice que él puede asaltar murallas porque el camino de Dios es perfecto y Su Palabra es intachable. Un Dios perfecto solo puede tener comunicación perfecta con Su pueblo. Somos nosotros los que leemos perezosamente, despreciamos la oración y fallamos al meditar en Su Palabra. El mejor regalo en el mundo, además de la Palabra encarnada, Jesús mismo, es la Palabra escrita de Dios; ella encenderá tu corazón si se lo permites.

Oración: Te agradezco, Señor, por la Palabra de Dios, la Escritura. Te agradezco por su variedad, sabiduría, verdad, plenitud y poder. Abre mis ojos para poder ver más cosas maravillosas en ella y para que pueda obtener fortaleza para enfrentar cualquier adversidad en la vida. Amén.

Salmo 18:34-45. ³⁴Adiestra mis manos para la batalla, y mis brazos para tensar arcos de bronce. ³⁵Tú me cubres con el escudo de Tu salvación, y con Tu diestra me sostienes; Tu bondad me ha hecho prosperar. ³⁶Me has despejado el camino, así que mis tobillos no flaquean. ³⁷Perseguí a mis enemigos, les di alcance, y no retrocedí hasta verlos aniquilados. ³⁸Los aplasté. Ya no pudieron levantarse. ¡Cayeron debajo de mis pies! ³⁹Tú me armaste de valor para el combate; bajo mi planta sometiste a los rebeldes. ⁴⁰Hiciste retroceder a mis enemigos, y así exterminé a los que me odiaban. ⁴¹Pedían ayuda; no hubo quien los salvara. Al Señor clamaron, pero no les respondió. ⁴²Los desmenucé. Parecían polvo disperso por el viento. ¡Los pisoteé como al lodo de las calles! ⁴³Me has librado de una turba amotinada; me has puesto por encima de los paganos; me sirve gente que yo no conocía. ⁴⁴Apenas me oyen, me obedecen; son extranjeros, y me rinden homenaje. ⁴⁵¡Esos extraños se descorazonan, y temblando salen de sus refugios!

VERDADERA GRANDEZA. En medio de la celebración de la proeza militar ejercida en defensa de David contra aquellos que enviaron para matarle, existe una declaración asombrosa que dice, literalmente, "tu *gentileza* me ha hecho grande" (versículo 35). La palabra viene de la utilizada para referirse a alguien "humilde" o "manso". Fue la gentileza de Dios ejercida en un humano imperfecto lo que permitió el éxito, y fue la gentileza que Dios le enseñó en medio de duras pruebas a través de los años la que, al final, fue su verdadera grandeza.¹² Sin duda, la magnitud de la grandeza del Señor fue mostrada en Su habilidad y disponibilidad para convertirse en un ser débil y morir por nosotros.

Oración: Señor, Tú has dicho que eres "apacible y humilde de corazón" (Mateo 11:29). Pero, frecuentemente, yo no lo soy. A Ti no te importaba Tu gloria ni Tu reputación, pero a mí sí. Nunca devolviste mal a las personas, pero yo sí. Permite que Tu gentileza hacia mí me ayude a mostrar gentileza a los demás. Amén.

Enero 31

Salmo 18:46-50. **46**¡El Señor vive! ¡Alabada sea mi roca! ¡Exaltado sea Dios mi Salvador! **47**Él es el Dios que me vindica, el que pone los pueblos a mis pies. **48**Tú me libras del furor de mis enemigos, me exaltas por encima de mis adversarios, me salvas de los hombres violentos. **49**Por eso, Señor, te alabo entre las naciones y canto salmos a Tu nombre. **50**El Señor da grandes victorias a Su rey; a Su ungido David y a Sus descendientes les muestra por siempre Su gran amor.

EL GOZO DE LA GRACIA. En los versículos del 4 al 19 de este salmo, David dice que él derrotó a sus enemigos, pero aquí nos dice que Dios lo hizo. ¿Somos nosotros los que obramos, o es Dios? La respuesta es: ambos. Y esta paradoja (Filipenses 2:12) no es una contradicción. David supo, al final, que Dios lo había hecho todo por Su gracia, a pesar de los esfuerzos imperfectos de David. Pero eso no hizo que David estuviera pasivo. El trabajo realizado con la creencia de que todo depende de nosotros se convierte en una carga carente de alegría. Solo aquellos que saben que la salvación es posible a través de pura gracia, no por esfuerzos humanos, poseen la dinámica interna de una gratitud alegre (Colosenses 3:15-17), la cual posibilita mayores esfuerzos. Por eso es que "el gozo del Señor es nuestra fortaleza" (Nehemías 8:10).

Oración: Señor, ayúdame a recordar que mi salvación en Cristo es completa —la gran obra ha sido completada, la gran deuda ha sido pagada, la gran enfermedad ha sido curada. Esto me permite realizar todas mis tareas y retos con confianza y alegría. Me pongo en Tus manos; trabaja a través de mí. Amén.

Salmo 19:1-6. [1]Los cielos cuentan la gloria de Dios, el firmamento proclama la obra de Sus manos. [2]Un día comparte al otro la noticia, una noche a la otra se lo hace saber. [3]Sin palabras, sin lenguaje, sin una voz perceptible, [4]por toda la tierra resuena su eco, ¡sus palabras llegan hasta los confines del mundo! Dios ha plantado en los cielos un pabellón para el sol. [5]Y este, como novio que sale de la cámara nupcial, se apresta, cual atleta, a recorrer el camino. [6]Sale de un extremo de los cielos y, en su recorrido, llega al otro extremo, sin que nada se libre de su calor.

PALABRAS MUDAS. ¿Por qué las montañas, los océanos, el sol y las estrellas nos conmueven grandemente como grandes obras de arte? Porque *son* precisamente grandes obras de arte. La naturaleza nos habla a todos (versículo 2) sin palabras audibles (versículo 3). Es una comunicación no verbal de que existe un Dios, de que el mundo no es un accidentado conjunto de moléculas, sino la obra de las manos de un Artista. Debemos respetar nuestro medio ambiente. También significa que todas las personas saben, de alguna forma, sobre Dios, la verdad, la sabiduría y la belleza, aunque supriman ese conocimiento (Romanos 1:18-21). A pesar de ello, la buena comunicación no verbal puede ser fácilmente malinterpretada. Necesitamos algo más.

Oración: Hacedor del cielo y la tierra, Tu creación habla de Tu grandeza. No permitas que desprecie a la naturaleza, dejando de cuidar reverentemente su integridad. Tampoco permitas que adore a la naturaleza, sino, al contrario, que ella me conduzca a Tu gloria, la cual, incluso, solamente la "refleja de manera irregular".[13] Amén.

Febrero 2

Salmo 19:7-14. [7]La ley del Señor es perfecta: infunde nuevo aliento. El mandato del Señor es digno de confianza: da sabiduría al sencillo. [8]Los preceptos del Señor son rectos: traen alegría al corazón. El mandamiento del Señor es claro: da luz a los ojos. [9]El temor del Señor es puro: permanece para siempre. Las sentencias del Señor son verdaderas: todas ellas son justas. [10]Son más deseables que el oro, más que mucho oro refinado; son más dulces que la miel, la miel que destila del panal. [11]Por ellas queda advertido Tu siervo; quien las obedece recibe una gran recompensa. [12]¿Quién es consciente de sus propios errores? ¡Perdóname aquellos de los que no soy consciente! [13]Libra, además, a Tu siervo de pecar a sabiendas; no permitas que tales pecados me dominen. Así estaré libre de culpa y de multiplicar mis pecados. [14]Sean, pues, aceptables ante Ti mis palabras y mis pensamientos, oh Señor, roca mía y redentor mío.

LA PALABRA PERFECTA. La naturaleza nos cuenta sobre la realidad de Dios y sobre Su poder, pero no sobre Su gracia salvadora (versículos del 7 al 14). Solamente la Biblia puede darle vista al espiritualmente ciego (versículo 8) y dar al alma "nuevo aliento" (versículo 7). Ya que la palabra hebrea para "alma" se refiere al *psique* o al "yo", la Biblia tiene el poder de mostrarte y restaurar tu identidad. Para que la Biblia haga esto, debes aceptar que es verdadera y digna de confianza en cada uno de sus puntos (versículos del 7 al 9). Así que no solo la estudies; también permite que te escudriñe (versículos del 11 al 14). Finalmente, pídele a Jesús, la Palabra hecha carne, que te dé Su Espíritu para que puedas encontrarlo en la Palabra escrita. Como resultado, encontrarás sabiduría, alegría y dulzura.

Oración: Señor, estoy tan agradecido de que no dejes a nuestra imaginación quién eres, sino que nos hablas directamente. Pero para que la Palabra sea dulce y me dé aliento, debo dejar que me examine y me instruya. Ayúdame a tener la disciplina y la fe para permitir que haga eso en mi vida. Amén.

Febrero 3

Salmo 20. ¹Que el Señor te responda cuando estés angustiado; que el nombre del Dios de Jacob te proteja. ²Que te envíe ayuda desde el santuario; que desde Sion te dé su apoyo. ³Que se acuerde de todas tus ofrendas; que acepte tus holocaustos. ⁴Que te conceda lo que tu corazón desea; que haga que se cumplan todos tus planes. ⁵Nosotros celebraremos tu victoria, y en el nombre de nuestro Dios desplegaremos las banderas. ¡Que el Señor cumpla todas tus peticiones! ⁶Ahora sé que el Señor salvará a Su ungido, que le responderá desde Su santo cielo y con Su poder le dará grandes victorias. ⁷Estos confían en sus carros de guerra, aquellos confían en sus corceles, pero nosotros confiamos en el nombre del Señor nuestro Dios. ⁸Ellos son vencidos y caen, pero nosotros nos erguimos y de pie permanecemos. ⁹¡Concede, Señor, la victoria al rey! ¡Respóndenos cuando te llamemos!

ANTES DE LA BATALLA. ¿Cómo te preparas para enfrentar un gran reto, ya sea un conflicto, una cirugía o una tarea muy peligrosa? Las personas que escucharon por primera vez este salmo se encontraban en víspera de una gran batalla y tenían la tentación era poner su esperanza en la fortaleza militar (versículo 7). En vez de eso, volvieron su mirada al Señor y al rey que Él les había enviado (versículos 1-6). Es porque Dios le responde a *él*, al rey puesto por Dios (versículo 1), que Dios les responde también a *ellos* (versículo 9). Cuán fácil para nosotros es poner nuestra esperanza en cosas análogas: familia, dinero, doctores, programas. En lugar de ello, los cristianos vuelven su mirada a su rey ungido, Jesús. Dios siempre le contesta a Él y honra Su sacrificio (versículos del 1 al 4; comparar con Hebreos 10:1-22).

Oración: Señor, mi ansiedad se debe a que descanso en la sabiduría, los talentos y los recursos de los hombres. Ellos me pueden fallar, ¡pero Tú no! Incluso si las cosas no salen como yo deseo, si ellas están en Tus manos, entonces me sentiré seguro. Y sé que escucharás mi oración porque siempre escuchas las oraciones de mi Salvador. Amén.

Febrero 4

Salmo 21:1-7. ¹En Tu fuerza, Señor, se regocija el rey; ¡cuánto se alegra en Tus victorias! ²Le has concedido lo que su corazón desea; no le has negado lo que sus labios piden. ³Has salido a su encuentro con ricas bendiciones; lo has coronado con diadema de oro fino. ⁴Te pidió vida, se la concediste: una vida larga y duradera. ⁵Por Tus victorias se acrecentó su gloria; lo revestiste de honor y majestad. ⁶Has hecho de él manantial de bendiciones; Tu presencia lo ha llenado de alegría. ⁷El rey confía en el Señor, en el gran amor del Altísimo; por eso jamás caerá.

REGOCIJÁNDOSE EN EL REY. El Salmo 21 es uno de acción de gracias por la oración contestada del Salmo 20. El pueblo había triunfado porque su rey triunfó. Pero el lenguaje que describe al rey es exuberante. Él vive "una vida larga y duradera" y recibe "honor y majestad". Podrías pensar que es una hipérbole aduladora, si no supiéramos que esto se cumple en Jesús, el Gran Rey, sin exageración.[14] En Él, el esplendor, la intimidad con Dios (versículo 6) y la seguridad de triunfo son nuestros. Y "lo que Su corazón desea" es nuestra salvación. "Después de Su sufrimiento, verá la luz y quedará satisfecho" (Isaías 53:11). Nuestra alegría diaria debe ser tan exuberante como este salmo.

Oración: Señor Jesús, recorriste Tu camino con gozo —y te costó la vida— solamente porque el deseo de Tu corazón era que fuéramos Tu pueblo. A través de Ti tengo acceso al Padre y tengo seguridad de resurrección. Permite que esto traiga aliento a mi vida día a día. Sin duda eres mi Rey. Amén.

Febrero 5

Salmo 21:8-13. [8]Tu mano alcanzará a todos Tus enemigos; Tu diestra alcanzará a los que te aborrecen. [9]Cuando Tú, Señor, te manifiestes, los convertirás en un horno encendido. En Su ira los devorará el Señor; ¡un fuego los consumirá! [10]Borrarás de la tierra a su simiente; de entre los mortales, a su posteridad. [11]Aunque tramen hacerte daño y maquinen perversidades, ¡no se saldrán con la suya! [12]Porque Tú los harás retroceder cuando tenses Tu arco contra ellos. [13]Enaltécete, Señor, con Tu poder, y con salmos celebraremos Tus proezas.

DESCANSANDO EN EL JUICIO DE DIOS. La primera sección de este salmo es lo que nos gusta escuchar, pero la segunda sección, en donde el rey de Dios castiga a Sus enemigos, forma parte de la Palabra de Dios de la misma manera que el resto. Si viviéramos vidas cómodas y sin problemas, estos versículos nos perturbarían; pero cualquiera que ha sufrido injusticia u opresión encuentra consuelo en ellas. Debido a que Jesús será el Juez infalible, nosotros no debemos serlo. Podemos dejar ir nuestro resentimiento y despojarnos de la venganza.

Oración: Señor, te alabo por ser un Dios de justicia que no permitirá que cualquier mala acción quede sin castigo. En lugar de enojarme contra aquellos que me hacen daño, permíteme ser compasivo, orando para que ellos encuentren Tu misericordia a través del arrepentimiento. Amén.

Febrero 6

Salmo 22:1-8. ¹Dios mío, Dios mío, ¿por qué me has abandonado? Lejos estás para salvarme, lejos de mis palabras de lamento. ²Dios mío, clamo de día y no me respondes; clamo de noche y no hallo reposo. ³Pero Tú eres santo, Tú eres rey, ¡Tú eres la alabanza de Israel! ⁴En Ti confiaron nuestros padres; confiaron, y Tú los libraste; ⁵a Ti clamaron, y Tú los salvaste; se apoyaron en Ti, y no los defraudaste. ⁶Pero yo, gusano soy y no hombre; la gente se burla de mí, el pueblo me desprecia. ⁷Cuantos me ven, se ríen de mí; lanzan insultos, meneando la cabeza: ⁸"Este confía en el Señor, ¡pues que el Señor lo ponga a salvo! Ya que en Él se deleita, ¡que sea Él quien lo libre!".

UNA VIDA LLENA DE LA PALABRA. Jesús contestó a cada uno de los asaltos de Satanás con pasajes de Deuteronomio. Mientras cargaba la cruz, citó al profeta Oseas, y mientras moría en agonía, citó el Salmo 22 y el Salmo 31:5. Jesús estaba tan lleno de la Palabra de Dios que espontáneamente le venía a la mente, permitiéndole interpretar y enfrentar cada reto. Hay imitaciones modernas de lo que Jesús hacía —técnicas de relajación, programas para manejo del estrés, pensamiento positivo, formas místicas de contemplación. Pero nada puede igualársele. La Palabra de Dios era lo que sostenía al Verbo encarnado mientas vivía y mientras moría. No aceptes sustitutos.

Oración: Señor, permite que Tu Palabra no sea solamente algo en lo que creo, sino que habite en mí profundamente, de tal forma que moldee todos mis pensamientos, sentimientos e incluso los fundamentos de mi corazón. Permite que Tus promesas y decretos sean mi fortaleza. Amén.

Salmo 22:9-18. [9]Pero Tú me sacaste del vientre materno; me hiciste reposar confiado en el regazo de mi madre. [10]Fui puesto a Tu cuidado desde antes de nacer; desde el vientre de mi madre mi Dios eres Tú. [11]No te alejes de mí, porque la angustia está cerca y no hay nadie que me ayude. [12]Muchos toros me rodean; fuertes toros de Basán me cercan. [13]Contra mí abren sus fauces leones que rugen y desgarran a su presa. [14]Como agua he sido derramado; dislocados están todos mis huesos. Mi corazón se ha vuelto como cera, y se derrite en mis entrañas. [15]Se ha secado mi vigor como una teja; la lengua se me pega al paladar. ¡Me has hundido en el polvo de la muerte! [16]Como perros de presa me han rodeado; me ha cercado una banda de malvados; me han traspasado las manos y los pies. [17]Puedo contar todos mis huesos; con satisfacción perversa la gente se detiene a mirarme. [18]Se reparten entre ellos mis vestidos y sobre mi ropa echan suertes.

EL CORAZÓN DE JESÚS. Este salmo de David presenta un rompecabezas. Las manos y los pies del salmista han sido traspasados (versículo 16), sus huesos han sido expuestos (versículo 17) y sufre una deshidratación mortal (versículo 15). Esto no describe una enfermedad o alguna persecución, se trata de una ejecución. Nada semejante a esto le sucedió a David y los lamentos acostumbrados, en busca de justicia, están ausentes. Es como si se tratara de un castigo que, aunque no era merecido, sí fue necesario. Jesús comprendió que este salmo anunciaba Su muerte (Mateo 27:46). Aquí, por tanto, tenemos algo notable —una perspectiva del horror y la agonía de Su corazón, descrita por Jesús mismo. Leer este salmo es como pisar suelo sagrado.

Oración: Gracias, Padre, por mostrarme lo que Jesús sufrió por mí. *¡Oh, maravilloso amor! Que sangró y murió, cargó la cruz y la culpa. Que los pecadores como yo alaben Tu nombre.*[15]

Febrero 8

Salmo 22:19-26. [19]Pero Tú, Señor, no te alejes; fuerza mía, ven pronto en mi auxilio. [20]Libra mi vida de la espada, mi preciosa vida del poder de esos perros. [21]Rescátame de la boca de los leones; sálvame de los cuernos de los toros. [22]Proclamaré Tu nombre a mis hermanos; en medio de la congregación te alabaré. [23]¡Alaben al Señor los que le temen! ¡Hónrenlo, descendientes de Jacob! ¡Venérenlo, descendientes de Israel! [24]Porque Él no desprecia ni tiene en poco el sufrimiento del pobre; no esconde de él su rostro, sino que lo escucha cuando a Él clama. [25]Tú inspiras mi alabanza en la gran asamblea; ante los que te temen cumpliré mis promesas. [26]Comerán los pobres y se saciarán; alabarán al Señor quienes lo buscan; ¡que su corazón viva para siempre!

BENDECIDOS PARA BENDECIR. Todo se convierte en una alabanza en el versículo 22. Dios no despreció la aflicción del que sufre —y a la luz de la cruz, esto significa que Dios aceptó el sacrifico de Cristo (versículos del 22 al 24). El siervo liberado comienza una nueva misión: proclamar las buenas nuevas de la salvación de Dios. Los cristianos saben que esta es la misión del Cristo resucitado (Mateo 28:28-30). Pero el principio también se aplica a nosotros. Abraham fue salvado y bendecido por Dios, pero solo para que pudiera ser de bendición al mundo (Génesis 12:1-3). Dios nunca nos llama a Su amor ni nos transforma sin luego enviarnos a rescatar a otros. Somos bendecidos para bendecir.

Oración: Señor Dios, Tú amas todo lo que has hecho y quieres que todos vayan a Ti para obtener vida. Muestra Tu misericordia a los que no te conocen, remueve la ignorancia, la dureza del corazón y el rechazo por Tu evangelio, y tráelos a Ti.[16] Amén.

Salmo 22:27-31. [27]Se acordarán del Señor y se volverán a Él todos los confines de la tierra; ante Él se postrarán todas las familias de las naciones, [28]porque del Señor es el reino; Él gobierna sobre las naciones. [29]Festejarán y adorarán todos los ricos de la tierra; ante Él se postrarán todos los que bajan al polvo, los que no pueden conservar su vida. [30]La posteridad le servirá; del Señor se hablará a las generaciones futuras. [31]A un pueblo que aún no ha nacido se le dirá que Dios hizo justicia.

¡ÉL LO HIZO! Nuestra misión es proclamar las buenas nuevas de la salvación de Dios a todas las clases sociales (a los pobres en el versículo 26 y a los ricos en el versículo 29), a toda raza o nación (versículo 27) y a todas las generaciones (versículo 30). ¿Cuál es el mensaje universal? Es que la salvación no es algo que nosotros obtenemos, sino algo que Él obtiene y regala. "¡Él hizo justicia!", dice David (versículo 31). "Todo se ha cumplido", exclama Jesús (Juan 19:30), utilizando la palabra griega *tetelestai*, un término que tiene la connotación de pago. "He pagado toda tu deuda", dice Jesús. Ya no hay condenación para nosotros (Romanos 8:1).

Oración: Padre, mi mente conoce la doctrina de que mi salvación y mi relación contigo no dependen de mis obras, sino de la obra de Cristo. Sin embargo, mi corazón no lo cree completamente y, por tanto, desvarío entre el orgullo y la culpa al depender de mi desempeño. Permite que mi corazón adopte completamente la doctrina de que "la salvación viene del Señor" (Jonás 2:9). Amén.

Salmo 23. ¹El Señor es mi pastor, nada me falta; ²en verdes pastos me hace descansar. Junto a tranquilas aguas me conduce; ³me infunde nuevas fuerzas. Me guía por sendas de justicia por amor a Su nombre. ⁴Aun si voy por valles tenebrosos, no temo peligro alguno porque Tú estás a mi lado; Tu vara de pastor me reconforta. ⁵Dispones ante mí un banquete en presencia de mis enemigos. Has ungido con perfume mi cabeza; has llenado mi copa a rebosar. ⁶La bondad y el amor me seguirán todos los días de mi vida; y en la casa del señor habitaré para siempre.

PAZ EN MEDIO DEL VALLE. Dios tiene preparado para nosotros un banquete de celebración, pero no cuando finalmente salimos del valle tenebroso, sino cuando estamos en medio de Él. Dios quiere que nos alegremos en Él, aún en medio de nuestros problemas. ¿Está esto fuera de la realidad? Difícilmente. Jesús es el único pastor que sabe lo que es ser una oveja (Juan 10:11). Él comprende lo que pasamos y estará con nosotros a cada paso del camino, incluso a través de la misma muerte, en donde "todos los otros guías se dan la vuelta"[17] (Romanos 8:39).

Oración: Señor, si me alimento de Tu amor, Tu gracia y Tu verdad, no me faltará nada. En esta vida no podré obtener esto, pero Tú estás siempre conmigo y un día me guiarás a mi verdadero país, al hogar que he estado buscando toda mi vida. Ayúdame a encontrar reposo en esto. Amén.

Salmo 24:1-6. [1]Del Señor es la tierra y todo cuanto hay en ella, el mundo y cuantos lo habitan; [2]porque Él la afirmó sobre los mares, la estableció sobre los ríos. [3]¿Quién puede subir al monte del Señor? ¿Quién puede estar en Su lugar santo? [4]Solo el de manos limpias y corazón puro, el que no adora ídolos vanos ni jura por dioses falsos. [5]Quien es así recibe bendiciones del Señor; Dios su Salvador le hará justicia. [6]Tal es la generación de los que a Ti acuden, de los que buscan Tu rostro, oh Dios de Jacob.

EN BUSCA DE DIOS. Todo el dinero, talento, salud, poder y placer en el mundo es de Dios. Pero el mayor tesoro que Él puede darnos es vivir en Su presencia. En Su rostro —no en las bendiciones de Sus manos, aunque son bienvenidas— es donde encontramos la gloria que otros fallan en proveer. Conocer Su presencia, sin embargo, es "subir" una montaña (versículo 3) y hacerlo siempre es una lucha. Debes arrepentirte, conservando una conciencia limpia (versículo 4). Debes conocer cuáles son tus ídolos y rechazarlos (versículo 4). Y debes combatir en oración, buscando el rostro de Dios, como lo hizo Jacob (versículo 6), quien dijo: "¡No te soltaré hasta que me bendigas!" (Génesis 32:26).

Oración: Señor, solamente Tú eres la fuente de vida y amor que he buscado en otros lugares. Quiero conocerte y tener comunión contigo. Esto será un viaje largo y habrá luchas, pero me comprometo a emprender el viaje hoy. Amén.

Febrero 12

Salmo 24:7-10. [7]Eleven, puertas, sus dinteles; levántense, puertas antiguas, que va a entrar el Rey de la gloria. [8]¿Quién es este Rey de la gloria? El Señor, el fuerte y valiente, el Señor, el valiente guerrero. [9]Eleven, puertas, sus dinteles; levántense, puertas antiguas, que va a entrar el Rey de la gloria. [10]¿Quién es este Rey de la gloria? Es el Señor Todopoderoso; ¡Él es el Rey de la gloria!

VERDADERA GLORIA. ¿Qué es la gloria de Dios? Es Su peso infinito, Su importancia suprema. Glorificar a Dios es obedecerlo incondicionalmente. Decir algo como "lo obedeceré si…" es darle más importancia o gloria a alguien o algo más que a Dios. Glorificar a Dios nunca es menos que obedecerlo, es más que esto. La gloria de Dios también se refiere a Su belleza y perfección inexpresable. Por tanto, no es glorificado si solamente le obedecemos por obligación. Debemos darle no solo nuestra voluntad, sino también nuestro corazón mientras lo adoramos y disfrutamos de Él, encontrándolo infinitamente atractivo. No existe mayor belleza que ver al Hijo de Dios dejando Su gloria para morir por nosotros (Filipenses 2:5-11).

Oración: Señor, me amaste tanto que dejaste Tu gloria por mí a pesar de que poseías todo el mundo y lo que en él habita. Muéstrale Tu gloria a mi corazón, a mi familia y a mi sociedad, para que todos puedan decirte: "Entra". Amén.

Salmo 25:1-7. [1]A Ti, Señor, elevo mi alma; [2]mi Dios, en Ti confío; no permitas que sea yo humillado, no dejes que mis enemigos se burlen de mí. [3]Quien en Ti pone su esperanza jamás será avergonzado; pero quedarán en vergüenza los que traicionan sin razón. [4]Señor, hazme conocer Tus caminos; muéstrame Tus sendas. [5]Encamíname en Tu verdad, ¡enséñame! Tú eres mi Dios y Salvador; ¡en Ti pongo mi esperanza todo el día! [6]Acuérdate, Señor, de Tu ternura y gran amor, que siempre me has mostrado; [7]olvida los pecados y transgresiones que cometí en mi juventud. Acuérdate de mí según Tu gran amor, porque Tú, Señor, eres bueno.

¿QUIÉN ES EL NECIO? Los enemigos de David se oponían a su filosofía de vida. Su convicción era que "el hombre debe vivir por la gracia de Dios y no por su propia inteligencia", una perspectiva de la vida que sus enemigos despreciaban.[18] David admite que sin Dios, la vida de integridad no sería competencia para los poderes engañosos del mundo (versículo 3). La integridad cristiana significa llevar una vida de pureza y celibato si no estás casado y decir la verdad incluso cuando hacerlo puede perjudicar tu carrera —cosas que el mundo ve como tonterías. Pero al final, el mundo será avergonzado.

Oración: Señor, quiero vivir de acuerdo con tu Palabra —"Tus caminos... Tu verdad" (versículos 4 y 5) —en lugar de vivir por aquello que me hará popular o poderoso. Dame el deseo y la integridad para vivir de esta manera. Y ya que eso me hará vulnerable, protégeme de quienes se querrán aprovechar de la oportunidad para dañarme. Amén.

Febrero 14

Salmo 25:8-14. [8]Bueno y justo es el Señor; por eso les muestra a los pecadores el camino. [9]Él dirige en la justicia a los humildes, y les enseña Su camino. [10]Todas las sendas del Señor son amor y verdad para quienes cumplen los preceptos de Su pacto. [11]Por Tu nombre, Señor, perdona mi gran iniquidad. [12]¿Quién es el hombre que teme al Señor? Será instruido en el mejor de los caminos. [13]Tendrá una vida placentera, y sus descendientes heredarán la tierra. [14]El Señor brinda Su amistad a quienes le honran, y les da a conocer Su pacto.

GUÍA. ¿Cómo guía Dios? La mejor pregunta no es cómo, sino a quienes. ¿Qué clase de personas debemos ser para que Él nos guíe en la toma de decisiones? Debemos estar empapados de la Palabra escrita de Dios y de Su verdad (versículos 4 y 5) al punto de estar entrenados para elegir bien incluso en asuntos en los que la Biblia no hace referencia de ellos directamente. No debemos ser sabios en nuestra propia opinión (versículo 9), sino que debemos ser conscientes de nuestros pecados y limitaciones (versículo 11). Debemos confiar en que todas las cosas que el Señor nos manda están basadas en Su voluntad amorosa (versículo 10; Génesis 50:20). Dios se hace amigo de quienes tienen estas actitudes en su corazón (versículo 14). Nos hace sabios para que conozcamos el camino que debemos tomar.

Oración: Señor, no me hagas solamente obediente a Tu Palabra, sino también hazme sabio —sabiendo lo que es correcto en las situaciones en las que Biblia no hace referencia a ellas directamente. Ayúdame a crecer en sabiduría, juicio y prudencia. Dame la humildad necesaria para ello. Amén.

Febrero 15

Salmo 25:15-22. ¹⁵Mis ojos están puestos siempre en el Señor, pues solo Él puede sacarme de la trampa. ¹⁶Vuelve a mí Tu rostro y tenme compasión, pues me encuentro solo y afligido. ¹⁷Crecen las angustias de mi corazón; líbrame de mis tribulaciones. ¹⁸Fíjate en mi aflicción y en mis penurias, y borra todos mis pecados. ¹⁹¡Mira cómo se han multiplicado mis enemigos, y cuán violento es el odio que me tienen! ²⁰Protege mi vida, rescátame; no permitas que sea avergonzado, porque en Ti busco refugio. ²¹Sean mi protección la integridad y la rectitud, porque en Ti he puesto mi esperanza. ²²¡Libra, oh Dios, a Israel de todas sus angustias!

ESPERANDO IMPACIENTEMENTE. El versículo 21 utiliza la palabra "esperanza" para traducir un término que significa "esperar impacientemente" en Dios. Esto no se refiere a alguna resignación o pasividad, sino a una aproximación activa frente a la vida. David vive en integridad y rectitud (versículo 21) y busca la presencia de Dios (versículo 16). Esas dos cualidades —obediencia incondicional y perseverancia en la oración— son las que constituyen el "esperar impacientemente" en Dios. Esperar en Dios, más que tomar las cosas en nuestras propias manos, es el epítome de la sabiduría, como lo hacen evidente los contrastes tanto en la vida de Saúl (1 Samuel 13:8-14) como en la vida de David (1 Samuel 26:10-11).

Oración: Señor, confieso que no entiendo Tus tiempos. Si yo estuviera a cargo de mi historia y de mi vida, habría acomodado las cosas de manera diferente. Pero yo no puedo ver el dibujo completo, no puedo ver desde el principio hasta el fin, así que espero en Ti en obediencia y oración. Amén.

Febrero 16

Salmo 26:1-5. ¹Hazme justicia Señor, pues he llevado una vida inta- chable; ¡en el Señor confío sin titubear! ²Examíname, Señor; ¡ponme a prueba! purifica mis entrañas y mi corazón. ³Tu gran amor lo tengo presente, y siempre ando en Tu verdad. ⁴Yo no convivo con los men- tirosos, ni me junto con los hipócritas; ⁵aborrezco la compañía de los malvados; no cultivo la amistad de los perversos.

EL SECRETO DE LA VERDADERA INDEPENDENCIA. Cuando David se llama a sí mismo "intachable" no significa que está "sin pe- cado", porque en el versículo 11 ruega por misericordia. Sin embargo, como rey, se le acusó falsamente de corrupción, de asociarse con hom- bres impíos y de aceptar sobornos (versículos 4 y 5, 10). Al llamar a Dios para que sea su juez, no apela a sus amigos para que lo defiendan ni a sus enemigos para que cambien de opinión. Este es el secreto de la verdadera independencia. Pablo, por ejemplo, dijo que no le im- portaba lo que las personas pensaran de él —amigos o enemigos—; ni siquiera le importaba la opinión que tenía él de sí mismo. Más bien dijo: "El que me juzga es el Señor" (1 Corintios 4:4). Solo la opinión de Dios vale.

Oración: Señor, confieso que las opiniones de los otros me impor- tan más que la Tuya. Temo verme mal ante los demás. Ayúdame a recordar que soy aceptado en Cristo para tener la libertad de vivir sin miedo. Amén.

Salmo 26:6-12. [6]Con manos limpias e inocentes camino, Señor, en torno a Tu altar, [7]proclamando en voz alta Tu alabanza y contando todas Tus maravillas. [8]Señor, yo amo la casa donde vives, el lugar donde reside Tu gloria. [9]En la muerte, no me incluyas entre pecadores y asesinos, [10]entre gente que tiene las manos llenas de artimañas y sobornos. [11]Yo, en cambio, llevo una vida intachable; líbrame y compadécete de mí. [12]Tengo los pies en terreno firme, y en la gran asamblea bendeciré al Señor.

LA MORADA DE TU GLORIA. David ama que la gloria de Dios —Su infinita santidad y hermosa presencia— more en el tempo (versículo 8). Incluso más maravilloso es el evangelio, que nos muestra que Jesús es el verdadero templo (Juan 2:20-21). La gloria de Dios mora en Él (Juan 1:14) y en los que se unen a Él mediante la fe (1 Pedro 2:4-5). ¿Esas personas extrañas en la iglesia? ¿Esa pareja con el bebé llorón? ¿Esos jóvenes que no se visten apropiadamente para la iglesia? Ellos deben ser objeto de tu amor y respeto porque la gloria de Dios mora en ellos. El peso de Su gloria debería "ser puesto sobre tu espalda diariamente, una carga tan pesada que solo la humildad puede llevar y que quebrantará a los orgullosos".[19]

Oración: Padre, cada uno de mis vecinos está hecho a Tu imagen y son preciosos a Tu vista; mis hermanos y hermanas tienen a Cristo y a Su gloria en ellos. ¿Cómo puedo enojarme contra ellos o despreciarlos? Dame suficiente amor para vivir mi vida como debería. Amén.

Febrero 18

Salmo 27:1-6. ¹El Señor es mi luz y mi salvación; ¿a quién temeré? El Señor es el baluarte de mi vida; ¿quién podrá amedrentarme? ²Cuando los malvados avanzan contra mí para devorar mis carnes, cuando mis enemigos y adversarios me atacan, son ellos los que tropiezan y caen. ³Aun cuando un ejército me asedie, no temerá mi corazón; aun cuando una guerra estalle contra mí, yo mantendré la confianza. ⁴Una sola cosa le pido al Señor, y es lo único que persigo: habitar en la casa del Señor todos los días de mi vida, para contemplar Su hermosura y recrearme en Su templo. ⁵Porque en el día de la aflicción Él me resguardará en Su morada; al amparo de Su tabernáculo me protegerá, y me pondrá en alto, sobre una roca. ⁶Me hará prevalecer frente a los enemigos que me rodean; en Su templo ofreceré sacrificios de alabanza y cantaré salmos al Señor.

LA HERMOSURA DE DIOS. ¿Existe alguna música que te produzca una profunda alegría? ¿Existe algún paisaje que haga lo mismo? Si alguno dice: "¿Eso de qué sirve?", tú respondes que la música o el paisaje no es un medio para algún fin, sino que es profundamente satisfactorio en sí mismo. La prioridad suprema de David era "contemplar la hermosura de Dios" (versículo 4). "Contemplar" no es mirar una sola vez, sino mantener el enfoque. No es orar pidiendo, sino alabar, admirar y disfrutar a Dios por quien es. David encuentra a Dios hermoso, no solo útil para su beneficio. Contemplar la hermosura de Dios en nuestros corazones es encontrar placer y descansar en Él.

Oración: Señor, no es exageración decir que solo existe una cosa que realmente necesito en esta vida y pido por ella ahora. No es solo creer en Ti, sino, en oración y experiencia, percibir y sentir Tu hermosura. Permíteme amarte por quien eres solamente. Amén.

Salmo 27:7-14. [7]Oye, Señor, mi voz cuando a Ti clamo; compadécete de mí y respóndeme. [8]El corazón me dice: "¡Busca Su rostro!". Y yo, Señor, Tu rostro busco. [9]No te escondas de mí; no rechaces, en Tu enojo, a este siervo Tuyo, porque Tú has sido mi ayuda. No me desampares ni me abandones, Dios de mi salvación. [10]Aunque mi padre y mi madre me abandonen, el Señor me recibirá en Sus brazos. [11]Guíame, Señor, por Tu camino; dirígeme por la senda de rectitud, por causa de los que me acechan. [12]No me entregues al capricho de mis adversarios, pues contra mí se levantan falsos testigos que respiran violencia. [13]Pero de una cosa estoy seguro: he de ver la bondad del Señor en esta tierra de los vivientes. [14]Pon tu esperanza en el Señor; ten valor, cobra ánimo; ¡pon tu esperanza en el Señor!

ENCONTRANDO SU HERMOSURA. David está teniendo dificultades, pero la hermosura de Dios le permite vivir confiadamente y en paz (versículos 1 y 6). Si nuestros corazones se deleitan en Dios y en Su rostro, entonces podremos soportar, sin miedo, perder deleites terrenales. Incluso podremos soportar que nuestros padres nos abandonen (versículo 10). ¿Por qué? Si nuestro mayor tesoro —nuestra comunión con el Dios viviente— está asegurado, ¿qué podemos temer? Sin embargo, enfrentamos muchos temores. Así que nuestros miedos pueden servir para propósitos importantes; pueden ayudarnos a localizar en dónde está nuestro tesoro. Traza el camino del miedo hasta tu corazón para descubrir las cosas que amas más que a Dios.

Oración: Señor, te obedeceré simplemente porque lo mereces y porque es mi deber. Pero no dejes que mi servicio se quede estancado ahí. Muéstrame Tu hermosura —atrae mi corazón, captura mi imaginación— para que encuentre placer y gozo al servirte. Amén.

Febrero 20

Salmo 28:1-5. ¹A Ti clamo, Señor, roca mía; no te desentiendas de mí, porque si guardas silencio, ya puedo contarme entre los muertos. ²Oye mi voz suplicante cuando a Ti acudo en busca de ayuda, cuando tiendo los brazos hacia Tu lugar santísimo. ³No me arrastres con los malvados, con los que hacen iniquidad, con los que hablan de paz con su prójimo pero en su corazón albergan maldad. ⁴Págales conforme a sus obras, conforme a sus malas acciones. Págales conforme a las obras de sus manos; ¡dales su merecido! ⁵Ya que no toman en cuenta las obras del Señor y lo que ha hecho con Sus manos, Él los derribará y nunca más volverá a levantarlos.

VÍCTIMAS DE LA INJUSTICIA. David teme ser arrastrado "con los malvados" (versículo 3) y ser contado "entre los muertos", una frase que puede referirse a un calabozo para los ofensores (versículo 1). Clama a Dios por temor a ser acusado injustamente y a ser considerado como un gobernante corrupto. Este es un tema importante en los salmos, pero uno que nosotros, pertenecientes a sociedades occidentales prósperas, difícilmente podemos comprender. "Nada perjudica tanto como la injusticia; así que, estos versículos no solo son vindicativos, sino que presentan una protesta de cualquier conciencia saludable ante la maldad y la convicción de que un juicio es moralmente necesario".[20] Los cristianos también deberían clamar a Dios, de día y de noche, contra la injusticia (Lucas 18:7).

Oración: Señor, pido por justicia en el mundo —para que levantes de su miseria a los pobres, para que termines con gobiernos tiranos, para que termines la violencia, las guerras y los conflictos raciales. Gracias por ser un Dios de justicia. Amén.

Febrero 21

Salmo 28:6-9. 6Bendito sea el Señor, que ha oído mi voz suplicante. 7El Señor es mi fuerza y mi escudo; mi corazón en Él confía; de Él recibo ayuda. Mi corazón salta de alegría, y con cánticos le daré gracias. 8El Señor es la fortaleza de Su pueblo, y un baluarte de salvación para Su ungido. 9Salva a Tu pueblo, bendice a Tu heredad, y cual pastor guíalos por siempre.

DIOS QUE ESCUCHA. No podemos vivir sin orar. David hizo peticiones que fueron atrevidas y específicas (versículos del 3 al 5). Tomó tiempo para razonar con Dios, recordándole por qué hacía sus peticiones. Posteriormente estalla en adoración en el versículo 6, exclamando: "Dios ha oído mi voz suplicante". ¿Cómo podía saber esto? Quizá Dios envió a David una revelación especial, mostrándole que sus peticiones serían concedidas. No podemos estar seguros de ello, pero cuando le presentamos nuestras peticiones a Dios, podemos hacer algo como esto, podemos agradecerle anticipadamente por darnos lo que habríamos pedido si supiéramos lo que Él sabe (Filipenses 4:6-7).

Oración: Padre, yo sé que Tú me escuchas —no porque lo merezca, sino porque Tu Hijo, Jesús, mi Sumo sacerdote, presenta mis necesidades delante de Tu trono y Tú las escuchas por causa Suya. Alzo mis manos vacías a Ti, pidiéndote que las llenes de Tu gracia y ayuda. Amén.

Salmo 29. ¹Tributen al Señor, seres celestiales, tributen al Señor la gloria y el poder. ²Tributen al Señor la gloria que merece Su nombre; póstrense ante el Señor en Su santuario majestuoso. ³La voz del Señor está sobre las aguas; resuena el trueno del Dios de la gloria; el Señor está sobre las aguas impetuosas. ⁴La voz del Señor resuena potente; la voz del Señor resuena majestuosa. ⁵La voz del Señor desgaja los cedros, desgaja el Señor los cedros del Líbano; ⁶hace que el Líbano salte como becerro, y que el Hermón salte cual toro salvaje. ⁷La voz del Señor lanza ráfagas de fuego; ⁸la voz del Señor sacude al desierto; el Señor sacude al desierto de Cades. ⁹La voz del Señor retuerce los robles y deja desnudos los bosques; en Su templo todos gritan: "¡Gloria!". ¹⁰El Señor tiene Su trono sobre las lluvias; el Señor reina por siempre. ¹¹El Señor fortalece a Su pueblo; el Señor bendice a Su pueblo con la paz.

SEÑOR DE LA TORMENTA. Los huracanes tiene un tremendo poder; sin embargo, el poder de Dios es mayor. Él tiene Su trono sobre las lluvias (versículo 10), cumple Su voluntad soberana en la naturaleza y en la historia, y aun actúa a través de tormentas para lograr nuestro bien (Romanos 8:28). El poder de Dios se evidencia particularmente en Su voz (versículos del 3 al 9). Lo que la voz de Dios o Palabra de Dios hace, Él lo hace (versículos 5 y 8). Su poder divino está activo en Su Palabra. No subestimes lo que el poder de Dios puede hacer en tu vida a través de la Biblia. La voz del Señor puede destruir incluso las mejores defensas, deshacer nuestra desesperación, liberarnos de la culpa y guiarnos a Él.

Oración: Señor, si quiero Tu poder en mi vida, debo escuchar Tu Palabra. Permíteme "leer, meditar, aprender y digerir internamente"²¹ las Escrituras y encontrarte en ellas, mi Señor viviente. Amén.

Febrero 23

Salmo 30:1-5. ¹Te exaltaré, Señor, porque me levantaste, porque no dejaste que mis enemigos se burlaran de mí. ²Señor mi Dios, te pedí ayuda y me sanaste. ³Tú, Señor, me sacaste del sepulcro; me hiciste revivir de entre los muertos. ⁴Canten al Señor, ustedes sus fieles; alaben Su santo nombre. ⁵Porque solo un instante dura Su enojo, pero toda una vida Su bondad. Si por la noche hay llanto, por la mañana habrá gritos de alegría.

LA GRACIA ME CONDUCIRÁ A CASA. Este es un canto para la gracia. Mientras Dios puede estar airado con Su pueblo, la ira nunca es la actitud final (versículo 5), así que la alegría siempre está en camino, acercándose a aquellos que creen en Él. En Cristo, este principio va aún más allá con el sufrimiento que produce alegría (2 Corintios 4:17; Juan 16:20-22).²² El sufrimiento de Cristo produjo alegría para Él y para nosotros, y ahora, cuando confiamos en Él en tiempos oscuros, nuestro sufrimiento también puede producir la alegría de aumentar nuestra fe y crecer espiritualmente.

Oración: Señor, Tu Palabra dice que nuestros problemas "producen una gloria eterna que vale muchísimo más que todo sufrimiento" (2 Corintios 4:17). No alcanzo a comprender la magnitud de esto, pero he podido experimentar una parte de ella en mi vida. Realiza el trabajo en mí que solo puede llevarse a cabo mientras confío en Ti en medio del sufrimiento. Amén.

Febrero 24

Salmo 30:6-12. [6]Cuando me sentí seguro, exclamé: "Jamás seré conmovido". [7]Tú, Señor, en Tu buena voluntad, me afirmaste en elevado baluarte; pero escondiste Tu rostro, y yo quedé confundido. [8]A Ti clamo, Señor soberano; a Ti me vuelvo suplicante. [9]¿Qué ganas Tú con que yo muera, con que descienda yo al sepulcro? ¿Acaso el polvo te alabará o proclamará Tu verdad? [10]Oye, Señor; compadécete de mí. ¡Sé Tú, Señor, mi ayuda! [11]Convertiste mi lamento en danza; me quitaste la ropa de luto y me vestiste de fiesta, [12]para que te cante y te glorifique, y no me quede callado. ¡Señor mi Dios, siempre te daré gracias!

EXCESO DE CONFIANZA. Frecuentemente vamos por la vida pensando que todo estará bien, hasta que, de pronto, algo sucede. Nuestro pensamiento subconsciente o, a veces, consciente es: "Yo soy fuerte, estoy por encima de las cosas. Todo saldrá bien, lo he planeado bien. Confío en ello". Los versículos 6 y 7 muestran cómo incluso después a un acto de liberación de Dios, podemos caer en un exceso de confianza, pensando que el favor de Dios es algo que merecemos. Pero Dios sacude nuestra confianza en la vida terrenal para que podamos desear nuestra vida celestial, donde nuestro gozo será inamovible y donde nuestro lamento será convertido en danza.

Oración: Señor, enséñame, durante los vaivenes de la vida, a fijar mi corazón en el lugar donde se encuentra el verdadero gozo.[23] Amén.

Salmo 31:1-8. ¹En Ti, Señor, busco refugio; jamás permitas que me avergüencen; en Tu justicia, líbrame. ²Inclina a mí Tu oído, y acude pronto a socorrerme. Sé Tú mi roca protectora, la fortaleza de mi salvación. ³Guíame, pues eres mi roca y mi fortaleza, dirígeme por amor a Tu nombre. ⁴Líbrame de la trampa que me han tendido, porque Tú eres mi refugio. ⁵En Tus manos encomiendo mi espíritu; líbrame, Señor, Dios de la verdad. ⁶Odio a los que veneran ídolos vanos; yo, por mi parte, confío en Ti, Señor. ⁷Me alegro y me regocijo en Tu amor, porque Tú has visto mi aflicción y conoces las angustias de mi alma. ⁸No me entregaste al enemigo, sino que me pusiste en lugar espacioso.

EN TUS MANOS. Bajo gran estrés es posible pasar de "angustia de alma" (versículo 7) a estar confiado y en "lugar espacioso" (versículo 8). David realiza este viaje al estar activo espiritualmente. Él clama en oración: "Acude pronto a socorrerme" (versículo 2). Se arrepiente en oración por todos los ídolos (versículo 6). Tiene comunión con Dios en oración hasta que su amor y favor producen alegría, compensando cualquier otra pérdida (versículo 7). Estas son formas de ponernos en Sus manos (versículo 5). Haz esto y Dios te conducirá a lugares espaciosos, a pesar de tus pecados, porque Jesús encomendó Su espíritu en las manos de Dios (Lucas 24:46) cuando estaba en la cruz.

Oración: Señor Jesús, en la cruz Tú fuiste traicionado, rechazado y abandonado. Sin embargo, confiaste en Tu Padre y te pusiste en Sus manos. Si Tú hiciste todo eso por mí, entonces yo puedo confiar y ponerme en Tus manos. Heme aquí. Amén.

Febrero 26

Salmo 31:9-18. [9]Tenme compasión, Señor, que estoy angustiado; el dolor está acabando con mis ojos, con mi alma, ¡con mi cuerpo! [10]La vida se me va en angustias, y los años en lamentos; la tristeza está acabando con mis fuerzas, y mis huesos se van debilitando. [11]Por causa de todos mis enemigos, soy el hazmerreír de mis vecinos; soy un espanto para mis amigos; de mí huyen los que me encuentran en la calle. [12]Me han olvidado, como si hubiera muerto; soy como una vasija hecha pedazos. [13]Son muchos a los que oigo cuchichear: "Hay terror por todas partes". Se han confabulado contra mí, y traman quitarme la vida. [14]Pero yo, Señor, en Ti confío, y digo: "Tú eres mi Dios". [15]Mi vida entera está en Tus manos; líbrame de mis enemigos y perseguidores. [16]Que irradie Tu faz sobre Tu siervo; por Tu gran amor, sálvame. [17]Señor, no permitas que me avergüencen, porque a Ti he clamado. Que sean avergonzados los malvados, y acallados en el sepulcro. [18]Que sean silenciados sus labios mentirosos, porque hablan contra los justos con orgullo, desdén e insolencia.

MI VIDA ENTERA. David vive con "terror por todas partes" (versículo 13). La vida parece precaria e incluso caprichosa. Suceden cosas terribles a las que no encontramos sentido. Pero David sabe que la historia no opera con base en la suerte. "Mi vida entera está en Tus manos", se recuerda a sí mismo, y nos recuerda a nosotros (versículo 15). La enseñanza de la Biblia hace un balance sobre este tema. Muchos eventos son malos y gravosos, pero Dios tiene el control sobre ellos y los encamina, en el largo plazo, hacia el bien (Romanos 8:28). Así que, al final, nuestras vidas no pueden estar descarriladas permanentemente. Aprende a decirle a Dios: "Mi vida entera está en Tus manos".

Oración: Señor, no le encuentro sentido a muchas de las circunstancias de mi vida, pero Tú sí las comprendes. Ayúdame, como a David, a descansar en eso. Mi vida está verdaderamente en Tus manos y eso es infinitamente mejor a si estuviera en las mías. Amén.

Salmo 31:19-24. [19]Cuán grande es Tu bondad, que atesoras para los que te temen, y que a la vista de la gente derramas sobre los que en Ti se refugian. [20]Al amparo de Tu presencia los proteges de las intrigas humanas; en Tu morada los resguardas de las lenguas contenciosas. [21]Bendito sea el Señor, pues mostró Su gran amor por mí cuando me hallaba en una ciudad sitiada. [22]En mi confusión llegué a decir: "¡He sido arrojado de Tu presencia!". Pero Tú oíste mi voz suplicante cuando te pedí que me ayudaras. [23]Amen al Señor, todos Sus fieles; Él protege a los dignos de confianza, pero a los orgullosos les da su merecido. [24]Cobren ánimo y ármense de valor, todos los que en el Señor esperan.

SENTIMIENTOS Y REALIDAD. Cuando David estaba en problemas, sentía que Dios no estaba con él. "¡He sido arrojado de Tu presencia!", llegó a decir (versículo 22). Mientras tenemos éxito, podemos tener el sentimiento opuesto ("Jamás seré conmovido", Salmo 30:6), que es igual de incorrecto. Debemos vivir, entonces, con base en lo que Dios ha revelado, no con base en nuestros sentimientos. Los pilotos que vuelan a través de las nubes deben guiarse por sus instrumentos incluso cuando estos contradigan su percepción, o de lo contrario morirán.[24] Cuando pasamos por nubes de prosperidad o adversidad, no debemos caer en sentimientos de autosuficiencia o desesperación, sino que debemos confiar en el Dios de gracia y sabiduría.

Oración: Señor, si mi corazón no aprende a confiar en Tu Palabra cuando me dice cosas que no quiero escuchar, entonces mi corazón no aceptará Tu Palabra cuando me diga cosas que desesperadamente necesito escuchar, cosas acerca de Tu amor y perdón. Enséñame a confiar en Tu Palabra. Amén.

Febrero 28

Salmo 32:1-5. [1]Dichoso aquel a quien se le perdonan sus transgresiones, a quien se le borran sus pecados. [2]Dichoso aquel a quien el Señor no toma en cuenta su maldad y en cuyo espíritu no hay engaño. [3]Mientras guardé silencio, mis huesos se fueron consumiendo por mi gemir de todo el día. [4]Mi fuerza se fue debilitando como al calor del verano, porque día y noche Tu mano pesaba sobre mí. [5]Pero te confesé mi pecado, y no te oculté mi maldad. Me dije: "Voy a confesar mis transgresiones al Señor", y Tú perdonaste mi maldad y mi pecado.

PERDÓN. Muchos insisten en que la culpa es una imposición de la sociedad o de la religión, en que las personas pueden definir lo que es correcto e incorrecto por sí mismas. Sin embargo, tenemos un sentimiento de culpa, de no ser lo que deberíamos ser, del cual no podemos deshacernos. La liberación por medio del perdón comienza con la honestidad. Es solamente cuando admitimos nuestro pecado (versículo 5) que Dios está dispuesto a borrarlo (versículo 1). Él quita nuestra culpa para que no venga sobre nosotros el castigo (versículo 5) y quita nuestra vergüenza para que no permanezcamos en angustia interna (versículos 3 y 4). Las personas más felices (más "bendecidas") en el mundo son aquellas que no solo saben que necesitan ser perdonadas, sino aquellas que han experimentado verdaderamente el perdón.

Oración: Padre, tan grande como es mi pecado, es aún peor el rehusarme descansar en Tu gracia y aceptar Tu perdón. Dame la bendición de saber que soy completa y absolutamente perdonado en Jesús. Amén.

Marzo 1

Salmo 32:6-11. [6]Por eso los fieles te invocan en momentos de angustia; caudalosas aguas podrán desbordarse, pero a ellos no los alcanzarán. [7]Tú eres mi refugio; Tú me protegerás del peligro y me rodearás con cánticos de liberación. [8]El Señor dice: "Yo te instruiré, Yo te mostraré el camino que debes seguir; Yo te daré consejos y velaré por ti. [9]No seas como el mulo o el caballo, que no tienen discernimiento, y cuyo brío hay que domar con brida y freno, para acercarlos a ti". [10]Muchas son las calamidades de los malvados, pero el gran amor del Señor envuelve a los que en Él confían. [11]¡Alégrense, ustedes los justos; regocíjense en el Señor! ¡Canten todos ustedes, los rectos de corazón!

BRIDA Y FRENO. Dios nos llama a ir más allá del perdón y a tener una amistad verdadera con Él. Generalmente vivimos como deberíamos solo si *nos vemos obligados* a hacerlo, cuando nos conviene, o porque existen consecuencias que nos alejen del camino. Eso es prestar atención a Dios como una mula, controlada solamente por brida y freno (versículo 9). En lugar de ello, debemos obedecer porque *queremos* hacerlo, por amor a Él, quien nos aconseja personalmente a través de la Palabra y la oración (versículo 8). A veces Dios permite que una temporada de "tormentas" actúen como brida y freno que nos lleven hacia Él y nos muestren que necesitamos Su amistad y amor por sobre todas las cosas. Debemos alegrarnos en el hecho de que no nos dejará vagar.

Oración: Señor, no quiero confesar mi pecado solamente por una compulsión externa. Quiero mirar el costoso amor de Jesús hasta que me arrepienta no solamente por las consecuencias del pecado, sino por el pecado mismo y por el dolor que te produce. Hasta entonces el pecado perderá Su poder sobre mí. Amén.

Marzo 2

Salmo 33:1-9. ¹Canten al Señor con alegría, ustedes los justos; es propio de los íntegros alabar al Señor. ²Alaben al Señor al son del arpa; entonen alabanzas con el decacordio. ³Cántenle una canción nueva; toquen con destreza, y den voces de alegría. ⁴La palabra del Señor es justa; fieles son todas Sus obras. ⁵El Señor ama la justicia y el derecho; llena está la tierra de Su amor. ⁶Por la palabra del Señor fueron creados los cielos, y por el soplo de Su boca, las estrellas. ⁷Él recoge en un cántaro el agua de los mares, y junta en vasijas los océanos. ⁸Tema toda la tierra al Señor; hónrenlo todos los pueblos del mundo; ⁹porque Él habló, y todo fue creado; dio una orden, y todo quedó firme.

LO SALUDABLE DE LA ALABANZA. Alabar es algo digno (es "propio", versículo 1). Es digno para Dios porque Él la merece y es digno para nosotros porque fuimos creados para alabar. Por tanto, las personas generosas y alegres son propensas a alabar, mientras que los demás son propensos a quejarse. La alabanza es "salud interna hecha voz".²⁵ Pero fuimos creados no para la alabanza en general, sino para adorar algo supremo, para tener nuestros corazones y pensamientos cautivos. Debemos quitar nuestro enfoque de otras cosas y permitirnos ser capturados por la belleza del Señor. Una de las principales formas de hacer esto es utilizar música en nuestra alabanza y en nuestros devocionales personales (versículo 3).

Oración: Señor, te alabo porque *eres* un Dios digno de alabanza, perfectamente bueno y supremamente glorioso. Te agradezco por el bienestar que me provee el alabarte, porque alabarte le da claridad a mi visión, cambia mi perspectiva, fortalece mi corazón y me produce alegría. Ayúdame a verte como eres para alabarte como debo.²⁶ Amén.

Marzo 3

Salmo 33:10-17. [10]El Señor frustra los planes de las naciones; desbarata los designios de los pueblos. [11]Pero los planes del Señor quedan firmes para siempre; los designios de Su mente son eternos. [12]Dichosa la nación cuyo Dios es el Señor, el pueblo que escogió por Su heredad. [13]El Señor observa desde el cielo y ve a toda la humanidad; [14]Él contempla desde Su trono a todos los habitantes de la tierra. [15]Él es quien formó el corazón de todos, y quien conoce a fondo todas sus acciones. [16]No se salva el rey por sus muchos soldados, ni por su mucha fuerza se libra el valiente. [17]Vana esperanza de victoria es el caballo; a pesar de su mucha fuerza no puede salvar.

LAS NACIONES, FRUSTRADAS. Quienes están en el poder siempre han tenido planes y propósitos. Pero este salmo dice que todos ellos son nada. No obtienen lo que quieren y, si llegan a obtenerlo, esto solo sirve a los propósitos de Dios. Así que las personas que trataron de frustrar la salvación a través de Jesús solo la promovieron (Hechos 4:28). Dios lleva a cabo Sus planes y estos no sufren alteraciones por el levantamiento y la caída de civilizaciones, naciones o poderes. Poner nuestra confianza en poderes terrenales y en la riqueza es inútil. Pensamos que nuestro talento merece una recompensa. Pero Dios dice: "Yo te di el talento y designé a tus competidores. Todo fue obra Mía". Confiamos en Dios, no en el poder social, las estrategias políticas o la economía.

Oración: Señor, guárdame de poner mi esperanza en el conocimiento, en las relaciones sociales o en mi habilidad para hacer planes. La realidad es que dependo de Ti para todo. Ayúdame a no resistir esa verdad sino a recibir el consuelo que viene de ella cuando la acepto alegremente. Amén.

Marzo 4

Salmo 33:18-22. [18]Pero el Señor cuida de los que le temen, de los que esperan en Su gran amor; [19]Él los libra de la muerte, y en épocas de hambre los mantiene con vida. [20]Esperamos confiados en el Señor; Él es nuestro socorro y nuestro escudo. [21]En Él se regocija nuestro corazón, porque confiamos en Su santo nombre. [22]Que Tu gran amor, Señor, nos acompañe, tal como lo esperamos de Ti.

ESPERANZA QUE NO DECEPCIONA. Si amas a alguien, tienes una "vista aguda" respecto a esa persona.[27] Observas intencionalmente la menor expresión facial, el menor gesto o el tono de voz que indiquen alguna necesidad para entonces intentar suplirla. De forma asombrosa, Dios nos ama así; Sus ojos que todo lo ven nos advierten sobre las amenazas y nos indican lo que es bueno para nosotros y lo que nos nutre (versículo 19). El salmo termina con una nota de esperanza, pero no es un optimismo generalizado. El salmista no espera que Dios le dé esto o aquello. Espera al Señor mismo. Se enfoca "no en el regalo, (aunque existe un lugar para ello: Romanos 8:18-25), sino en el Dador. Tal esperanza nunca nos decepcionará (Romanos 5:5)".[28]

Oración: Señor, difícilmente puedo creer que Tú, en Tu infinita sabiduría y gloria, estés observándome desde el cielo, lleno de amor y siempre atento a mis necesidades. Me amas más de lo que yo pudiera amarme a mí mismo. Ayúdame a regocijarme, a descansar en esto y a no preocuparme. Amén.

Marzo 5

Salmo 34:1-10. ¹Bendeciré al Señor en todo tiempo; mis labios siempre lo alabarán. ²Mi alma se gloría en el Señor; lo oirán los humildes y se alegrarán. ³Engrandezcan al Señor conmigo; exaltemos a una Su nombre. ⁴Busqué al Señor, y Él me respondió; me libró de todos mis temores. ⁵Radiantes están los que a Él acuden; jamás su rostro se cubre de vergüenza. ⁶Este pobre clamó, y el Señor le oyó y lo libró de todas sus angustias. ⁷El ángel del Señor acampa en torno a los que le temen; a su lado está para librarlos. ⁸Prueben y vean que el Señor es bueno; dichosos los que en Él se refugian. ⁹Teman al Señor, ustedes Sus santos, pues nada les falta a los que le temen. ¹⁰Los leoncillos se debilitan y tienen hambre, pero a los que buscan al Señor nada les falta.

GLORIÁNDOSE EN EL SEÑOR. ¿Cómo podemos ser libres de todos nuestros miedos (versículo 4)? La respuesta es sencilla: Debes construirte una identidad que obtenga su importancia —que busque su gloria (Jeremías 9:23-24)— no en tus logros, ni en tu raza, ni en tus talentos, ni en tus esfuerzos morales, ni en tu familia, sino solo en Dios (versículo 2). Entonces, y solo entonces, la base de tu autoestima será segura y no estará sujeta a miedos ni vergüenzas (versículo 5). ¿Cómo podemos obtener tal identidad? No solo al creer en Dios, sino al "probarlo" y experimentar Su bondad en oración (versículo 8). También podemos obtenerla al consolar, con la consolación que hemos recibido, a las personas afligidas (versículo 2; 2 Corintios 1:3-4) hasta que ellos también glorifiquen a Dios con nosotros (versículo 3). Esta es la misión de cada creyente.

Oración: Señor, mi ansiedad, vergüenza y desaliento vienen cuando intento gloriarme en otras cosas fuera de Tu bondad y amor infalible hacia mí. Enséñame a buscarte hasta conocer Tu alegría que todo lo ilumina. Amén.

Marzo 6

Salmo 34:11-16. [11]Vengan, hijos míos, y escúchenme, que voy a enseñarles el temor del Señor. [12]El que quiera amar la vida y gozar de días felices, [13]que refrene su lengua de hablar el mal y sus labios de proferir engaños; [14]que se aparte del mal y haga el bien; que busque la paz y la siga. [15]Los ojos del Señor están sobre los justos, y Sus oídos, atentos a sus oraciones; [16]el rostro del Señor está contra los que hacen el mal, para borrar de la tierra su memoria.

LA MENTIRA. Para disfrutar de una buena vida (versículo 12) debes vivir una buena vida (versículos 13 y 14). Esto desafía la mentira de la serpiente en el jardín del Edén, la cual dijo que si obedecíamos a Dios seríamos miserables, que la vida plena se encontraba fuera de la voluntad de Dios, no dentro de ella.[29] Tal mentira ha penetrado profundamente en el corazón humano; nos dice que seremos más felices si nosotros, en lugar de Dios, somos libres para elegir la manera en la que vivimos nuestras vidas. Pero el mayor bien es conocer a Dios personalmente, y el mayor castigo es igual de personal: tener en contra Su rostro (versículo 16), la única fuente de gozo y amor; y el "ser dejado fuera, exiliado, rechazado y totalmente ignorado".[30]

Oración: Señor, si quiero amar la vida, debo amarte a Ti—y amarte significa hacer tu voluntad con gozo. Muéstrame tu rostro—permíteme conocer tu amor—para que pueda amarte por quien eres. Recuérdame que la única pérdida insufrible es perderte a ti y tu presencia. Amén.

Salmo 34:17-22. [17]Los justos claman, y el Señor los oye; los libra de todas sus angustias. [18]El Señor está cerca de los quebrantados de corazón, y salva a los de espíritu abatido. [19]Muchas son las angustias del justo, pero el Señor lo librará de todas ellas; [20]le protegerá todos los huesos, y ni uno solo le quebrarán. [21]La maldad destruye a los malvados; serán condenados los enemigos de los justos. [22]El Señor libra a Sus siervos; no serán condenados los que en Él confían.

CÓMO DIOS NOS MANTIENE A SALVO. Los versículos 17 y 19 parecen prometer una vida libre de problemas para los creyentes, pero otros salmos manifiestan que Dios está con nosotros en los problemas (Salmos 23:4 y 91:15). De hecho, el versículo 18 dice que podemos estar quebrantados y abatidos. Pero los sufrimientos acercan la presencia de Dios de una forma que ninguna otra cosa puede acercar (versículo 18). Posteriormente, los abatidos se percatan de que no podrían recibir alegría más profunda en Dios de otra manera. El versículo 22 dice que el Señor "libra a Sus siervos". Solamente el Nuevo Testamento revela lo que esta promesa le costó a Dios. En la cruz, Jesús se aseguró de que no hubiera condenación (Romanos 8:1) para aquellos que se refugian en Él a una magnitud que David no podría haber imaginado.

Oración: Señor, no es completamente correcto agradecerte por mi sufrimiento, ya que no creaste un mundo lleno de maldad, y mi pena te causa dolor. Sin embargo, te agradezco por las muchas riquezas que he encontrado en esos tiempos oscuros: paciencia, valor y, sobre todo, Tu amor y presencia. Amén.

Marzo 8

Salmo 35:1-10. ¹Defiéndeme, Señor, de los que me atacan; combate a los que me combaten. ²Toma Tu adarga, Tu escudo, y acude en mi ayuda. ³Empuña la lanza y el hacha, y haz frente a los que me persiguen. Quiero oírte decir: "Yo soy tu salvación". ⁴Queden confundidos y avergonzados los que procuran matarme; retrocedan humillados los que traman mi ruina. ⁵Sean como la paja en el viento, acosados por el ángel del Señor; ⁶sea su senda oscura y resbalosa, perseguidos por el ángel del Señor. ⁷Ya que sin motivo me tendieron una trampa, y sin motivo cavaron una fosa para mí, ⁸que la ruina los tome por sorpresa; que caigan en su propia trampa, en la fosa que ellos mismos cavaron. ⁹Así mi alma se alegrará en Él y se deleitará en Su salvación; ¹⁰así todo mi ser exclamará: "¿Quién como Tú, Señor? Tú libras de los poderosos a los pobres; a los pobres y necesitados libras de aquellos que los explotan".

SIN MOTIVO. David está luchando con un trato injusto. Las personas lo están atacando sin motivo (versículo 7). El llamado de David por un castigo no es a la venganza personal, sino a una preocupación por que la justicia prevalezca en su reino. Aunque salmos como estos nos deberían hacer sensibles a velar por la justicia, los cristianos tenemos un recurso que David no tenía. Sabemos que Jesús también fue odiado sin motivo (Juan 15:25). Por tanto, el maltrato es una oportunidad para seguir los pasos de Cristo (1 Pedro 2:19-24), de decir la verdad acerca del pecado, pero sin desearle el mal al impío (Mateo 5:44; 23:37). Cuando seamos criticados o rechazados injustamente, debemos decirle a nuestra alma: "El Señor es mi salvación" (versículo 3), no la opinión de los demás.

Oración: Señor, lo que otros piensan de mí es demasiado importante para mi corazón. Cuando sea criticado injustamente necesito que envíes Tu Espíritu y le digas a mi alma: "Yo soy Tu salvación, *nadie más lo es*". Amén.

Marzo 9

Salmo 35:11-18. [11]Se presentan testigos despiadados y me preguntan cosas que yo ignoro. [12]Me devuelven mal por bien, y eso me hiere en el alma; [13]pues cuando ellos enfermaban yo me vestía de luto, me afligía y ayunaba. ¡Ay, si pudiera retractarme de mis oraciones! [14]Me vestía yo de luto, como por un amigo o un hermano. Afligido, inclinaba la cabeza, como si llorara por mi madre. [15]Pero yo tropecé, y ellos se alegraron, y a una se juntaron contra mí. Gente extraña, que yo no conocía, me calumniaba sin cesar. [16]Me atormentaban, se burlaban de mí, y contra mí rechinaban los dientes. [17]¿Hasta cuándo, Señor, vas a tolerar esto? Libra mi vida, mi única vida, de los ataques de esos leones. [18]Yo te daré gracias en la gran asamblea; ante una multitud te alabaré.

ORACIONES NO CONTESTADAS. ¿Qué hacía David cuando sus oraciones no eran contestadas mientras era perseguido (versículo 13)? La espera le causaba dolor y él lo expresa. Se lamentó y lloró. No hubo alegría forzada, ni dijo: "Estoy bien, confío en el Señor" (versículo 14). Pero su lamento fue presentado ante Dios; no dejó de orar. Exclamó: "¿Hasta cuándo, Señor, vas a tolerar esto?", e increíblemente, incluso en medio de su dolor y las continuas acusaciones de sus oponentes (ver versículos del 19 al 28), él confiaba en que un día agradecería al Señor (versículo 18). Esto es parecido a la exhortación de Pablo: "En toda ocasión, con oración y ruego, presenten sus peticiones a Dios y denle gracias" (Filipenses 4:6).

Oración: Señor, parece que Tú solo estás viendo pasivamente. Pero sé que al final no existen oraciones sin contestar, que Tú escuchas los deseos de mi corazón y respondes a mis necesidades en formas que superan mi entendimiento. Así que espero en Ti. Amén.

Salmo 35:19-28. [19]No dejes que de mí se burlen mis enemigos traicioneros; no dejes que se guiñen el ojo los que me odian sin motivo. [20]Porque no vienen en son de paz, sino que urden mentiras contra la gente apacible del país. [21]De mí se ríen a carcajadas, y exclaman: "¡Miren en lo que vino a parar!". [22]Señor, Tú has visto todo esto; no te quedes callado. ¡Señor, no te alejes de mí! [23]¡Despierta, Dios mío, levántate! ¡Hazme justicia, Señor, defiéndeme! [24]Júzgame según Tu justicia, Señor mi Dios; no dejes que se burlen de mí. [25]No permitas que piensen: "¡Así queríamos verlo!". No permitas que digan: "Nos lo hemos tragado vivo". [26]Queden avergonzados y confundidos todos los que se alegran de mi desgracia; sean cubiertos de oprobio y vergüenza todos los que se creen más que yo. [27]Pero lancen voces de alegría y regocijo los que apoyan mi causa, y digan siempre: "Exaltado sea el Señor, quien se deleita en el bienestar de Su siervo". [28]Con mi lengua proclamaré Tu justicia, y todo el día te alabaré.

BURLA. Uno de los grandes peligros de la persecución es que puede darte la sensación de autojusticia. Te sientes superior porque sufres injustamente. En este salmo, David le pide a Dios que no permita que sus enemigos se burlen de él y, a al mismo tiempo, él no se burla de ellos. Estar feliz por las cosas malas que le suceden a los demás es regocijarse en el mal ajeno. David se compromete a regocijarse en la justicia de Dios y en Su grandeza (versículo 28) en lugar de regocijarse en su superioridad moral. Si bien muchos lamentan amentan la facilidad con que se puede divulgar contenido ofensivo desde el anonimato a través de la tecnología, lo que realmente causa la burla es un corazón humano que desea defenderse a toda costa. No intentes vengarte; déjale el juicio a Dios, el cual sabe lo que las personas merecen (versículos 23 y 24). Permite que Dios sea Tu justicia; un día todo se sabrá.

Oración: Señor, es verdad que las personas me dicen y me hacen cosas que no merezco. Pero Tú sabes que mi corazón está lleno de egoísmo, malos pensamientos y necedades que me hacen culpable. No permitas que me llene de amargura u orgullo por esto. Entrego mi reputación y mi causa a Ti. Amén.

Marzo 11

Salmo 36:1-4. ¹Dice el pecador: "Ser impío lo llevo en el corazón". No hay temor de Dios delante de sus ojos. ²Cree que merece alabanzas y no halla aborrecible su pecado. ³Sus palabras son inicuas y engañosas; ha perdido el buen juicio y la capacidad de hacer el bien. ⁴Aun en su lecho trama hacer el mal; se aferra a su mal camino y persiste en la maldad.

LA ANATOMÍA DEL PECADO. Temer a Dios (versículo 1) no es simplemente creer en Él. Es llenarse de asombro y regocijarse ante Su grandeza, temblar ante el privilegio de conocerle, servirle y agradarle. La naturaleza del pecado no es la falta de fe en la existencia de Dios, sino creer que Él no importa. Esta actitud es letal. El temor a Dios y el conocimiento de nosotros mismos crecen o disminuyen juntos. La indiferencia hacia Dios es una forma de autosuficiencia (versículo 2) y de autoengaño (versículo 2). Sentir que no necesitas a Dios es estar fuera de la realidad; quienes creen esto han "perdido el buen juicio" (versículo 3). Lo que comienza con un exceso de confianza puede crecer hasta convertirse en deshonestidad y crueldad (versículo 4). El pecado es un cáncer espiritual.

Oración: Señor, confieso la necedad de mis pensamientos. Incluso cuando evito los pensamientos de resentimiento, miedo y lujuria, mi mente no se enfoca en las cosas más importantes y hermosas; no se enfoca en Ti. Inclina mis ojos y mi corazón a Ti. Amén.

Marzo 12

Salmo 36:5-12. ⁵Tu amor, Señor, llega hasta los cielos; Tu fidelidad alcanza las nubes. ⁶Tu justicia es como las altas montañas; Tus juicios, como el gran océano. Tú, Señor, cuidas de hombres y animales; ⁷¡cuán precioso, oh Dios, es Tu gran amor. Todo ser humano halla refugio a la sombra de Tus alas. ⁸Se sacian de la abundancia de Tu casa; les das a beber de Tu río de deleites. ⁹Porque en Ti está la fuente de la vida, y en Tu luz podemos ver la luz. ¹⁰Extiende Tu amor a los que te conocen, y Tu justicia a los rectos de corazón. ¹¹Que no me aplaste el pie del orgulloso, ni me desarraigue la mano del impío. ¹²Vean cómo fracasan los malvados: ¡caen a tierra, y ya no pueden levantarse!

LA AMPLITUD DE SU AMOR. En contraste con la naturaleza claustrofóbica del pecado, el amor de Dios es tan alto como los cielos (versículo 5), tan majestuoso como las montañas (versículo 6) y tan inagotable como el océano (versículo 6). El amor de Dios es como una tierra de deleites interminables. Aquellos que se alimentan de Sus riquezas y toman de Su río (versículo 8) desean regresar una y otra vez en oración y alabanza. Dios es amor (versículo 5), pero también es santidad (versículo 6). La cruz muestra cómo puede ser ambas cosas. Como una gallina da refugio a sus polluelos dejando que la lluvia y el viento caigan sobre ella, así Jesús tomó nuestro castigo. Los versículos 8 y 9 proveen un vistazo de lo que será la restauración del Edén. Luz, gozo, claridad y verdad —¡todo esto es nuestro en Jesús!

Oración: Señor, frecuentemente vivo en una compasión egoísta, alimentando sentimientos heridos, preguntándome por qué las personas no me tratan mejor. Permíteme experimentar las innumerables facetas de Tu amor. Eso es mejor que escuchar la mejor música, mejor que estar en la cima de una montaña y mejor que contemplar un gran diamante. ¡Cuán precioso es Tu amor infalible! Amén.

Marzo 13

Salmo 37:1-6. ¹No te irrites a causa de los impíos ni envidies a los que cometen injusticias; ²porque pronto se marchitan, como la hierba; pronto se secan, como el verdor del pasto. ³Confía en el Señor y haz el bien; establécete en la tierra y mantente fiel. ⁴Deléitate en el Señor, y Él te concederá los deseos de tu corazón. ⁵Encomienda al Señor tu camino; confía en Él, y Él actuará. ⁶Hará que tu justicia resplandezca como el alba; tu justa causa, como el sol de mediodía.

NO TE IMPACIENTES. Impacientarse es una actividad común en nuestra época. Se compone de preocupación, resentimiento, celos y autocompasión. Es una actitud dominante, nos consume por dentro mientras no logra nada. David nos da tres remedios prácticos. Mira hacia el futuro (versículo 2) —quienes centran su felicidad en este mundo tienen los días contados. Mira hacia arriba (versículos 3-5) — No reprimas ni reviertas tus frustraciones; más bien redirígelas a Dios. Deja tus cargas en Sus manos (*encomienda*) y aprende a encontrar los deseos más profundos de tu corazón en Él (*deléitate*). Finalmente, ocúpate en las cosas que debes hacer —"haz el bien" (versículo 3). La autocompasión puede llevarte a tomar atajos éticos. No le añadas una mala conciencia a un corazón abatido.

Oración: Padre, me quejo de que tengo una vida peor de la que merezco y que los demás viven mejor. Pero Tu Hijo Jesús me otorga en Tu gracia una mejor vida de la que merezco, y Su sangre fue derramada para que esto fuese posible. Hazme generoso hacia los demás y dame contentamiento en Tu gran amor. Amén.

Marzo 14

Salmo 37:7-11. [7]Guarda silencio ante el Señor, y espera en Él con paciencia; no te irrites ante el éxito de otros, de los que maquinan planes malvados. [8]Refrena tu enojo, abandona la ira; no te irrites, pues esto conduce al mal. [9]Porque los impíos serán exterminados, pero los que esperan en el Señor heredarán la tierra. [10]Dentro de poco los malvados dejarán de existir; por más que los busques, no los encontrarás. [11]Pero los desposeídos heredarán la tierra y disfrutarán de gran bienestar.

LOS MANSOS HEREDARÁN. ¿Quiénes son los desposeídos (versículo 11)? Son los humildes, quienes no dudan de los tiempos de Dios (versículo 7); son los que esperan en el Señor, quienes le dejan la venganza a Él (versículo 9). David dice que los humildes heredarán la tierra, pero Jesús dice que heredarán todo el mundo (Mateo 5:5). Los cristianos confiesan que no tienen poder para salvarse a sí mismos y dependen solamente de la gracia de Dios. ¿Es esto posible? Sí, porque Cristo se hizo apacible y humilde de corazón (Mateo 11:29), como oveja que es llevada al matadero. ¿Y por qué pueden los cristianos heredar literalmente todo el mundo? Porque Él tomó nuestro castigo. Cristo fue despojado de todo —echaron suertes sobre Su última posesión, Su ropa. Su asombrosa y cariñosa humildad produce humildad en nosotros.

Oración: Señor, cuánto anhelo la paz en mi corazón que proviene de la humildad espiritual. Deseo la humildad que descansa en tus sabios juicios, la humildad que hace que la amargura sea imposible. Tú eres "apacible y humilde de corazón", así que ayúdame a encontrar reposo en Ti (Mateo 11:29). Amén.

Marzo 15

Salmo 37:12-20. [12]Los malvados conspiran contra los justos y crujen los dientes contra ellos; [13]pero el Señor se ríe de los malvados, pues sabe que les llegará su hora. [14]Los malvados sacan la espada y tensan el arco para abatir al pobre y al necesitado, para matar a los que viven con rectitud. [15]Pero su propia espada les atravesará el corazón, y su arco quedará hecho pedazos. [16]Más vale lo poco de un justo que lo mucho de innumerables malvados; [17]porque el brazo de los impíos será quebrado, pero el Señor sostendrá a los justos. [18]El Señor protege la vida de los íntegros, y Su herencia perdura por siempre. [19]En tiempos difíciles serán prosperados; en épocas de hambre tendrán abundancia. [20]Los malvados, los enemigos del Señor, acabarán por ser destruidos; desaparecerán como las flores silvestres, se desvanecerán como el humo.

LAS PARADOJAS DE UNA VIDA FIEL. Los creyentes algunas veces parecen ser débiles, pero realmente son fuertes. Somos perseguidos, pero no abandonados (2 Corintios 4:9; versículos del 12 al 15). Aquellos que viven para su propio bienestar pueden tener éxito momentáneo, pero el pecado tarde o temprano les conducirá al fracaso. "Su propia espada", de diferentes maneras, "les atravesará el corazón" (versículo 15). Por otro lado nosotros, "como si no tuviéramos nada, lo poseemos todo" (2 Corintios 6:10; versículos del 16 al 20). La justicia no es garantía de prosperidad. Es posible ser fiel y trabajador y terminar con "poco" (versículo 16). Aunque puedes acumular riquezas rápidamente, ellas no te ayudarán en la vida venidera. Así que solamente Dios —y Su amor infalible hacia ti— son inversiones que nunca pierden su valor.[31]

Oración: Señor, cuán fácil es poner nuestra fe en el poder y el dinero. Si conozco a las personas correctas y tengo suficiente dinero en el banco, me siento seguro —¡qué ilusión! A través de la cruz mi gran deuda ha sido pagada y a través de la resurrección mi riqueza futura está asegurada. Permíteme descansar en esto diariamente. Amén.

Marzo 16

Salmo 37:21-26. [21]Los malvados piden prestado y no pagan, pero los justos dan con generosidad. [22]Los benditos del Señor heredarán la tierra, pero los que Él maldice serán destruidos. [23]El Señor afirma los pasos del hombre cuando le agrada su modo de vivir; [24]podrá tropezar, pero no caerá, porque el Señor lo sostiene de la mano. [25]He sido joven y ahora soy viejo, pero nunca he visto justos en la miseria, ni que sus hijos mendiguen pan. [26]Prestan siempre con generosidad; sus hijos son una bendición.

LA PARADOJA CONTINÚA. Los justos no ven el dinero como algo que les pertenece, sino que dan y prestan libremente para traer bendición (versículo 26) confiando en que Dios les proveerá (versículo 25). Mientras que David nunca había visto a un justo desamparado, Habacuc 3:13-19 nos menciona que aunque caigamos en pobreza, Dios está con nosotros; Él es nuestra riqueza. Podemos ser "derribados pero no destruidos" (2 Corintios 4:9). Podemos caer: pecar, fracasar o sufrir calamidades, pero Dios no permitirá que nos quedemos postrados (versículo 24). Él utilizará estos problemas, si confiamos en Él, para convertirnos en algo grandioso y hermoso (2 Corintios 4:17).

Oración: Señor, es difícil para mí confiar en Tu provisión y, por tanto, no soy radicalmente generoso con mi dinero. Pero si Jesús hubiera actuado de la misma forma con Su vida y Su sangre, ¿en dónde estaría yo? Hazme un dador alegre. Amén.

Marzo 17

Salmo 37:27-34. [27]Apártate del mal y haz el bien, y siempre tendrás dónde vivir. [28]Porque el Señor ama la justicia y no abandona a quienes le son fieles. El Señor los protegerá para siempre, pero acabará con la descendencia de los malvados. [29]Los justos heredarán la tierra, y por siempre vivirán en ella. [30]La boca del justo imparte sabiduría, y su lengua emite justicia. [31]La ley de Dios está en su corazón, y sus pies jamás resbalan. [32]Los malvados acechan a los justos con la intención de matarlos, [33]pero el Señor no los dejará caer en sus manos ni permitirá que los condenen en el juicio. [34]Pero tú, espera en el Señor, y vive según Su voluntad, que Él te exaltará para que heredes la tierra. Cuando los malvados sean destruidos, tú lo verás con tus propios ojos.

EL SEÑOR AMA AL JUSTO. Debemos "hacer el bien" (versículo 27) y el versículo 28 nos muestra que esto significa vivir una vida justa. La palabra hebrea para "justicia" es *mishpat*. Significa tratar a las personas equitativamente, sin tener un estándar para personas de tu misma raza y otro para las demás (Levítico 24:22). También significa preocuparte por los derechos y las necesidades de los pobres, los inmigrantes, las viudas y los huérfanos (Zacarías 7:10-11). Muchos cristianos piensan que la justicia social es un interés opcional, pero es una característica esencial de aquellos a quienes el Señor ama y en quienes se deleita. Jesús les dijo a Sus seguidores que hospedaran regularmente a los pobres y a los inválidos (Lucas 14:12-13). ¿Estamos atendiendo a este llamado de vivir justamente?

Oración: Señor, te alabo porque eres un Dios que cuida de los pobres, débiles e indefensos; ¡de otra forma yo estaría perdido! Confieso mi autosuficiencia, orgullo e indiferencia, lo cual me dificulta amar a los pobres. Transfórmame y úsame para ayudar a otros. Amén.

Marzo 18

Salmo 37:35-40. [35]He visto al déspota y malvado extenderse como cedro frondoso. [36]Pero pasó al olvido y dejó de existir; lo busqué, y ya no pude encontrarlo. [37]Observa a los que son íntegros y rectos: hay porvenir para quien busca la paz. [38]Pero todos los pecadores serán destruidos; el porvenir de los malvados será el exterminio. [39]La salvación de los justos viene del Señor; Él es su fortaleza en tiempos de angustia. [40]El Señor los ayuda y los libra; los libra de los malvados y los salva, porque en Él ponen su confianza.

HAY PORVENIR. Vivir para uno mismo inevitablemente lleva a la nada (versículos 35 y 36), pero para nosotros "hay porvenir" (versículo 37). Esto no significa necesariamente una vida próspera. Significa un futuro de alegría y amor crecientes en este mundo y una cantidad infinita de ambos en el siguiente. Seremos resucitados (1 Corintios 15:35-58). No iremos a la nada. No seremos simplemente una consciencia flotante. No nos convertiremos en parte de una fuerza cósmica impersonal. Nuestro futuro es un mundo de amor (1 Corintios 13:12-13). Caminaremos, comeremos, conversaremos, cantaremos y danzaremos —haremos todo esto con gran alegría, con satisfacción y con poder, los cuales ahora no podemos imaginar. Comeremos y beberemos con el Hijo del Hombre por siempre (Salmo 23:6).

Oración: Oh, Señor, el futuro supera mi imaginación. Sin embargo, incluso mis más pequeños esfuerzos por imaginarlo me dan luz y esperanza que no puedo obtener de otra manera. *Hasta entonces proclamaré Tu amor con cada aliento; y pueda la música de Tu nombre confortar mi alma en la muerte.*[32] Amén.

Marzo 19

Salmo 38:1-8. ¹Señor, no me reprendas en Tu enojo ni me castigues en Tu ira. ²Porque Tus flechas me han atravesado, y sobre mí ha caído Tu mano. ³Por causa de Tu indignación no hay nada sano en mi cuerpo; por causa de mi pecado mis huesos no hallan descanso. ⁴Mis maldades me abruman, son una carga demasiado pesada. ⁵Por causa de mi insensatez mis llagas hieden y supuran. ⁶Estoy agobiado, del todo abatido; todo el día ando acongojado. ⁷Estoy ardiendo de fiebre; no hay nada sano en mi cuerpo. ⁸Me siento débil, completamente deshecho; mi corazón gime angustiado.

SUFRIMIENTO COMPUESTO. Aquí hay culpa (versículo 4) así como enfermedad (versículo 5). La enfermedad está ligada al pecado del salmista de cierta forma, ya sea como el efecto físico de una conciencia torturada, como el resultado de un comportamiento insensato o como un mensajero enviado para humillar al salmista y llamar su atención por la forma en que está viviendo. Esta enfermedad lo ha aislado de sus amigos y le ha otorgado a sus enemigos una oportunidad para movilizarse contra él (versículos 11 y 12). Así que sufre de culpa, dolor físico e injusticia. El sufrimiento frecuentemente se presenta de forma tan compleja que la única solución es simplemente clamar a Dios por perdón, protección y sanidad.

Oración: Señor, a veces no hay nada más que pueda hacer que clamar a Ti. Puedo llegar a sentirme muy abrumado por la complejidad de mis problemas. Algunos son por mi culpa, otros no —me da rabia, me siento culpable y me abrumo por todo esto. Confieso mi pecado y mi impotencia. ¡Ayúdame! Amén.

Marzo 20

Salmo 38:9-14. ⁹Ante Ti, Señor, están todos mis deseos; no te son un secreto mis anhelos. ¹⁰Late mi corazón con violencia, las fuerzas me abandonan, hasta la luz de mis ojos se apaga. ¹¹Mis amigos y vecinos se apartan de mis llagas; mis parientes se mantienen a distancia. ¹²Tienden sus trampas los que quieren matarme; maquinan mi ruina los que buscan mi mal y todo el día urden engaños. ¹³Pero yo me hago el sordo, y no los escucho; me hago el mudo, y no les respondo. ¹⁴Soy como los que no oyen ni pueden defenderse.

TODOS MIS DESEOS. Los salmos son notables por describir con brutal honestidad los lamentos de quienes sufren. La Biblia no dice nada acerca de que "el dolor es solo una ilusión", "no permitas que te afecte" o "si realmente crees con todo tu corazón, nada malo te sucederá". Estos puntos de vista hacen de la voluntad humana la solución. Pero solamente Dios puede restaurar un cuerpo o un alma y darles salud. Ninguna molécula de nuestro cuerpo ni ninguna facultad de nuestra alma realizan sus tareas si no es porque la mano de Dios nos sostiene. Si Él quita Su mano, así sea por un momento, nos enfrentamos a una realidad que muchas veces ignoramos: Sin Su ayuda, perecemos.

Oración: Señor, cuán frágiles son mi cuerpo y mi alma. Sin Tu sustento, desfallezco. Así que acudo a Ti por perdón y salud. *Aunque falle, lloro. Aunque detenga mi andar, me arrastro hacia el trono de la gracia.*[33] Amén.

Marzo 21

Salmo 38:15-22. [15]Yo, Señor, espero en Ti; Tú, Señor y Dios mío, serás quien responda. [16]Tan solo pido que no se burlen de mí, que no se crean superiores si resbalo. [17]Estoy por desfallecer; el dolor no me deja un solo instante. [18]Voy a confesar mi iniquidad, pues mi pecado me angustia. [19]Muchos son mis enemigos gratuitos; abundan los que me odian sin motivo. [20]Por hacer el bien, me pagan con el mal; por procurar lo bueno, se ponen en mi contra. [21]Señor, no me abandones; Dios mío, no te alejes de mí. [22]Señor de mi salvación, ¡ven pronto en mi ayuda!

SALIENDO DE LA OSCURIDAD. David no solamente admite su pecado, sino que está turbado por él (versículo 18). Si solo confesamos pero no encontramos repugnante al pecado —por cómo deshonra a Dios y destruye a los demás— el pecado mantendrá su poder sobre nosotros. Nos encontraremos cometiéndolo de nuevo. Además, David no solo busca un perdón legal, sino la restauración de la comunión con Dios (versículos 21 y 22). Esto es posible porque Dios es, para David, "Dios mío", el Dios de gracia comprometido con él (Éxodo 6:6-7). La profundidad de tal compromiso fue vista en las palabras de Aquel que exclamó: "Dios mío, Dios mío", y fue desamparado para que nosotros pudiéramos ser perdonados.

Oración: Acércate, alma mía, al trono de la misericordia, en donde Jesús contesta las oraciones; cae humildemente ante Sus pies, ya que nadie puede perecer ahí. Hundido en el pecado, asediado por Satanás, con luchas por fuera y miedos por dentro, me presento ante Ti en busca de reposo.[34] Amén.

Marzo 22

Salmo 39. ¹Me dije a mí mismo: "Mientras esté ante gente malvada vigilaré mi conducta, me abstendré de pecar con la lengua, me pondré una mordaza en la boca". ²Así que guardé silencio, me mantuve callado. ¡Ni aun lo bueno salía de mi boca! Pero mi angustia iba en aumento; ³¡el corazón me ardía en el pecho! Al meditar en esto, el fuego se inflamó y tuve que decir: ⁴"Hazme saber, Señor, el límite de mis días, y el tiempo que me queda por vivir; hazme saber lo efímero que soy. ⁵Muy breve es la vida que me has dado; ante Ti, mis años no son nada. Un soplo nada más es el mortal, ⁶un suspiro que se pierde entre las sombras. Ilusorias son las riquezas que amontona, pues no sabe quién se quedará con ellas". ⁷Y ahora, Señor, ¿qué esperanza me queda? ¡Mi esperanza he puesto en Ti! ⁸Líbrame de todas mis transgresiones. Que los necios no se burlen de mí. ⁹He guardado silencio; no he abierto la boca, pues Tú eres quien actúa. ¹⁰Ya no me castigues, que los golpes de Tu mano me aniquilan. ¹¹Tú reprendes a los mortales, los castigas por su iniquidad; como polilla, acabas con sus placeres. ¡Un soplo nada más es el mortal! ¹²"Señor, escucha mi oración, atiende a mi clamor; no cierres Tus oídos a mi llanto. Ante Ti soy un extraño, un peregrino, como todos mis antepasados. ¹³No me mires con enojo, y volveré a alegrarme antes que me muera y deje de existir".

DESESPERACIÓN. Tarde o temprano, todo en la vida nos es quitado (versículos 4 y 5). La desolación que causa esta verdad puede ser inaguantable para nuestra alma. El salmo termina sin una nota de esperanza, y esto nos instruye. Es notable ver que Dios no solo permite que Sus criaturas se quejen ante Él, sino que también permite que estas quejas queden registradas en Su Palabra. "La sola presencia de tales oraciones en la Escritura es una demostración de Su entendimiento. Él conoce cómo hablan los hombres cuando están desesperados".³⁵ Dios confía en que veamos *esto* y cerremos nuestras bocas pasmados ante el espectacular amor que planeó aun en nuestros momentos más oscuros.

Oración: Padre, puedo confundirme y enojarme frente a Tus decisiones al punto de poder declarar: "Aparta Tu vista de mí". Pero Tu Hijo perdió Tu presencia en la cruz, para que ahora, pacientemente, te quedes cerca de mí, incluso cuando no lo merezca. Te alabo por ser un Dios que me entiende. Amén.

Marzo 23

Salmo 40:1-5. ¹Puse en el Señor toda mi esperanza; Él se inclinó hacia mí y escuchó mi clamor. ²Me sacó de la fosa de la muerte, del lodo y del pantano; puso mis pies sobre una roca, y me plantó en terreno firme. ³Puso en mis labios un cántico nuevo, un himno de alabanza a nuestro Dios. Al ver esto, muchos tuvieron miedo y pusieron su confianza en el Señor. ⁴Dichoso el que pone su confianza en Él y no recurre a los idólatras ni a los que adoran dioses falsos. ⁵Muchas son, Señor mi Dios, las maravillas que Tú has hecho. No es posible enumerar Tus bondades en favor nuestro. Si quisiera anunciarlas y proclamarlas, serían más de lo que puedo contar.

ESPERAR, ESPERAR. La mayoría de las traducciones del versículo 1 dicen: "Esperé pacientemente", pero en el hebreo literalmente dice: "Yo esperé-esperé". En el hebreo, duplicar un término indica énfasis y mayor magnitud. Esto no indica pasividad, sino mayor concentración. Los siervos de un gran señor no juguetean con sus dedos mientras esperan, sino que observan cada expresión y gesto para discernir la voluntad de su amo. Esperar en Dios es ocuparse en el servicio hacia Él y hacia los demás, aceptando Su sabiduría y Sus tiempos. Este tipo de espera, claro está, puede ser prolongado y puede llegar a cansarnos, como nos lo han mostrado los Salmos del 37 al 39. Pero finalmente nos conduce a un nuevo canto de alabanza hacia Dios (versículo 3) y de alegría (versículo 4).

Oración: Señor, recuerdo con gran gratitud algunos de los pantanos de los que me sacaste y aquellas rocas firmes sobre las que me pusiste. Y eso me ayuda a esperar en Ti nuevamente. Amén.

Marzo 24

Salmo 40:6-10. ⁶A Ti no te complacen sacrificios ni ofrendas, pero me has hecho obediente; Tú no has pedido holocaustos ni sacrificios por el pecado. ⁷Por eso dije: "Aquí me tienes —como el libro dice de mí—. ⁸Me agrada, Dios mío, hacer Tu voluntad; Tu ley la llevo dentro de mí". ⁹En medio de la gran asamblea he dado a conocer Tu justicia. Tú bien sabes, Señor, que no he sellado mis labios. ¹⁰No escondo Tu justicia en mi corazón, sino que proclamo Tu fidelidad y Tu salvación. No oculto en la gran asamblea Tu gran amor y Tu verdad.

DEL DEBER AL PLACER. Esperar en Dios (ver el devocional de ayer) transformó a David de adentro hacia afuera. Ya no obedecía la ley de Dios solo por deber, sino que lo hacía alegremente, de corazón (versículos 7 y 8). "Nuestro placer y nuestro deber, aunque de antaño se oponían, después de contemplar Su belleza se han vuelto inseparables".[36] David parece decir que el ofrecerse a sí mismo como ofrenda termina con todos los sacrificios por el pecado (versículo 6). El Nuevo Testamento cita estas palabras para referirse a un David mayor, quien le dijo a Su Padre que viviría la vida obediente que nosotros debíamos vivir y sufriría la muerte que nosotros deberíamos haber sufrido con el propósito de acercarnos a Dios (Hebreos 10:5-10). Déjate conmover por lo que Él hizo por ti hasta que el deber se convierta en placer.

Oración: Padre, cuán maravilloso es escuchar en estos versículos la antigua conversación entre Tú y Tu Hijo, y saber que desde toda la eternidad nos has amado y has planeado nuestra salvación a un costo infinito para Ti. Solo puedo postrarme en asombro ante este amor. Amén.

Salmo 40:11-17. ¹¹No me niegues, Señor, Tu misericordia; que siempre me protejan Tu amor y Tu verdad. ¹²Muchos males me han rodeado; tantos son que no puedo contarlos. Me han alcanzado mis iniquidades, y ya ni puedo ver. Son más que los cabellos de mi cabeza, y mi corazón desfallece. ¹³Por favor, Señor, ¡ven a librarme! ¡Ven pronto, Señor, en mi auxilio! ¹⁴Sean confundidos y avergonzados todos los que tratan de matarme; huyan derrotados todos los que procuran mi mal; ¹⁵que la vergüenza de su derrota humille a los que se burlan de mí. ¹⁶Pero que todos los que te buscan se alegren en Ti y se regocijen; que los que aman Tu salvación digan siempre: "¡Cuán grande es el Señor!". ¹⁷Y a mí, pobre y necesitado, quiera el Señor tomarme en cuenta. Tú eres mi socorro y mi libertador; ¡no te tardes, Dios mío!

ORANDO POR GLORIA. La primera parte del Salmo 40 es una acción de gracias por la ayuda de Dios, junto con un poderoso testimonio sobre la transformación que produce el esperar pacientemente en Él. Los versículos del 11 al 17 muestran, sin embargo, que las situaciones que requieren que esperemos en Dios regresan continuamente, a veces de forma inesperada. David está nuevamente bajo presión, pero esta vez tiene un mayor sentido de la gracia inmerecida de Dios (versículos 16 y 17). Los últimos versículos también nos otorgan un principio espiritual importante. "Comparar lo que soy con lo que Tú eres (versículo 17) produce estabilidad; pero orar por la gloria de Dios ('que el Señor sea exaltado', versículo 16) es una liberación, el camino a la victoria y, como muestra Juan 12:27, es imitar a Cristo".[37]

Oración: Señor, orar por Tu gloria sin duda es una forma de liberación. Cuando digo: "Glorifícate en mis actos", eso me libera para recibir cualquier cosa que Tú envíes en Tu sabia voluntad, porque sé que Tu gloria incluye Tu amor. En mi vida, Señor, glorifícate. Amén.

Marzo 26

Salmo 41:1-4. [1]Dichoso el que piensa en el débil; el Señor lo librará en el día de la desgracia. [2]El Señor lo protegerá y lo mantendrá con vida; lo hará dichoso en la tierra y no lo entregará al capricho de sus adversarios. [3]El Señor lo confortará cuando esté enfermo; lo alentará en el lecho del dolor. [4]Yo he dicho: "Señor, compadécete de mí; sáname, pues contra Ti he pecado".

DICHOSOS LOS MISERICORDIOSOS. Pensar en los débiles (versículo 1) significa considerar constantemente a los pobres. Esto va mucho más allá que donar a alguna caridad. El llamado es a pensar qué mantiene en la miseria a los pobres y ayudarles a salir de ella. Los que hacen esto serán bendecidos, tendrán salud espiritual. Cuando ellos pecan reciben compasión tal y como ellos la han dado a otros (versículo 4). Esto también funciona al revés. Es debido a que hemos recibido generosidad espiritual que también podemos ser generosos con los necesitados (Mateo 18:28-33; 2 Corintios 8:7-9). Una señal de que he sido salvo por gracia es que pienso y considero a los pobres. ¿Tengo esta señal?

Oración: Señor, mi cultura y mi corazón me dicen que no soy pobre debido a mi esfuerzo y trabajo. Si creo esta mentira, no seré generoso. Te alabo porque eres un Dios con un corazón para los pobres. Dame esa misma clase de corazón. Amén.

Salmo 41:5-8. [5]Con saña dicen de mí mis enemigos: "¿Cuándo se morirá? ¿Cuándo pasará al olvido?". [6]Si vienen a verme, no son sinceros; recogen calumnias y salen a contarlas. [7]Mis enemigos se juntan y cuchichean contra mí; me hacen responsable de mi mal. [8]Dicen: "Lo que le ha sobrevenido es cosa del demonio; de esa cama no volverá a levantarse".

CALUMNIAS. Estos versículos hablan sobre el pecado del chisme. Las personas acuden a ver a David en su enfermedad (versículos 3 y 4) solo para esparcir noticias que le hagan quedar de la peor manera (versículo 6). Sus oponentes le atribuyen las peores intenciones a todo lo que hace (versículo 7). El chisme no es necesariamente difundir mentiras; es revelar información que debe mantenerse confidencial (Proverbios 11:13; 20:19); es difundir información sobre una persona con la intención de desacreditarla. El chisme puede hacerse simplemente utilizando cierto tono de voz o moviendo los ojos de cierta forma. Mientras que tendemos a considerar al chisme como algo inofensivo, el Nuevo Testamento lo pone en la misma lista que la envidia, el asesinato y el odio (Romanos 1:28-30).

Oración: Señor, difundo los chismes debido a que me hacen ver mejor que aquellos a los que difamo. Señor, Tú perdiste tu reputación para otorgarme un nombre eterno. ¿Cómo puedo dañar el buen nombre de alguien más? Perdóname y ayúdame. Amén.

Marzo 28

Salmo 41:9-13. 9Hasta mi mejor amigo, en quien yo confiaba y que compartía el pan conmigo, me ha puesto la zancadilla. 10Pero Tú, Señor, compadécete de mí; haz que vuelva a levantarme para darles su merecido. 11En esto sabré que te he agradado: en que mi enemigo no triunfe sobre mí. 12Por mi integridad habrás de sostenerme, y en Tu presencia me mantendrás para siempre. 13Bendito sea el Señor, el Dios de Israel, por los siglos de los siglos. Amén y amén.

TRAICIÓN. David pide la ayuda de Dios para "darles su merecido" a quienes lo traicionaron dentro de su círculo interno ("hasta mi mejor amigo", versículo 9), no como un acto de venganza personal, sino porque como rey debe promover la justicia pública. ¿Cómo deberíamos responder ante la traición de un amigo —la peor clase de traición? Siglos después, Jesús aplicó este versículo a Sí mismo (Juan 13:18) mientras hablaba con Judas, dándole oportunidad para el arrepentimiento. Judas no fue la única persona desleal y traidora esa noche. Y los cristianos, aunque compartimos el pan con Él en la mesa del Señor, frecuentemente le fallamos. Sin embargo, Él nos perdona. Así debemos perdonar a quienes nos traicionan.

Oración: Padre, existen personas que me han dañado en el pasado y me doy cuenta de que no las he perdonado completamente. Las evito o soy grosero con ellas. Permite que Tu gracia ablande mi corazón para poder perdonar completa y libremente. Amén.

Marzo 29

Salmo 42:1-5. [1]Cual ciervo jadeante en busca del agua, así te busca, oh Dios, todo mi ser. [2]Tengo sed de Dios, del Dios de la vida. ¿Cuándo podré presentarme ante Dios? [3]Mis lágrimas son mi pan de día y de noche, mientras me echan en cara a todas horas: "¿Dónde está tu Dios?". [4]Recuerdo esto y me deshago en llanto: yo solía ir con la multitud, y la conducía a la casa de Dios. Entre voces de alegría y acciones de gracias hacíamos gran celebración. [5]¿Por qué voy a inquietarme? ¿Por qué me voy a angustiar? En Dios pondré mi esperanza y todavía lo alabaré. ¡Él es mi Salvador y mi Dios!

PERDIENDO A DIOS. El salmista no ha perdido su fe en Dios, sino el sentido de *Su presencia* (versículo 2). Los seres humanos necesitan sentir la presencia y el amor de Dios tanto como el cuerpo necesita el agua (versículo 1). Su primera respuesta es recordarse a sí mismo que la sequía no será perpetua (versículo 5). "Esto también pasará" es una realidad de cualquier condición en este mundo cambiante. Aunque a veces es dolorosa, esta verdad también puede consolarnos. Aunque nuestros bienes serán sacudidos, los tiempos difíciles para los creyentes terminarán. Solo cuando estemos a salvo en el cielo, rodeados por siempre en Su amor que no falla, perderemos todo miedo al cambio. Espera en Dios, que aún hemos de alabarlo.

Oración: Señor, te alabo porque eres un Dios vivo y personal que podemos conocer. Necesito Tu presencia y Tu amor para ablandar mi corazón endurecido, para fortalecerme cuando desfallezco y para humillarme cuando me enorgullezco. Amén.

Marzo 30

Salmo 42:6-11. ⁶Me siento sumamente angustiado; por eso, mi Dios, pienso en Ti desde la tierra del Jordán, desde las alturas del Hermón, desde el monte Mizar. ⁷Un abismo llama a otro abismo en el rugir de Tus cascadas; todas Tus ondas y Tus olas se han precipitado sobre mí. ⁸Esta es la oración al Dios de mi vida: que de día el Señor mande Su amor, y de noche Su canto me acompañe. ⁹Y le digo a Dios, a mi Roca: "¿Por qué me has olvidado? ¿Por qué debo andar de luto y oprimido por el enemigo?" ¹⁰Mortal agonía me penetra hasta los huesos ante la burla de mis adversarios, mientras me echan en cara a todas horas: "¿Dónde está tu Dios?" ¹¹¿Por qué voy a inquietarme? ¿Por qué me voy a angustiar? En Dios pondré mi esperanza, y todavía lo alabaré. ¡Él es mi Salvador y mi Dios!

COMUNIÓN PERSONAL. Mientras el salmo sigue, vemos que la frase "todavía lo alabaré" (versículos 5 y 11; Salmo 43:5) no es solo una predicción de cambio, sino un ejercicio activo. Cuando estamos desanimados, escuchamos a las especulaciones de nuestro corazón. "¿Qué si esto pasa?"; "Quizá es por esto". Aquí, sin embargo, vemos al salmista no solamente escuchando a su atribulado corazón, sino hablándole, ordenándole: "Recuerda esto, alma mía". Le recuerda a su corazón las cosas que Dios ha hecho (versículos del 6 al 8). También le dice a su corazón que Dios está trabajando en medio de los problemas —las olas que se han precipitado sobre él son "Tus" olas (versículo 7). Esta comunión personal es una disciplina espiritual que da esperanza.

Oración: Señor, necesito aprender a predicarle a mi corazón, en lugar de solo escuchar sus quejas necias. Ayúdame a aprender cómo decirme a mí mismo: "¡Pon tu esperanza en Dios!". Amén.

Marzo 31

Salmo 43. ¹¡Hazme justicia, oh Dios! Defiende mi causa frente a esta nación impía; líbrame de gente mentirosa y perversa. ²Tú eres mi Dios y mi fortaleza: ¿Por qué me has rechazado? ¿Por qué debo andar de luto y oprimido por el enemigo? ³Envía Tu luz y Tu verdad; que ellas me guíen a Tu monte santo, que me lleven al lugar donde Tú habitas. ⁴Llegaré entonces al altar de Dios, del Dios de mi alegría y mi deleite, y allí, oh Dios, mi Dios, te alabaré al son del arpa. ⁵¿Por qué voy a inquietarme? ¿Por qué me voy a angustiar? En Dios pondré mi esperanza, y todavía lo alabaré. ¡Él es mi Salvador y mi Dios!

ENCONTRANDO A DIOS. Los salmos 42 y 43 comparten el mismo refrán: "¿Por qué voy a inquietarme? ¿Por qué me voy a angustiar? En Dios pondré mi esperanza. ¡Él es mi Salvador y mi Dios!" (Salmo 42:5, 11; Salmo 43:5). El cambio y la esperanza del salmista vienen como resultado de dialogar con él mismo. Pero también vienen como resultado de hacer de Dios su fortaleza y refugio (versículo 2). Cuando pone su esperanza en el Dios viviente, él sabe que nada puede entrar en la fortaleza sin que Dios lo permita y sin que Él tenga un propósito para ello. También descansa en Dios, esperando Su vindicación, sin buscar aprobación humana o venganza personal (versículo 1). Al hacer todo esto, lentamente el salmista recobra ánimo. La frase final transmite una confianza que los versículos previos no hacían (versículos 4 y 5).

Oración: Señor, Tú eres mi vindicación y mi reputación —no importa lo que los demás digan. Tú eres mi fortaleza —nada más puede protegerme de todo peligro, incluso de la muerte. Tú eres mi alegría y mi deleite —todos los demás me abandonarán. Si Tú eres mi Dios, ¿por qué he de angustiarme? Amén.

Abril 1

Salmo 44:1-8. ¹Oh Dios, nuestros oídos han oído y nuestros padres nos han contado las proezas que realizaste en sus días, en aquellos tiempos pasados: ²Con Tu mano echaste fuera a las naciones y en su lugar estableciste a nuestros padres; aplastaste a aquellos pueblos, y a nuestros padres los hiciste prosperar. ³Porque no fue su espada la que conquistó la tierra, ni fue su brazo el que les dio la victoria: fue Tu brazo, Tu mano derecha; fue la luz de Tu rostro, porque Tú los amabas. ⁴Solo Tú eres mi rey y mi Dios. ¡Decreta las victorias de Jacob! ⁵Por Ti derrotamos a nuestros enemigos; en Tu nombre aplastamos a nuestros agresores. ⁶Yo no confío en mi arco, ni puede mi espada darme la victoria; ⁷Tú nos das la victoria sobre nuestros enemigos, y dejas en vergüenza a nuestros adversarios. ⁸¡Por siempre nos gloriaremos en Dios! ¡Por siempre alabaremos Tu nombre!

EN TIEMPOS PASADOS. El salmista recuerda el tiempo de sus ancestros (versículo 1) como un periodo de auge nacional. Tenemos una conexión directa a los hechos del pasado porque no fueron las hazañas de nuestros antepasados, sino las de Dios mismo, y Él sigue con nosotros. Los cristianos nunca deberíamos ver la historia de la iglesia como si contuviera una raza de héroes que ha desaparecido irreversiblemente. Su Dios es nuestro Dios. Tampoco debemos mirar nuestra mejor época espiritual como si no fuésemos capaces de regresar a ella. Tú no fuiste capaz de hacerlo la primera vez. Fue Dios quien lo hizo. Y Él sigue ahí.

Oración: "Oh Dios, ayuda nuestra en tiempos pasados",³⁸ Tú sigues conmigo. Te agradezco por ser eterno, inmutable en Tu persona, en Tu carácter y en Tus atributos. Permíteme esperar con gran expectativa lo que Tú harás a través de mí el día de hoy. Amén.

Abril 2

Salmo 44:9-16. ⁹Pero ahora nos has rechazado y humillado; ya no sales con nuestros ejércitos. ¹⁰Nos hiciste retroceder ante el enemigo; nos han saqueado nuestros adversarios. ¹¹Cual si fuéramos ovejas nos has entregado para que nos devoren, nos has dispersado entre las naciones. ¹²Has vendido a Tu pueblo muy barato, y nada has ganado con su venta. ¹³Nos has puesto en ridículo ante nuestros vecinos; somos la burla y el escarnio de los que nos rodean. ¹⁴Nos has hecho el hazmerreír de las naciones; todos los pueblos se burlan de nosotros. ¹⁵La ignominia no me deja un solo instante; se me cae la cara de vergüenza ¹⁶por las burlas de los que me injurian y me ultrajan, por culpa del enemigo que está presto a la venganza.

LAMENTO. Cuando pensamos en las formas esenciales de la oración, pensamos en la adoración y el agradecimiento, la confesión, y la súplica. Aprender a hacer estas tres clases de oración en medio del sufrimiento —y refiriéndonos a nuestro sufrimiento— es tan importante para nuestro crecimiento espiritual (y para nuestra supervivencia) que tal aprendizaje debería ser considerado una habilidad espiritual en sí misma. Muchos de nosotros dejamos de orar en medio del sufrimiento o solamente hacemos una breve petición de ayuda. En este salmo el salmista casi grita su dolor, su frustración e incluso su ira delante de Dios, procesando su agonía en continua oración. Dios nos entiende tan bien que permite e incluso nos alienta a que nos dirijamos a Él sin censura.

Oración: Señor, te alabo por ser un Dios que nos invita a presentar nuestras quejas. Cuán paciente y amoroso eres con Tus hijos. Gracias por Tu invitación a dejar mis cargas en Ti, sin necesidad de decir todo "de la forma correcta". Amén.

Abril 3

Salmo 44:17-26. [17]Todo esto nos ha sucedido, a pesar de que nunca te olvidamos ni faltamos jamás a Tu pacto. [18]No te hemos sido infieles, ni nos hemos apartado de tu senda. [19]Pero Tú nos arrojaste a una cueva de chacales; ¡nos envolviste en la más densa oscuridad! [20]Si hubiéramos olvidado el nombre de nuestro Dios, o tendido nuestras manos a un dios extraño, [21]¿acaso Dios no lo habría descubierto, ya que Él conoce los más íntimos secretos? [22]Por Tu causa, siempre nos llevan a la muerte; ¡nos tratan como a ovejas para el matadero! [23]¡Despierta, Señor! ¿Por qué duermes? ¡Levántate! No nos rechaces para siempre. [24]¿Por qué escondes Tu rostro y te olvidas de nuestro sufrimiento y opresión? [25]Estamos abatidos hasta el polvo; nuestro cuerpo se arrastra por el suelo. [26]Levántate, ven a ayudarnos, y por Tu gran amor, ¡rescátanos!

¿POR QUÉ DUERME DIOS? Todo está saliendo mal (versículos del 9 al 16) a pesar de que Israel no ha sido infiel al pacto (versículos del 17 al 21). Dios parece estar dormido (versículo 23). "¡Despierta, Señor!", es la desafiante pero honesta exclamación. Sin embargo, nuestro sufrimiento siempre va acompañado del cuidado amoroso de Dios (versículo 26). Dios pudiera parecer que está durmiendo en medio de las tormentas de nuestra vida como lo hizo Jesús (Marcos 4:38: "Maestro, ¿no te importa que nos ahoguemos?"). Sin embargo, Dios no duerme, pero tampoco se apresura. Él sabe lo que hace. Él tiene un plan y es un plan de amor.

Oración: Señor Jesús, en la barca, durante la tormenta, tus discípulos te acusaron de que no te importaba lo que les pasara —pero nunca dejaste de tener el control y los salvaste. Confieso que a veces también pienso que no te importa lo que me pasa, que no haces nada. Pero la cruz demuestra eternamente que sí te importa. Te alabo y descanso en Ti por esto. Amén.

Abril 4

Salmo 45:1-9. ¹En mi corazón se agita un bello tema mientras recito mis versos ante el rey; mi lengua es como pluma de hábil escritor. ²Tú eres el más apuesto de los hombres; Tus labios son fuente de elocuencia, ya que Dios te ha bendecido para siempre. ³¡Con esplendor y majestad, cíñete la espada, oh valiente! ⁴Con majestad, cabalga victorioso en nombre de la verdad, la humildad y la justicia; que Tu diestra realice gloriosas hazañas. ⁵Que Tus agudas flechas atraviesen el corazón de los enemigos del rey, y que caigan las naciones a Tus pies. ⁶Tu trono, oh Dios, permanece para siempre; el cetro de Tu reino es un cetro de justicia. ⁷Tú amas la justicia y odias la maldad; por eso Dios te escogió a Ti y no a Tus compañeros, ¡Tu Dios te ungió con perfume de alegría! ⁸Aroma de mirra, áloe y canela exhalan todas Tus vestiduras; desde los palacios adornados con marfil te alegra la música de cuerdas. ⁹Entre Tus damas de honor se cuentan princesas; a Tu derecha se halla la novia real luciendo el oro más fino.

LA HERMOSURA DEL SEÑOR. Aquí se describe una boda real (la novia y la ceremonia serán descritas en el texto de mañana). El rey es humilde pero majestuoso, lleno de gracia pero temible. El lenguaje utilizado indica extremos asombrosos. En los versículos 6 y 7 el rey es llamado Dios. El libro de Hebreos (1:8-9) dice que este es Cristo mismo, el gran Rey, altísimo y humilde (versículo 4). Y en el versículo 7 tenemos un panorama de la ascensión, cuando a Jesús, después de alcanzar nuestra salvación, le es entregado el trono del mundo por el Padre, para gobernar todas las cosas hasta que el maligno y el sufrimiento sean destruidos (Efesios 1:20-23; 1 Corintios 15:25). Deberíamos estar tan asombrados con Su belleza como se asombra la esposa de la belleza de su esposo —pues eso es lo que somos: Su esposa (Efesios 5:25-32).

Oración: Señor, Isaías 33:17 dice, "Tus ojos verán al rey en su esplendor"—y en este salmo, con los ojos de la fe, puedo realmente ver a tu Hijo, humilde y débil pero a la vez poderoso y majestuoso. Solamente porque era tanto divino como humano es que tu Hijo pudo salvarme y por ello estoy agradecido eternamente. Amén.

Abril 5

Salmo 45:10-17. [10]Escucha, hija, fíjate bien y presta atención: Olvídate de tu pueblo y de tu familia. [11]El rey está cautivado por tu hermosura; Él es tu señor: inclínate ante Él. [12]La gente de Tiro vendrá con presentes; los ricos del pueblo buscarán Tu favor. [13]La princesa es todo esplendor, luciendo en su alcoba brocados de oro. [14]Vestida de finos bordados es conducida ante el rey, seguida por sus damas de compañía. [15]Con alegría y regocijo son conducidas al interior del palacio real. [16]Tus hijos ocuparán el trono de Tus ancestros; los pondrás por príncipes en toda la tierra. [17]Haré que Tu nombre se recuerde por todas las generaciones; por eso las naciones te alabarán eternamente y para siempre.

NUESTRA HERMOSURA. La novia es llevada al rey (versículos del 10 al 15). Si el rey es Jesús (ver el devocional de ayer), nosotros somos la novia. Él está cautivado por nosotros (versículo 11), pero Efesios 5:25-27 nos enseña que no nos ama porque seamos buenos o deseables, sino porque quiere santificarnos por medio de Su gracia. En el día final seremos unidos a Él en amor perpetuo. Los matrimonios cristianos pueden reflejar un poco de esta alegría que nos espera en el cielo. Pero la idolatría es una tentación. Debemos dejar que nuestros matrimonios revelen a Cristo, no que lo reemplacen. Y si no estamos casados, pero deseamos estarlo, debemos recordar que ya poseemos el amor conyugal que nos satisfará completamente.

Oración: Señor Jesús, Tú nos miras como un esposo, con amor apasionado y con deleite. Te alabo por amarnos así, pero confieso que no vivo como si fuera alguien amado de esa manera. Haz de Tu amor una verdad que controle mis acciones diariamente. Amén.

Abril 6

Salmo 46:1-5. ¹Dios es nuestro amparo y nuestra fortaleza, nuestra ayuda segura en momentos de angustia. ²Por eso, no temeremos aunque se desmorone la tierra y las montañas se hundan en el fondo del mar; ³aunque rujan y se encrespen sus aguas, y ante su furia retiemblen los montes. ⁴Hay un río cuyas corrientes alegran la ciudad de Dios, la santa habitación del Altísimo. ⁵Dios está en ella, la ciudad no caerá; al rayar el alba Dios le brindará Su ayuda.

LA MEJOR FORTALEZA. Hasta hace poco nadie se imaginaba la posibilidad de que el mundo fuese destruido, pero en la actualidad las películas están saturadas de maneras en las que esto podría ocurrir. Sin embargo, tienes a este Dios como tu Dios, puedes enfrentar incluso catástrofes como estas sin ningún temor. Aquí no dice que Dios te ayudará si encuentras un refugio seguro; dice que Él es ese refugio. Dios es una fortaleza que no puede ser destruida. Aunque terremotos o tormentas destruyan ciudades y civilizaciones, Su reino es inconmovible. Si Dios está contigo, incluso la peor cosa que pueda sucederte —la muerte— solo puede hacerte infinitamente más feliz.

Oración: Señor, me siento vulnerable frente a las enfermedades, pérdidas financieras, engaños políticos y fracaso profesional. Pero en este salmo Tú dices que incluso los terremotos o el hundimiento de las montañas no pueden quitarme la herencia de Tu infinito amor, de la resurrección, de los nuevos cielos y la nueva tierra. Mientras te alabo por esto, mi ansiedad se desvanece. Gracias. Amén.

Abril 7

Salmo 46:6-11. ⁶Se agitan las naciones, se tambalean los reinos; Dios deja oír su voz, y la tierra se derrumba. ⁷El Señor Todopoderoso está con nosotros; nuestro refugio es el Dios de Jacob. ⁸Vengan y vean los portentos del Señor; Él ha traído desolación sobre la tierra. ⁹Ha puesto fin a las guerras en todos los confines de la tierra; ha quebrado los arcos, ha destrozado las lanzas, ha arrojado los carros al fuego. ¹⁰"Quédense quietos, reconozcan que Yo soy Dios. ¡Yo seré exaltado entre las naciones! ¡Yo seré enaltecido en la tierra!". ¹¹El Señor Todopoderoso está con nosotros; nuestro refugio es el Dios de Jacob.

LA RESPUESTA ADECUADA. Nada es verdaderamente digno de confianza ni es tan duradero como Dios. Nada puede frustrarlo. Inclusa la ira y las agresiones de los demás contra Él y contra Su pueblo serán utilizadas con fines de redención (Hechos 4:24-28). No importa qué tan desolador sea el panorama o qué tan grande sea la oposición, la ciudad de Dios —el reino y la comunidad celestial (Salmo 48:2; Gálatas 4:25-29; Hebreos 12:18-24)— no pueden ser dañados; Su triunfo está asegurado. ¿Por qué? Porque esa comunidad se encuentra en Dios mismo (versículo 7). No existe una mejor respuesta al contemplar a Dios como Él es —la cual supera toda imaginación— que estar quietos y adorarle.

Oración: Señor, "quedarse quieto" significa no estar ansioso, quejarse ni jactarse. Así que muéstrame quién eres, muéstrame Tu absoluto poder y amor infinito hasta que me quede quieto. Amén.

Abril 8

Salmo 47:1-3. ¹Aplaudan, pueblos todos; aclamen a Dios con gritos de alegría. ²¡Cuán imponente es el Señor Altísimo, el gran rey de toda la tierra! ³Sometió a nuestro dominio las naciones; puso a los pueblos bajo nuestros pies.

LA ALEGRÍA DE LA SUMISIÓN. Dios es el poderoso Rey de toda la tierra y está sometiendo a las personas bajo Su gobierno. Pero debido a que Dios es el Rey legítimo —aquel a quien debemos conocer, servir y amar— el resultado de la conquista de corazones de las personas es la alegría descontrolada. Ellos aplauden Su gobierno sobre ellos (versículo 1). Dios es el combustible con el que nuestras almas fueron diseñadas para trabajar. Así que cuanto más sujetos al verdadero Rey estemos, más alegría tendremos. Más que pensar en nosotros como minoría política o víctimas perseguidas, los cristianos debemos estar llenos de alegría por nuestra salvación y sentir el privilegio de cantar sus alabanzas a aquellos que no le conocen.

Oración: Señor, compartir mi fe parece una tarea peligrosa, pero no debería serlo. Si convenzo a las personas a que crean en Ti, les estoy invitando a la alegría. No debo hacer esto con una cara larga. Abre mis labios para que mi boca pueda expresar Tus alabanzas con sabiduría. Amén.

Abril 9

Salmo 47:4-10. ⁴Escogió para nosotros una heredad que es el orgullo de Jacob, a quien amó. ⁵Dios el Señor ha ascendido entre gritos de alegría y toques de trompeta. ⁶Canten salmos a Dios, cántenle salmos; canten, cántenle salmos a nuestro rey. ⁷Dios es el rey de toda la tierra; por eso, cántenle un salmo solemne. ⁸Dios reina sobre las naciones; Dios está sentado en Su santo trono. ⁹Los nobles de los pueblos se reúnen con el pueblo del Dios de Abraham, ¹⁰pues de Dios son los imperios de la tierra. ¡Él es grandemente enaltecido!

LA ALEGRÍA DE LA GRACIA. El canto de las naciones un día tratará de cómo Dios salvó al mundo a través de Su gracia. Él escogió y amó a Israel ("Jacob" en el versículo 4) no porque el pueblo fuera más sabio o mejor, sino simplemente porque lo amó (Deuteronomio 7:8). Así que mientras hablamos a otros sobre Dios, no hay lugar para la condescendencia o la superioridad. Todos nosotros hemos sido salvados solo por gracia. El último versículo revela una visión asombrosa. Tarde o temprano el pueblo de Dios, los hijos de Abraham, incluirá gente de toda lengua, tribu y nación (versículo 10). Esto le fue prometido a Abraham (Génesis 12:3), pero solo en Jesucristo, cuando Él ascienda al gran trono (Efesios 1:2-23), esta promesa será cumplida (Apocalipsis 7:9).

Oración: Señor, frecuentemente observo a algunas personas y pienso: "Ese tipo de persona jamás adoptará la fe cristiana" —pero pensar eso es olvidarme de que ninguna persona es del "tipo" cristiano. La única razón por la que creo es por el milagro de Tu gracia. Así que permíteme compartir el evangelio con confianza y esperanza. Amén.

Abril 10

Salmo 48:1-8. [1]Grande es el Señor, y digno de suprema alabanza en la ciudad de nuestro Dios. Su monte santo, [2]bella colina, es la alegría de toda la tierra. El monte Sion, en la parte norte, es la ciudad del gran Rey. [3]En las fortificaciones de Sion Dios se ha dado a conocer como refugio seguro. [4]Hubo reyes que unieron sus fuerzas y que juntos avanzaron contra la ciudad; [5]pero al verla quedaron pasmados, y asustados emprendieron la retirada. [6]Allí el miedo se apoderó de ellos, y un dolor de parturienta les sobrevino. [7]¡Con un viento huracanado destruiste las naves de Tarsis! [8]Tal como lo habíamos oído, ahora lo hemos visto en la ciudad del Señor Todopoderoso, en la ciudad de nuestro Dios: ¡Él la hará permanecer para siempre!

LA BELLEZA DE LA COMUNIDAD. Cuando este salmo fue escrito, la ciudad de Dios era Jerusalén; allí estaba el monte Sion con el templo, el lugar en donde se expiaba el pecado. Pero después de Jesús, quien es el último templo y sacrificio por el pecado, la ciudad de Dios se convierte en una comunidad de fieles, tanto en el cielo como en la tierra (Gálatas 4:25-29; Hebreos 12:18-24). La comunión del pueblo de Dios debe ser "la alegría de toda la tierra" (versículo 2) —una sociedad humana alternativa basada en el amor y en la justicia en vez de estar basada en el poder y en la explotación. La Jerusalén terrenal nunca alcanzó a las naciones, pero la comunidad cristiana sí (Hechos 2:41, 4:32-35). ¿Lo hacen nuestras iglesias en la actualidad?

Oración: Señor, muchas de nuestras comunidades cristianas son invisibles o no son atractivas. Ayúdame a convertirme en un pequeño pero importante elemento para hacer a mi iglesia atractiva ante los demás. Amén.

Abril 11

Salmo 48:9-14. ⁹Dentro de Tu templo, oh Dios, meditamos en Tu gran amor. ¹⁰Tu alabanza, oh Dios, como Tu nombre, llega a los confines de la tierra; Tu derecha está llena de justicia. ¹¹Por causa de Tus justas decisiones el monte Sion se alegra y las aldeas de Judá se regocijan. ¹²Caminen alrededor de Sion, caminen en torno suyo y cuenten sus torres. ¹³Observen bien sus murallas y examinen sus fortificaciones, para que se lo cuenten a las generaciones futuras. ¹⁴¡Este Dios es nuestro Dios eterno! ¡Él nos guiará para siempre!

GUÍA HASTA EL FINAL. Jesús es el verdadero templo (Juan 2:21) y cuando nos unimos a Él por medio de la fe y recibimos Su Espíritu, nos convertimos en un templo viviente en el que mora Dios (Efesios 2:19-22). Cuando los cristianos "cuentan las torres" de Sion, le agradecen a Dios por la iglesia y se maravillan de lo que Dios ha hecho con ellos a través de Cristo. Cuando ellos "se lo cuentan a generaciones futuras", le muestran a los interesados el camino de salvación a través de Jesús. Y el Señor "los guiará" hasta el final (versículo 14). ¿El final de qué? Existen muchos finales en la vida; el mayor de ellos es la muerte. Su misterio y terror son hechos soportables al saber que Jesús estará con nosotros, Su iglesia, tanto a través de la muerte como al otro lado de ella.

Oración: Señor, necesito ser moldeado por el entendimiento espiritual de lo que nos hemos convertido en Ti. Somos Tu redil, Tu casa, Tu cuerpo, Tu reino, Tu pueblo, Tu amor. Enséñame cómo amar a Tu iglesia y a participar completamente en su vida y misión. Amén.

Abril 12

Salmo 49:1-4. ¹Oigan esto, pueblos todos; escuchen, habitantes todos del mundo, ²tanto débiles como poderosos, lo mismo los ricos que los pobres. ³Mi boca hablará con sabiduría; mi corazón se expresará con inteligencia. ⁴Inclinaré mi oído a los proverbios; propondré mi enigma al son del arpa.

SABIDURÍA. Todas las personas comparten una humanidad en común, cualquiera que sea su raza, clase social o incluso creencias (versículos 1 y 2). Dios nos creó, así que existe una estructura para el universo. Es una necedad ir en contra de la estructura que Dios estableció. Es por ello que ser codicioso, grosero, injusto y deshonesto no solo viola la ley de Dios sino también te arruina a ti y a los que te rodean. Ser sabio no es solo cumplir las reglas; también es conocer la voluntad de Dios para la vida humana. Esto significa cambiar no solamente el comportamiento sino también las actitudes y tomar decisiones sabias en las cosas que no están específicamente reguladas en la Palabra de Dios. Este salmo trata especialmente sobre la necesidad de confiar en la riqueza.

Oración: Señor, me enfrento a decisiones en que ambas alternativas están moralmente permitidas pero que probablemente no sean igual de sabias. ¡Cuánto necesito Tu sabiduría para discernir el mejor camino, la mejor opción! Enseña a mi corazón y a mi mente para ser más sabio y un mejor mayordomo de los recursos que me has dado. Amén.

Abril 13

Salmo 49:5-12. [5]¿Por qué he de temer en tiempos de desgracia, cuando me rodeen inicuos detractores? [6]¿Temeré a los que confían en sus riquezas y se jactan de sus muchas posesiones? [7]Nadie puede salvar a nadie, ni pagarle a Dios rescate por la vida. [8]Tal rescate es muy costoso; ningún pago es suficiente. [9]Nadie vive para siempre sin llegar a ver la fosa. [10]Nadie puede negar que todos mueren, que sabios e insensatos perecen por igual, y que sus riquezas se quedan para otros. [11]Aunque tuvieron tierras a su nombre, sus tumbas serán su hogar eterno, su morada por todas las generaciones. [12]A pesar de sus riquezas, no perduran los mortales; al igual que las bestias, perecen.

SIN SEGURIDAD. La forma ordinaria de lidiar con el miedo al futuro es "confiar en las riquezas" (versículo 6). Pero hacer esto significa poner tu confianza en algo que también fallará. Ni las riquezas ni alguna otra cosa humana podrán salvarte de la aflicción, de la enfermedad o de la traición de algún amigo —y finalmente, tampoco podrán salvarte de la muerte. No existe algún precio que puedas pagar para obtener la inmortalidad (versículos del 7 al 12). La muerte vendrá y te quitará todo lo que atesoras. Por tanto, es una necedad vivir como si la prosperidad económica te pudiera mantener a salvo o como si nunca fueras a morir. Solamente Dios puede darte cosas valiosas de las que la muerte no puede despojarte.

Oración: Señor, frecuentemente me imagino cómo sería mi vida si tuviera más. También me jacto silenciosamente, en mi corazón, cuando soy capaz de obtener ciertos bienes o habitar en cierto lugar. Salva mi corazón de tal superficialidad y necedad. Amén.

Abril 14

Salmo 49:13-20. [13]Tal es el destino de los que confían en sí mismos; el final de los que se envanecen. [14]Como ovejas, están destinados al sepulcro; hacia allá los conduce la muerte. Sus cuerpos se pudrirán en el sepulcro, lejos de sus mansiones suntuosas. Por la mañana los gobernarán los justos. [15]Pero Dios me rescatará de las garras del sepulcro y con Él me llevará. [16]No te asombre ver que alguien se enriquezca y aumente el esplendor de su casa, [17]porque al morir no se llevará nada, ni con él descenderá su esplendor. [18]Aunque en vida se considere dichoso, y la gente lo elogie por sus logros, irá a reunirse con sus ancestros, [19]sin que vuelva jamás a ver la luz. [20]A pesar de sus riquezas, no perduran los mortales; al igual que las bestias, perecen.

EL MEJOR RESCATE. En tiempos antiguos el rey podía atacar otro país y ser derrotado, capturado y puesto en prisión. Un rescate (versículo 7) debía entregarse para que fuera liberado. Todo hombre le debe a Dios una muerte. Nuestros pecados significan que le pertenecemos a la muerte (versículo 14). Pero Dios, en lugar de exigirnos un rescate, lo pagó Él mismo (versículo 15). El salmista no sabe cómo podría suceder esto, pero confía. La pieza faltante es Jesús, quien por Su muerte derrotó a la muerte y nos liberó. Solamente en la cruz podemos descubrir cuánto le costó a Dios redimirnos del reino de la muerte. Así que no temas o tengas envidia de los ricos (versículo 16). Ten compasión de quienes no tienen nada más que sus riquezas.

Oración: Señor, los más ricos y más poderosos son puestos por Ti y están a Tu disposición. Ayúdame a entender esto (versículo 20) para no creerme más o menos que los demás, dependiendo de lo mucho o poco que poseo. Dame paz al saber dónde se encuentran las verdaderas riquezas. Amén.

Abril 15

Salmo 50:1-6. [1]Habla el Señor, el Dios de dioses: convoca a la tierra de oriente a occidente. [2]Dios resplandece desde Sion, la ciudad bella y perfecta. [3]Nuestro Dios viene, pero no en silencio; lo precede un fuego que todo lo destruye, y en torno suyo ruge la tormenta. [4]El Señor convoca a los cielos y a la tierra, para que presencien el juicio de Su pueblo: [5]"Reúnanme a los consagrados, a los que pactaron conmigo mediante un sacrificio". [6]El cielo proclama la justicia divina: ¡Dios mismo es el juez!

COMIENZA EL JUICIO. Las naciones son convocadas alrededor de Sion para escuchar a Dios hablar (versículos 1 y 2). Esperamos que Dios juzgue a los paganos, pero en lugar de ellos somos sorprendidos al ver que Él convoca a las naciones para ser testigos del juicio contra Su propio pueblo (versículos del 5 al 7). El juicio de Dios comienza "por la familia de Dios" (1 Pedro 4:17). Mientras que nuestra salvación en Cristo nos asegura no ser condenados (Romanos 8:1), también significa que al poseer mayores recursos espirituales, Dios nos hace *mayormente* responsables de vivir como Él ha señalado. A quien mucho se le da, mucho se le demanda (Lucas 12:48). Los cristianos son más amados y perdonados, pero a la vez son llamados a un juicio más estricto.

Oración: Señor, te alabo porque, como un buen padre, amas a Tus hijos más que nadie. Sin embargo, también los riges bajo un estándar más estricto. Solamente cuando acepto estas *dos* verdades puedo ser mejor, escapando de un odio contra mí mismo y a la vez de sentir lástima por mí mismo. Infunde *ambas* verdades en mi corazón. Amén.

Abril 16

Salmo 50:7-15. [7]"Escucha, pueblo Mío, que voy a hablar; Israel, voy a testificar contra ti: ¡Yo soy tu Dios, el único Dios! [8]No te reprendo por tus sacrificios ni por tus holocaustos, que siempre me ofreces. [9]No necesito becerros de tu establo ni machos cabríos de tus apriscos, [10]pues Míos son los animales del bosque, y Mío también el ganado de los cerros. [11]Conozco a las aves de las alturas; todas las bestias del campo son Mías. [12]Si yo tuviera hambre, no te lo diría, pues Mío es el mundo, y todo lo que contiene. [13]¿Acaso me alimento con carne de toros, o con sangre de machos cabríos? [14]¡Ofrece a Dios tu gratitud, cumple tus promesas al Altísimo! [15]Invócame en el día de la angustia; Yo te libraré y tú me honrarás".

RELIGIÓN SUPERFICIAL. Dios reprende a Su pueblo por dos cosas. La primera es porque muestran una religiosidad externa sin tener una transformación interna del corazón. Los versículos del 8 al 13 muestran personas que piensan que con su adoración le están haciendo un favor a Dios. Esto es moralismo, la idea de que con una vida ética o al cumplir ciertas normas religiosas Dios está en deuda con nosotros. Por el contrario, la alegría y la gratitud por la salvación inmerecida deberían motivar todo lo que hacemos (versículos 14 y 15). Examina tu corazón. ¿Crees que Dios te debe algo? ¿Lo obedeces porque sientes que así obtendrás lo que quieres, o porque le amas por lo que ha hecho?

Oración: Señor, no puedo darte nada sin recordar que tanto la cosa que te estoy dando y el deseo de dártelo provienen de Ti. Tú nunca estarás en deuda conmigo. Por lo que hizo Jesús, yo no me pertenezco —fui comprado (1 Corintios 6:19-20). Permite que esta perspectiva me libere de toda queja y autocompasión. Amén.

Salmo 50:16-23. [16]Pero Dios le dice al malvado: "¿Qué derecho tienes tú de recitar Mis leyes o de mencionar Mi pacto con tus labios? [17]Mi instrucción, la aborreces; Mis palabras, las desechas. [18]Ves a un ladrón, y lo acompañas; con los adúlteros te identificas. [19]Para lo malo, das rienda suelta a tu boca; tu lengua está siempre dispuesta al engaño. [20]Tienes por costumbre hablar contra tu prójimo, y aun calumnias a tu propio hermano. [21]Has hecho todo esto, y he guardado silencio; ¿acaso piensas que soy como tú? Pero ahora voy a reprenderte; cara a cara voy a denunciarte. [22]Ustedes que se olvidan de Dios, consideren lo que he dicho; de lo contrario, los haré pedazos, y no habrá nadie que los salve. [23]Quien me ofrece su gratitud, me honra; al que enmiende su conducta le mostraré Mi salvación".

RELIGIÓN HIPÓCRITA. La segunda razón por la que Dios reprende a Su pueblo es porque profesa la fe sin tener una vida transformada (versículos 16 al 21). Algunos adoran semanalmente y profesan una fe sana, pero roban, adulteran, calumnian y chismean (versículos del 18 al 20) basados en un concepto muy pequeño de Dios ("¿Acaso piensas que soy como tú?", versículo 21). El juicio es terrible —pero Jesús lo sufrió por nosotros. Él fue "hecho pedazos" (versículo 22); fue abofeteado, atravesado por una lanza, clavado en la cruz con una corona de espinas en Su cabeza. Aquellos que confían en Él responden con una vida de gratitud que honra a Dios y revela salvación al mundo (versículo 23). Nadie que sea realmente salvo por fe y por gracia puede no vivir una vida transformada en el amor a Dios y a los demás (Santiago 2:14-17).

Oración: Señor, quizá no esté robando o adulterando, pero mi lengua chismosea y disfraza la verdad. Confieso que no he sido transformado lo suficiente por la verdad del evangelio que profeso creer con todo mi corazón. Muéstrame las inconsistencias entre mi fe y mi práctica, y ayúdame a deshacerme de ellas. Amén.

Abril 18

Salmo 51:1-4. ¹Ten compasión de mí, oh Dios, conforme a Tu gran amor; conforme a Tu inmensa bondad, borra mis transgresiones. ²Lávame de toda mi maldad y límpiame de mi pecado. ³Yo reconozco mis transgresiones; siempre tengo presente mi pecado. ⁴Contra Ti he pecado, solo contra Ti, y he hecho lo que es malo ante Tus ojos; por eso, Tu sentencia es justa, y Tu juicio, irreprochable.

PECADO COMO TRAICIÓN. El rey David había caído en adulterio y recurrido al asesinato para cubrirlo (2 Samuel 11). Después de que el profeta Natán predicó uno de los sermones más poderosos que hayan existido jamás (2 Samuel 12), la confesión de David hacia Dios es radical e intensa: "Contra Ti he pecado, solo contra Ti" (versículo 4). ¿Cómo puede decir eso cuando ha matado a alguien? Lo puede decir porque el pecado es como una traición. Si intentas derrocar al gobierno de tu país, puedes herir o matar a algunos individuos en el proceso, pero serías acusado de traición porque has traicionado a la nación entera. De la misma forma, el pecado es una traición cósmica —es intentar derrocar el gobierno de aquel a quien todo le pertenece.

Oración: Señor, cuando peco contra otros —e incluso contra mí mismo— realmente estoy pecando contra Ti porque todos somos posesión Tuya. Cuando peco, no solamente quebranto Tus leyes, sino que pisoteo Tu corazón. Ayúdame a comprender esto porque me ayuda a no solo admitir mi pecado, sino también a alejarme de él. Amén.

Abril 19

Salmo 51:5-9. *⁵Yo sé que soy malo de nacimiento; pecador me concibió mi madre. ⁶Yo sé que Tú amas la verdad en lo íntimo; en lo secreto me has enseñado sabiduría. ⁷Purifícame con hisopo, y quedaré limpio; lávame, y quedaré más blanco que la nieve. ⁸Anúnciame gozo y alegría; infunde gozo en estos huesos que has quebrantado. ⁹Aparta Tu rostro de mis pecados y borra toda mi maldad.*

EL PECADO CREA UN REGISTRO. En los versículos del 1 al 9, David pide que sus pecados sean borrados. Esto significa literalmente que sean quitados del libro. El pecado crea un registro objetivo —una deuda, una ofensa en contra de la justicia— que requiere un castigo. Si alguno es declarado culpable, un juez no puede ignorar el registro. El registro de un criminal puede quedar limpio solamente cuando se cumple la sentencia. ¿Cómo entonces puede Dios borrar el pecado de David sin matarlo —sin castigarlo como merece por lo que hizo? Solo en el Nuevo Testamento aprendemos lo que le costó a Jesús cancelar nuestra deuda (Colosenses 2:14).

Oración: Padre, puedes esconder Tu rostro de mi pecado porque lo escondiste de Cristo en la cruz. Sin embargo, yo desprecio Su sacrificio cuando intento añadir a Su obra formas de castigarme a mí mismo. Ayúdame a honrarte al creer en mi perdón. Amén.

Abril 20

Salmo 51:10-13. [10]Crea en mí, oh Dios, un corazón limpio, y renueva la firmeza de mi espíritu. [11]No me alejes de Tu presencia ni me quites Tu santo Espíritu. [12]Devuélveme la alegría de Tu salvación; que un espíritu obediente me sostenga. [13]Así enseñaré a los transgresores Tus caminos, y los pecadores se volverán a ti.

LA IMPORTANCIA DE LA ALEGRÍA. "Devuélveme la alegría de Tu salvación" (versículo 11) es una oración que deberíamos hacernos frecuentemente. La Biblia nos ordena gozarnos en Dios (Filipenses 4:4). Este es un llamado a no solo tener la emoción de la alegría, sino a recordar todo lo que tenemos en Cristo y que el pensar en esto inunde nuestro corazón de esta emoción. Es un pecado no alegrarnos por lo que Dios ha hecho en nuestras vidas. Aún más, no podemos ministrar a otros si no tenemos alegría. Nuestras palabras serán duras y estarán cargadas de indiferencia a menos que estemos alegres al saber que somos posesión preciosa de Dios, comprada a un alto precio.

Oración: Señor, no quiero que mi corazón esté desanimado por mis fracasos y pérdidas, pero es difícil no estarlo. Envía Tu Espíritu para que le hable a mi corazón de las maravillosas bendiciones que tengo y tendré en Ti. Amén.

Abril 21

Salmo 51:14-19. [14]Dios mío, Dios de mi salvación, líbrame de derramar sangre, y mi lengua alabará Tu justicia. [15]Abre, Señor, mis labios, y mi boca proclamará Tu alabanza. [16]Tú no te deleitas en los sacrificios ni te complacen los holocaustos; de lo contrario, te los ofrecería. [17]El sacrificio que te agrada es un espíritu quebrantado; Tú, oh Dios, no desprecias al corazón quebrantado y arrepentido. [18]En Tu buena voluntad, haz que prospere Sion; levanta los muros de Jerusalén. [19]Entonces te agradarán los sacrificios de justicia, los holocaustos del todo quemados, y sobre Tu altar se ofrecerán becerros.

LA ELOCUENCIA DEL QUEBRANTAMIENTO. ¿Cuál es el corazón quebrantado y arrepentido que Dios busca (versículo 17)? Es un corazón que sabe cuán poco merece y cuánto ha recibido. Conocer solamente la primera verdad conduce a la autolástima; conocer solo la segunda nos lleva a la autosatisfacción —y ambos tipos de corazón se centran en uno mismo. David se refiere a corazones quebrantados por la gracia, sabiendo cuán perdidos estamos y cuán amados somos. Esto nos libera de la necesidad de mirarnos a nosotros mismos constantemente. Cuando nuestros labios son abiertos, no hablamos de nosotros sino de Dios (versículo 15).

Oración: Señor, crea en mí verdadero quebrantamiento; no el quebrantamiento falso del desánimo, la amargura o la desesperación. Ayúdame a liberarme de la necesidad de defenderme y de buscar salvar mi dignidad. Dame la paz de un espíritu quebrantado. Amén.

Abril 22

Salmo 52:1-4. ¹¿Por qué te jactas de tu maldad, varón prepotente? ¡El amor de Dios es constante! ²Tu lengua, como navaja afilada, trama destrucción y practica el engaño. ³Más que el bien, amas la maldad; más que la verdad, amas la mentira. ⁴Lengua embustera, te encanta ofender con tus palabras.

AMOR DESORDENADO. Doeg, el edomita, halló gracia en los ojos del rey Saúl al darle información sobre David, causando el asesinato de toda una comunidad de sacerdotes (1 Samuel 22:6-19). David confronta a Doeg con una crítica de su carácter. "Jactarse" no es necesariamente fanfarronear, sino despreciar a otros o considerarlos inferiores o tontos. La arrogancia siempre conduce a la crueldad. Su lengua se convierte en una navaja afilada (versículo 2) que destruye a las personas. Pero la fuente de toda maldad es el amor desordenado de su corazón. En dos ocasiones, los versículos 2 y 3 dicen que lo que él *ama* —de lo que está lleno su pensamiento, lo que lo atrae— es lastimar a las personas y adquirir poder. Analiza tus anhelos. Ellos te indican aquello por lo que vives, te ayudan a ver quién eres en realidad.

Oración: Señor, permíteme conocer mi corazón. Ayúdame a deshacerme de cualquier tendencia a despreciar a las personas. Permíteme invertir mi tiempo libre en oración más que en fantasear con mi propio éxito. Quita la jactancia de mí con una visión humilde de Tu amor. Amén.

Abril 23

Salmo 52:5-9. ⁵Pero Dios te arruinará para siempre; te tomará y te arrojará de tu hogar; ¡te arrancará del mundo de los vivientes! ⁶Los justos verán esto, y temerán; entre burlas dirán de él: ⁷"¡Aquí tienen al hombre que no buscó refugio en Dios, sino que confió en su gran riqueza y se afirmó en su maldad!". ⁸Pero yo soy como un olivo verde que florece en la casa de Dios; yo confío en el gran amor de Dios eternamente y para siempre. ⁹En todo tiempo te alabaré por Tus obras; en Ti pondré mi esperanza en presencia de Tus fieles, porque Tu nombre es bueno.

CÓMO PERDURAR. La segura caída de los que confían en la riqueza y de los que obtienen poder al destruir a los demás (versículo 7) no es una historia inventada por Hollywood ni tampoco un deseo. Sabemos, en lo profundo de nuestro corazón, que el juicio vendrá para aquellos que arruinan a los demás con tal de alcanzar su propio beneficio... ¿Por qué otra razón nos parecen tan ciertos aquellos libros o películas que nos muestran la victoria de las víctimas sobre sus opresores? El éxito basado en el orgullo o en ser despiadado nunca perdura. Pero confiar en el amor eterno de Dios (versículo 8), conocerlo en oración (versículo 9) y pertenecer a la comunidad de creyentes (versículo 9) es ser como un olivo, uno de los árboles más duraderos (versículo 8). De esta forma podemos perdurar.

Oración: Señor, la única seguridad y protección está en Ti. Cualquiera que descanse en sus propias estrategias fracasará. Dame el valor y la habilidad para advertirles a mis amigos que viven como si no te necesitaran. Permíteme hablarles palabras que muestren Tu amor que nunca falla. Amén.

Abril 24

Salmo 53. ¹Dice el necio en su corazón: "No hay Dios". Están corrompidos, sus obras son detestables; ¡no hay uno solo que haga lo bueno! ²Desde el cielo Dios contempla a los mortales, para ver si hay alguien que sea sensato y busque a Dios. ³Pero todos se han descarriado, a una se han corrompido. No hay nadie que haga lo bueno; ¡no hay uno solo! ⁴¿Acaso no entienden todos los que hacen lo malo, los que devoran a mi pueblo como si fuera pan? ¡Jamás invocan a Dios! ⁵Allí los tienen, sobrecogidos de miedo, cuando no hay nada que temer. Dios dispersó los huesos de quienes te atacaban; Tú los avergonzaste, porque Dios los rechazó. ⁶¡Quiera Dios que de Sion venga la salvación para Israel! Cuando Dios restaure a Su pueblo, se regocijará Jacob; se alegrará todo Israel.

CONQUISTANDO EL TEMOR. Los salmos 14 y 53 son prácticamente idénticos hasta los versículos 5 y 6. El Salmo 14 es una advertencia a los incrédulos para que teman porque Dios realmente existe. Pero el Salmo 53 es un llamado a los creyentes. Dios ha derrotado a Sus enemigos, así que ¿por qué temen si no hay nada que temer (versículo 5)? Hay ocasiones cuando nos sentimos atormentados por miedos por nuestra salud, por nuestros trabajos e incluso por el estado general del mundo. El temor es menos específico que el miedo. Es una actitud que nos da la certeza de que algo saldrá mal. Además de ser generalmente falsa, como lo dice el salmista, es un insulto contra nuestro amado Salvador, quien irá con nosotros incluso si lo peor llegara a suceder.

Oración: Señor, la preocupación y el miedo vienen porque me olvido de lo que Tú has hecho por mí en Jesucristo. Has derrotado al pecado (no puedo condenarme) y a la muerte (puedo estar seguro de mi resurrección). Mientras tanto, Tú estás obrando para que las cosas vayan bien. Recuérdame todo esto para poder descansar en Ti. Amén.

Abril 25

Salmo 54. ¹Sálvame, oh Dios, por Tu nombre; defiéndeme con Tu poder. ²Escucha, oh Dios, mi oración; presta oído a las palabras de mi boca. ³Pues gente extraña me ataca; tratan de matarme los violentos, gente que no toma en cuenta a Dios. ⁴Pero Dios es mi socorro; el Señor es quien me sostiene, ⁵y hará recaer el mal sobre mis adversarios. Por Tu fidelidad, Señor, ¡destrúyelos! ⁶Te presentaré una ofrenda voluntaria y alabaré, Señor, Tu buen nombre; ⁷pues me has librado de todas mis angustias, y mis ojos han visto la derrota de mis enemigos.

LA RESPUESTA DE LA MALDAD. La oración más básica es: "Sálvame, oh Dios" (versículo 1). David deja su vindicación en las manos de Dios (versículo 1) y en manos de la naturaleza autodestructiva de la maldad (versículo 5). Esta naturaleza se ilustra de la manera más efectiva en *Perelandra*, el segundo libro de la trilogía espacial de C. S. Lewis. El personaje poseído por el demonio se jacta sobre la muerte del Hijo de Dios hasta que el cristiano básicamente le pregunta: "¿Y cómo te resultó eso?". El demonio se retuerce y aúlla porque recuerda que al matar a Cristo se derrotó a sí mismo y terminó con la muerte. La maldad no se encuentra en una lucha contra el bien... el bien ya ha triunfado.[39]

Oración: Señor, la maldad se destruye a sí misma porque Tú eres soberano y este es Tu mundo. En lo profundo de mi corazón no creo esto y me veo tentado a hacer maldades, y me desanimo al ver que otros "se salen con la suya". Te alabo porque debido a quien eres, la maldad no puede prevalecer. Amén.

Abril 26

Salmo 55:1-8. [1]Escucha, oh Dios, mi oración; no pases por alto mi súplica. [2]¡Óyeme y respóndeme, porque mis angustias me perturban! [3]Me aterran las amenazas del enemigo y la opresión de los impíos, pues me causan sufrimiento y en su enojo me insultan. [4]Se me estremece el corazón dentro del pecho, y me invade un pánico mortal. [5]Temblando estoy de miedo, sobrecogido estoy de terror. [6]¡Cómo quisiera tener las alas de una paloma y volar hasta encontrar reposo! [7]Me iría muy lejos de aquí; me quedaría a vivir en el desierto. [8]Presuroso volaría a mi refugio, para librarme del viento borrascoso y de la tempestad.

LA TENTACIÓN DE HUIR. El impulso de David es huir de los problemas y de la aflicción e ir a cualquier parte (versículos del 6 al 8). En su caso, eso significaría abdicar como rey y dejar que alguien más asuma el estrés del liderazgo. Algunas veces podría significar ceder a las tentaciones —tomando el camino que menor esfuerzo requiera, mintiendo o desacreditando a alguien más para salvarte a ti mismo. Puede incluir caer en una adicción que adormezca tu dolor. Pero no hay refugio fuera de Dios. Debemos continuar confiando en Él, porque todos los demás "refugios" demostrarán ser lugares de mayores peligros. No hay otro lugar al cual acudir. Él tiene palabras de vida eterna (Juan 6:66-69).

Oración: Señor, a veces simplemente quisiera rendirme. Ser el amigo, miembro de familia y cristiano que debo ser parece algo tan complicado. Pero en Tu presencia me percato que aunque vivir de esa forma es difícil, todas las alternativas son infinitamente más difíciles. Sé mi apoyo y mantenme en el camino correcto. Amén.

Abril 27

Salmo 55:9-19. ⁹¡Destrúyelos, Señor! ¡Confunde su lenguaje! En la ciudad solo veo contiendas y violencia; ¹⁰día y noche rondan por sus muros, y dentro de ella hay intrigas y maldad. ¹¹En su seno hay fuerzas destructivas; de sus calles no se apartan la opresión y el engaño. ¹²Si un enemigo me insultara, yo lo podría soportar; si un adversario me humillara, de él me podría yo esconder. ¹³Pero lo has hecho tú, un hombre como yo, mi compañero, mi mejor amigo, ¹⁴a quien me unía una bella amistad, con quien convivía en la casa de Dios. ¹⁵¡Que sorprenda la muerte a mis enemigos! ¡Que caigan vivos al sepulcro, pues en ellos habita la maldad! ¹⁶Pero yo clamaré a Dios, y el Señor me salvará. ¹⁷Mañana, tarde y noche clamo angustiado, y Él me escucha. ¹⁸Aunque son muchos los que me combaten, Él me rescata, me salva la vida en la batalla que se libra contra mí. ¹⁹¡Dios, que reina para siempre, habrá de oírme y los afligirá! Esa gente no cambia de conducta, no tiene temor de Dios.

EL DIOS QUE ESCUCHA LAS ORACIONES. David ha sido traicionado no solo por un colega, sino por un amigo cercano (versículos del 12 al 14). ¿Cómo sobrevivimos a circunstancias similares que nos causan dolor y sufrimiento? David ora tres veces al día —mañana, tarde y noche (versículo 7). Muchas iglesias y cristianos han adoptado este esquema como su horario de oraciones. Lo hacen porque Dios es un Dios que escucha las oraciones (versículos 18 y 19). Cuanto más pedimos, más recibimos (Santiago 4:2-3).

Oración: Señor, hay muchas cosas que estás dispuesto a darme. Pero espiritualmente solo las puedo recibir si las pido. Así que guíame y fortaléceme para venir a Ti frecuentemente, presentándote mis necesidades. Te alabo porque me invitas a hacerlo, a través de Jesús. Amén.

Abril 28

Salmo 55:20-23. [20]Levantan la mano contra sus amigos y no cumplen sus compromisos. [21]Su boca es blanda como la manteca, pero sus pensamientos son belicosos. Sus palabras son más suaves que el aceite, pero no son sino espadas desenvainadas. [22]Encomienda al Señor tus afanes, y Él te sostendrá; no permitirá que el justo caiga y quede abatido para siempre. [23]Tú, oh Dios, abatirás a los impíos y los arrojarás en la fosa de la muerte; la gente sanguinaria y mentirosa no llegará ni a la mitad de su vida. Yo, por mi parte, en Ti confío.

ENCOMIÉNDALE TUS AFANES. Debes encomendar "al Señor tus afanes" (versículo 22). El resultado no es que Dios te quita todos tus problemas, sino que Él te sostiene y te da la fortaleza para enfrentarlos. Si estamos en medio de una tempestad y oramos a Él, Él puede calmar la tormenta (Marcos 4:39) o puede ayudarnos, como lo hizo con Pedro, a caminar a través de la tormenta sin hundirnos (Mateo 14:27-31). Así como Pedro tuvo que mantener su vista en Jesús (Mateo 14:30), así nosotros debemos contemplar a nuestro Salvador sufriendo traición y rechazo para salvarnos. Si Él hizo esto por nosotros, podemos soportar las traiciones pacientemente, confiando en Él.

Oración: Señor, la mayor parte de mi preocupación nace de la creencia de que sé, mejor que Tú, lo que debe suceder. Enséñame a encomendarte mis afanes, a descansar en Tu poder y sabiduría. Amén.

Salmo 56:1-7. ¹Ten compasión de mí, oh Dios, pues hay gente que me persigue. Todo el día me atacan mis opresores, ²todo el día me persiguen mis adversarios; son muchos los arrogantes que me atacan. ³Cuando siento miedo, pongo en Ti mi confianza. ⁴Confío en Dios y alabo Su palabra; confío en Dios y no siento miedo. ¿Qué puede hacerme un simple mortal? ⁵Todo el día tuercen mis palabras; siempre están pensando hacerme mal. ⁶Conspiran, se mantienen al acecho; ansiosos por quitarme la vida, vigilan todo lo que hago. ⁷¡En tu enojo, Dios mío, humilla a esos pueblos! ¡De ningún modo los dejes escapar!

¿QUÉ ME PUEDEN HACER LOS MORTALES? El temor y la fe en Dios pueden coexistir dentro de nosotros, incluso cuando la confianza va ganando terreno lentamente. La fe no es una sensación vaga de que Dios encaminará todo hacia el bien. Proviene de una inmersión en las Escrituras, en la Palabra de Dios (versículos 3 y 4). En Mateo 10:28 Jesús contesta la pregunta de David de "¿qué puede hacerme un simple mortal?". No debemos temer a aquellos que pueden matar el cuerpo, porque si estamos a salvo en Jesús, quien ya ha pagado nuestra sentencia de muerte, entonces nuestra verdadera vida, la vida eterna, está a salvo. David continúa orando para ser librado de sus enemigos, y nosotros podemos y debemos clamar a Dios para que nos libere, ya sea de gente perversa o de enfermedades. No obstante, al final, estamos a salvo en Jesús.

Oración: Señor, necesito no solo leer sino alabar Tu Palabra, atesorarla y regocijarme por lo que me dice acerca de Tu gloria y gracia. Ayúdame a tener paz en mi temeroso corazón con las promesas de las Escrituras. Amén.

Abril 30

Salmo 56:8-13. [8]Toma en cuenta mis lamentos; registra mi llanto en Tu libro. ¿Acaso no lo tienes anotado? [9]Cuando yo te pida ayuda, huirán mis enemigos. Una cosa sé: ¡Dios está de mi parte! [10]Confío en Dios y alabo Su palabra; confío en el Señor y alabo Su palabra; [11]confío en Dios y no siento miedo. ¿Qué puede hacerme un simple mortal? [12]He hecho votos delante de Ti, oh Dios, y te presentaré mis ofrendas de gratitud. [13]Tú, oh Dios, me has librado de tropiezos, me has librado de la muerte, para que siempre, en Tu presencia, camine en la luz de la vida.

SI DIOS ESTÁ CONMIGO. David pregunta nuevamente: "¿Qué puede hacerme un simple mortal?" (versículo 11), pero solo se lo pregunta al asegurar que él sabe que Dios está con él (versículo 9). Dios tiene un cuidado tan detallado y tierno de nosotros que lleva el registro de cada lágrima (versículo 8). ¿Cómo podemos estar seguros de esto? Pablo hace la misma pregunta —"Si Dios está de nuestra parte, ¿quién puede estar en contra nuestra?" (Romanos 8:31)— y fundamenta su confianza en la obra de Jesucristo (Romanos 8:37-39). Los cristianos superan sus miedos no solo al mirar la Palabra escrita, la Biblia, sino también a la Palabra encarnada, Jesucristo. A través de Su poder soberano y creativo, Dios es capaz de darnos Su Palabra salvadora, humana y divina, escrita y colgada en la cruz.

Oración: Señor, Tú me has librado de la muerte a través de la cruz, asegurando mi resurrección y vida eterna. Si realmente me amas tanto que registras cada lágrima mía, ¿por qué tengo temor? Permite que esta verdad penetre mi corazón hasta que no tenga más temor. Amén.

Mayo 1

Salmo 57:1-6. ¹Ten compasión de mí, oh Dios; ten compasión de mí, que en Ti confío. A la sombra de Tus alas me refugiaré, hasta que haya pasado el peligro. ²Clamo al Dios Altísimo, al Dios que me brinda Su apoyo. ³Desde el cielo me tiende la mano y me salva; reprende a mis perseguidores. ¡Dios me envía Su amor y Su verdad! ⁴Me encuentro en medio de leones, rodeado de gente rapaz. Sus dientes son lanzas y flechas; su lengua, una espada afilada. ⁵Pero Tú, oh Dios, estás sobre los cielos, ¡Tu gloria cubre toda la tierra! ⁶Tendieron una red en mi camino, y mi ánimo quedó por los suelos. En mi senda cavaron una fosa, pero ellos mismos cayeron en ella.

EN MEDIO DE LEONES. David está rodeado de peligros, como si estuviera en medio de bestias rapaces (versículo 4). Él clama por ayuda (versículos 1 y 2) pero, de repente, simplemente alaba a Dios: "Pero Tú, oh Dios, estás sobre los cielos, ¡Tu gloria cubre toda la tierra!" (versículo 5). Más profundo que el desastre, el peligro o el estrés está el deseo de que Dios sea glorificado. Si eso puede acompañarse con nuestra liberación de las circunstancias, ¡alabado sea el Señor! Si nuestras circunstancias no cambian y continuamos mostrando confianza en Dios ante el mundo expectante, ¡alabado sea el Señor! De cualquier manera, Dios cumple Su propósito en ti mientras te deleitas en honrarle.

Oración: Padre, Tu Hijo nos enseñó a orar: "Santificado sea Tu nombre" antes de "danos hoy nuestro pan cotidiano". Ayúdame a no orar diciendo: "¡Tienes que hacer esto, Dios!", sino a decir: "Sé glorificado en mi vida". Eso es difícil al inicio, pero conduce a la libertad. Amén.

Mayo 2

Salmo 57:7-11. [7]Firme está, oh Dios, mi corazón; firme está mi corazón. Voy a cantarte salmos. [8]¡Despierta, alma mía! ¡Despierten, arpa y lira! ¡Haré despertar al nuevo día! [9]Te alabaré, Señor, entre los pueblos, te cantaré salmos entre las naciones. [10]Pues Tu amor es tan grande que llega a los cielos; ¡Tu verdad llega hasta el firmamento! [11]¡Tú, oh Dios, estás sobre los cielos; Tu gloria cubre toda la tierra!

CANTOS NOCTURNOS. ¿Cómo manejamos los tiempos peligrosos, cuando estamos rodeados por fuerzas depredadoras (versículos del 1 al 4)? David continúa cantando alabanzas a Dios con gran firmeza aún en medio de la profunda oscuridad (versículos 7 y 8). Él ve la grandeza de Dios en los cielos (versículos del 9 al 11). Hay luz y belleza más allá del alcance de las sombras malignas que habitan este mundo.[40] Esto no es un simple desafío (como del tipo "no dejaré que esto me afecte"), sino que es esperanza teológica. El universo es un océano infinito del gozo y la gloria de Dios. Nos encontramos, por el momento, en una pequeña gota de tristeza aquí en la tierra, pero algún día ella será removida. Sin importar lo que nos suceda a nosotros los creyentes en el momento, al final todo nos ayuda a bien.

Oración: Señor, ayúdame a tener la perspectiva correcta. Algún día Tu gloria se levantará como el último amanecer que terminará con toda oscuridad. Seré resucitado y viviré contigo en los placeres inimaginables del amor infinito. Ayuda a que mi corazón pueda enfocarse en este horizonte. Amén.

Salmo 58:1-5. [1]¿Acaso ustedes, gobernantes, actúan con justicia, y juzgan con rectitud a los seres humanos? [2]Al contrario, con la mente traman injusticia, y la violencia de sus manos se desata en el país. [3]Los malvados se pervierten desde que nacen; desde el vientre materno se desvían los mentirosos. [4]Su veneno es como el de las serpientes, como el de una cobra que se hace la sorda [5]para no escuchar la música del mago, del diestro en encantamientos.

MALDAD EN EL PODER. La corrupción política no es un fenómeno novedoso. Los hombres y las mujeres fueron comisionados para gobernar el mundo y cultivar sus riquezas como mayordomos, considerando que todo lo creado (y todo lo que ellos tienen) es posesión de Dios (Génesis 1:26-30). Pero bajo el pecado, ellos reinan con egoísmo, explotando a otros para aumentar su riqueza y poder. David, correctamente, los denuncia, pero su descripción de los malos en el versículo 3 es asombrosa, porque en el Salmo 51:5 admite que él también es "malo de nacimiento". Cuando confrontemos a un pecador, sin importar qué mal ha hecho, nos estamos viendo en un espejo. Si a ti, a diferencia de otras personas, te ha "concedido Dios el arrepentimiento para vida" (Hechos 11:18) o te ha permitido "conocer la verdad" (2 Timoteo 2:25), solo puedes dar gracias a Dios.[41]

Oración: Señor, pon en autoridad a líderes honestos, sabios y generosos. Y cuando vea a quienes no lo sean, no permitas que caiga en el error de pensar que yo soy ajeno a las tentaciones de poder. Establece justicia en Tu tierra. Amén.

Mayo 4

Salmo 58:6-11. ⁶Rómpeles, oh Dios, los dientes; ¡arráncales, Señor, los colmillos a esos leones! ⁷Que se escurran, como el agua entre los dedos; que se rompan sus flechas al tensar el arco. ⁸Que se disuelvan, como babosa rastrera; que no vean la luz, cual si fueran abortivos. ⁹Que sin darse cuenta, ardan como espinos; que el viento los arrastre, estén verdes o secos. ¹⁰Se alegrará el justo al ver la venganza, al empapar sus pies en la sangre del impío. ¹¹Dirá entonces la gente: "Ciertamente los justos son recompensados; ciertamente hay un Dios que juzga en la tierra".

CLAMOR POR JUSTICIA. Aquellos que viven vidas cómodas pueden atribularse por los versículos del 6 al 10, pero los salmos se niegan a "permitirnos que nos acostumbremos al escándalo de la maldad en lugares altos".⁴² Salmos como este le dan voz al enojo de los oprimidos. Notemos, sin embargo, que la petición no es "ayúdame a romperle los dientes a los malvados" —esto se deja en las manos de Dios (versículo 6). El Nuevo Testamento utiliza un lenguaje similar para lo que sucederá en el día del juicio (Apocalipsis 19:11-13), pero mientras tanto no hacemos guerra contra la maldad con espadas de acero, sin con el evangelio (Apocalipsis 12:11). Si hemos conocido la maldad, *desearemos* el Juez divino que levante Su espada para que nosotros nos abstengamos de hacerlo.

Oración: Señor, hazme un agente de reconciliación, perdonando a aquellos que hacen maldad y al mismo tiempo insistiendo en la verdad y la responsabilidad. Esta es una vida moldeada por la cruz, honrando la misericordia y la justicia al mismo tiempo. Amén.

Mayo 5

Salmo 59:1-7. ¹Líbrame de mis enemigos, oh Dios; protégeme de los que me atacan. ²Líbrame de los malhechores; sálvame de los asesinos. ³¡Mira cómo me acechan! Hombres crueles conspiran contra mí sin que yo, Señor, haya delinquido ni pecado. ⁴Presurosos se disponen a atacarme sin que yo haya cometido mal alguno. ⁵¡Levántate y ven en mi ayuda! ¡Mira mi condición! Tú, Señor, eres el Dios Todopoderoso, ¡eres el Dios de Israel! ¡Despiértate y castiga a todas las naciones; no tengas compasión de esos viles traidores! ⁶Ellos vuelven por la noche, gruñendo como perros y acechando alrededor de la ciudad. ⁷Echan espuma por la boca, lanzan espadas por sus fauces, y dicen: "¿Quién va a oírnos?".

LANZANDO PALABRAS. Los medios de comunicación de hoy hacen más fácil que nunca el poder lanzar palabras filosas como espadas (versículo 7). A diferencia de escribir cartas, ahora enviamos correos electrónicos o mensajes de texto sin medir las palabras. A diferencia de la confrontación cara a cara, decimos las cosas bruscamente sin el temor de ver el dolor o el enojo en el rostro de la otra persona. Debido al anonimato, pensamos que nadie puede identificarnos. En la actualidad, las palabras son más ásperas que en el tiempo de David. Pero cada palabra —incluso una dicha descuidadamente (Mateo 12:36)— es un indicador de lo que hay en el corazón (Mateo 12:34) y será juzgada por Dios. Más que nunca decimos: "No quise decirlo". Pero lo hacemos. Controla tus palabras para que así puedas conocer y moldear tu corazón (Santiago 3:1-12).

Oración: Señor, sálvame de los pecados de mi lengua y de las fallas de mi carácter que los alientan. Dame palabras honestas (quitando mi temor), pocas en cantidad (quitando mi egoísmo), sabias (quitando mi indiferencia) y amables (quitando mi irritabilidad). Amén.

Mayo 6

Salmo 59:8-13. [8]Pero Tú, Señor, te burlas de ellos; te ríes de todas las naciones. [9]A Ti, fortaleza mía, vuelvo los ojos, pues Tú, oh Dios, eres mi protector. [10]Tú eres el Dios que me ama, e irás delante de mí para hacerme ver la derrota de mis enemigos. [11]Pero no los mates, para que mi pueblo no lo olvide. Zarandéalos con Tu poder; ¡humíllalos! ¡Tú, Señor, eres nuestro escudo! [12]Por los pecados de su boca, por las palabras de sus labios, que caigan en la trampa de su orgullo. Por las maldiciones y mentiras que profieren, [13]consúmelos en Tu enojo; ¡consúmelos hasta que dejen de existir! Así todos sabrán que Dios gobierna en Jacob, y hasta los confines de la tierra.

LA RISA DE DIOS. Somos intimidados por el mundo, pero Dios no. Él se ríe de todas las fuerzas que se le oponen (versículo 8). Sin embargo, la risa de Dios es apenas parte de la historia. Mientras que Él no se impresiona con la rebeldía, no es indiferente a ella. El pecado también le causa dolor. Génesis 6:6 dice que Dios contempló la maldad de la tierra y "le dolió en el corazón". Su corazón está tan conectado al nuestro que el pecado le causa sufrimiento. Solo en la cruz aprendemos qué tanto dolor le produce. Si vemos a Jesús llorando por el pecado (Lucas 19:41-44) y denunciándolo (Lucas 19:45-47), entonces podemos imitar a Dios al no escandalizarnos por lo que hacen los malos ni endureciendo nuestros corazones hacia ellos.

Oración: Señor, ayúdame a recordar Tu gracia inmerecida y perseverante, para que cuando vea a aquellos que te rechazan no los desprecie, ni les tema o sea indiferente hacia ellos. Enséñame a hablar la verdad en amor. Amén.

Mayo 7

Salmo 59:14-17. [14]Porque ellos vuelven por la noche, gruñendo como perros y acechando alrededor de la ciudad. [15]Van de un lado a otro buscando comida, y aúllan si no quedan satisfechos. [16]Pero yo le cantaré a Tu poder, y por la mañana alabaré Tu amor; porque Tú eres mi protector, mi refugio en momentos de angustia. [17]A Ti, fortaleza mía, te cantaré salmos, pues Tú, oh Dios, eres mi protector. ¡Tú eres el Dios que me ama!

GRUÑE SI QUIERES; YO CANTARÉ. En contraste con los perros que gruñen, encontramos al salmista cantando y alabando. Aunque se encuentra bajo ataque (los perros continúan gruñendo), alaba a Dios en su corazón por ser su fortaleza y refugio. "Roca Eterna, déjame refugiarme en Ti" es una línea del famoso himno de Augustus Toplady. Jesús es el lugar al que corremos cuando nos encontramos bajo cualquier tipo de ataque y podemos refugiarnos en Él. El salmista llama a Dios "mi protector, mi refugio en momentos de angustia" y, literalmente, "mi Dios amoroso" (Salmo 144:2). Nosotros los cristianos sabemos que el amor debe ser incondicional, no basado en lo que merecemos, pero sabemos esto gracias a que Jesús fue *traspasado* para convertirse en nuestro refugio.

Oración: Señor, enséñame a cantar frecuentemente sobre Tu amor. Esto significa no solamente pensar en Ti, sino en regocijarme en Ti en cada momento del día. Ayúdame a hacer esto, "mi Dios amoroso". Amén.

Salmo 60:1-5. [1]Oh Dios, Tú nos has rechazado y has abierto brecha en nuestras filas; te has enojado con nosotros: ¡restáuranos ahora! [2]Has sacudido la tierra, la has resquebrajado; repara sus grietas, porque se desmorona. [3]Has sometido a Tu pueblo a duras pruebas; nos diste a beber un vino embriagador. [4]Da a Tus fieles la señal de retirada, para que puedan escapar de los arqueros. [5]Líbranos con Tu diestra, respóndenos para que Tu pueblo amado quede a salvo.

CÓMO ORAR EN MEDIO DEL DESASTRE. Israel había sido atacado.[43] David entiende que la verdadera amenaza que sufre su pueblo no es la fuerza militar del enemigo, sino el juicio de Dios (versículos del 1 al 3). Por ello, el único estandarte de defensa es la oración (versículos 4 y 5). Orar es desplegar los colores reales. En oración, David dice que han sido rechazados (versículo 1) y al mismo tiempo son el "pueblo amado" (versículo 5). El amor de Dios es como el de un padre comprometido incondicionalmente con sus hijos y, por ello, está furioso por sus pecados. No hay nada que nos afecte más que el desagrado de aquel que amamos y adoramos. Cuando comprendemos este enojo paternal, lleno de amor incondicional, nos llenamos de una motivación que nos permite ser transformados.

Oración: Señor, si Tú fueras solo un Dios de santa perfección, estaría hundido por mi incapacidad de cambiar. Si solo fueras un espíritu amoroso, estaría satisfecho con mi pecado. Pero Tú eres un Dios de santo amor. Ayúdame a responderte con arrepentimiento a través de Jesús. Amén.

Salmo 60:6-12. [6]Dios ha dicho en Su santuario: "Triunfante repartiré a Siquén, y dividiré el valle de Sucot. [7]Mío es Galaad, Mío es Manasés; Efraín es Mi yelmo y Judá Mi cetro. [8]En Moab me lavo las manos, sobre Edom arrojo Mi sandalia; sobre Filistea lanzo gritos de triunfo". [9]¿Quién me llevará a la ciudad fortificada? ¿Quién me mostrará el camino a Edom? [10]¿No eres Tú, oh Dios, quien nos ha rechazado? ¡Ya no sales, oh Dios, con nuestros ejércitos! [11]Bríndanos Tu ayuda contra el enemigo, pues de nada sirve la ayuda humana. [12]Con Dios obtendremos la victoria; ¡Él pisoteará a nuestros enemigos!

GUERRA ESPIRITUAL. Israel utilizaba armas reales para llevar la ira de Dios a las naciones paganas. Pero Jesús llevó la guerra espiritual contra el pecado en la cruz (Romanos 3:24-26) y regresará para someter a toda nación pagana (Apocalipsis 19:11-13). Mientras tanto, los cristianos no luchan contra seres humanos, sino contra poderes espirituales (Efesios 6:10-20).[44] Para combatir contra desánimos, dudas, sufrimientos, tentaciones, emociones incontrolables, orgullo, culpa, vergüenza, soledad, persecución, falsa doctrina, sequía espiritual y oscuridad, Pablo dice que debemos "vestirnos" con la armadura de la salvación, del evangelio y de la fe. Como David, debemos recordar quiénes somos en Cristo —personas aceptadas, perdonadas y adoptadas en Su familia— y que nos ha dado Su Espíritu, un acceso a través de la oración y la seguridad de resurrección. Con estas ayudas frente al enemigo, obtendremos la victoria (versículos 11 y 12).

Oración: Señor, la vida es una batalla con fuerzas mundanas que se te oponen, junto con el pecado remanente en mí, la rebelión de mi corazón y el diablo mismo. Como David, permíteme contemplar Tus promesas y sentir Tu presencia junto a mí para poder enfrentar a estos enemigos espirituales. Amén.

Mayo 10

Salmo 61. ¹Oh Dios, escucha mi clamor y atiende a mi oración. ²Desde los confines de la tierra te invoco, pues mi corazón desfallece; llévame a una roca donde esté yo a salvo. ³Porque Tú eres mi refugio, mi baluarte contra el enemigo. ⁴Anhelo habitar en Tu casa para siempre y refugiarme debajo de Tus alas. ⁵Tú, oh Dios, has aceptado mis votos y me has dado la heredad de quienes te honran. ⁶Concédele al rey más años de vida; que sean sus días una eternidad. ⁷Que reine siempre en Tu presencia, y que Tu amor y Tu verdad lo protejan. ⁸Así cantaré siempre salmos a Tu nombre y cumpliré mis votos día tras día.

PROTECCIÓN. David acumula imágenes: Dios es su roca, un lugar seguro en donde puede ver las cosas desde la perspectiva de Dios. Dios es su baluarte, en donde puede refugiarse de sus enemigos. Dios mora en Su tabernáculo, donde puede ir a adorarle. Dios es como un ave que protege a sus polluelos bajo sus alas. Jesús dice que todo esto hace referencia a Él: Él es el templo (Juan 2:12-21), en donde podemos encontrarnos cara a cara con Dios; Él es un ave, que protege a Sus amados, dándoles refugio mientras Él enfrenta peligros y dolor (Lucas 13:34-35). Él es la roca (1 Corintios 10:4), golpeada por nosotros; así que en Jesús estamos a salvo de cualquier enemigo, incluso de la muerte.

Oración: Señor, te alabo porque estoy verdaderamente seguro en Ti. Tú estás obrando soberanamente en todas las cosas para Tu gloria y para mi bien. Tú has quitado mi pecado en Cristo para que yo pueda tener un futuro lleno de bendiciones. Tú escuchas mis oraciones y me proteges. Te agradezco por ser la roca que es más alta que yo. Amén.

Mayo 11

Salmo 62:1-4. [1]Solo en Dios halla descanso mi alma; de Él viene mi salvación. [2]Solo Él es mi roca y mi salvación; Él es mi protector. ¡Jamás habré de caer! [3]¿Hasta cuándo atacarán todos ustedes a un hombre para derribarlo? Es como un muro inclinado, ¡como una cerca a punto de derrumbarse! [4]Solo quieren derribarlo de su lugar de preeminencia. Se complacen en la mentira: bendicen con la boca, pero maldicen con el corazón.

LECCIÓN APRENDIDA. Este es un salmo para los estresados. El primer versículo es la clave para enfrentar el estrés. Literalmente dice: "Solo en Dios mi alma está en silencio". Cuando estamos en problemas, nuestra alma nos susurra: "*Debemos* tener esto o no lo lograremos. Esto *debe* suceder o todo estará perdido". Lo que se asume es que Dios no es suficiente —otras circunstancias, condiciones o posesiones son necesarias para ser felices y estar seguros. David, sin embargo, aprendió a decirle a su alma: "Solo necesito una cosa para sobrevivir y prosperar —y ya la tengo. Solo necesito a Dios, Su amor y cuidado paternal —todo lo demás no es indispensable". Cuando esta idea penetre en tu corazón, jamás habrás de caer (versículo 2).

Oración: Señor, te alabo porque Tú eres suficiente para mi corazón, mi vida y mi gozo. Perdóname por no alabarte ni atesorar tu salvación hasta llegar al lugar de mi descanso. Ayúdame a hacerlo de ahora en adelante. Amén.

Mayo 12

Salmo 62:5-8. [5]Solo en Dios halla descanso mi alma; de Él viene mi esperanza. [6]Solo Él es mi roca y mi salvación; Él es mi protector y no habré de caer. [7]Dios es mi salvación y mi gloria; es la roca que me fortalece; ¡mi refugio está en Dios! [8]Confía siempre en Él, pueblo mío; ábrele tu corazón cuando estés ante Él. ¡Dios es nuestro refugio!

LECCIÓN RECORDADA. En el versículo 5, David se consuela a sí mismo con la lección del versículo 1. La batalla para moldear nuestros corazones con las verdades que nuestra mente conoce nunca termina. Y aquí, sin duda, encontramos la gran verdad de la Biblia: el evangelio —la salvación proviene solamente de Dios, no de nosotros o de algún esfuerzo que podamos realizar (Jonás 2:9). "Sin embargo, al que no trabaja, sino que cree en el que justifica al malvado, se le toma en cuenta la fe como justicia" (Romanos 4:5). David no se habla solamente a sí mismo, sino también a su pueblo (versículo 8). La mejor forma en que podemos ayudar a otros con sus miedos y preocupaciones es cuando nosotros ya hemos pasado por esas situaciones y hemos mostrado confianza en Dios, nuestra roca y refugio.

Oración: Señor, el impulso más profundo de mi corazón es hacer cosas para asegurar Tus bendiciones en lugar de descansar en lo que Cristo ha hecho por mí. Esto solo me produce ansiedad y me vuelve inseguro. Enséñame a *despojarme de mis obras muertas —echarlas a los pies de Jesús, y a confiar en Él, solo en Él, gloriosamente completo.*[45] Amén.

Mayo 13

Salmo 62:9-12. [9]Una quimera es la gente de humilde cuna, y una mentira la gente de alta alcurnia; si se les pone juntos en la balanza, todos ellos no pesan nada. [10]No confíen en la extorsión ni se hagan ilusiones con sus rapiñas; y aunque se multipliquen sus riquezas, no pongan el corazón en ellas. [11]Una cosa ha dicho Dios, y dos veces lo he escuchado: Que Tú, oh Dios, eres poderoso; [12]que Tú, Señor, eres todo amor; que Tú pagarás a cada uno según lo que merezcan sus obras.

ESCEPTICISMO SALUDABLE. Si confiamos solo en Dios, entonces ya no confiamos completamente en cualquier otra cosa. No confiamos en las personas, independientemente de su condición social (versículo 9). Ni el socialismo ni el capitalismo traerán un mejor mundo. No confiamos en que alguna carrera nos satisfaga. ¿En qué cosa podemos depender? En que Dios es fuerte y amoroso (versículo 11). ¿Cómo puede ser Dios amoroso y justo al mismo tiempo si la justicia demanda un castigo? Dios asignó la sentencia de muerte requerida a nuestro pecado, después tomó ese castigo y lo cargó Él mismo en la cruz. Nunca debemos cuestionar Su amor o sabiduría en nuestra vida al contemplar hasta dónde ha ido para demostrarnos ambas cosas.

Oración: Señor, ayúdame a prosperar en mi trabajo, pero no permitas que los ascensos y descensos de mi carrera me gobiernen. Provee para las necesidades financieras de mi familia, pero no permitas que la riqueza me domine. No necesito amar menos a estas cosas materiales, sino amarte más a Ti que a ellas. Dame la libertad que viene solo de amarte intensamente. Amén.

Salmo 63:1-4. ¹Oh Dios, Tú eres mi Dios; yo te busco intensamente. Mi alma tiene sed de ti; todo mi ser te anhela, cual tierra seca, extenuada y sedienta. ²Te he visto en el santuario y he contemplado Tu poder y Tu gloria. ³Tu amor es mejor que la vida; por eso mis labios te alabarán. ⁴Te bendeciré mientras viva, y alzando mis manos te invocaré.

ANHELO ESPIRITUAL. David escribió cuando se encontraba literalmente en un desierto a causa de la traición de su hijo Absalón. A pesar del sufrimiento por la sed física y el amor perdido, David sabe que su mayor anhelo es Dios (versículo 1). Su mayor anhelo solo puede ser saciado por la presencia de Dios y por experimentar Su amor, el cual es mejor que cualquier circunstancia y mejor que la vida misma (versículo 3). Esta sed espiritual, la cual no se reconoce como tal por los incrédulos (Juan 4:7-21), se encuentra en todos nosotros. Contemplar el poder y la gloria de Dios debe ser nuestro mayor anhelo no solo porque es lo correcto, sino porque solo una relación con Dios durará para siempre y satisfará nuestra mayor necesidad.

Oración: Señor Jesús, cuando te encontraste a la mujer junto al pozo, le dijiste que lo que buscaba en el amor de los hombres podía encontrarse solamente en Ti y en la vida eterna que otorgas. Permíteme percatarme de que mis anhelos por el éxito profesional, la aceptación social e incluso el afecto de mi familia funcionan de la misma manera. ¡Dame el amor que es mejor que la vida! Amén.

Salmo 63:5-8. 5Mi alma quedará satisfecha como de un suculento banquete, y con labios jubilosos te alabará mi boca. 6En mi lecho me acuerdo de Ti; pienso en Ti toda la noche. 7A la sombra de Tus alas cantaré, porque Tú eres mi ayuda. 8Mi alma se aferra a Ti; Tu mano derecha me sostiene.

LAS VIGILIAS DE LA NOCHE. Noches sin dormir, dando vueltas en la cama, lleno de ansiedad y miedo... ¿Quién no ha tenido esta experiencia? David le da a su insomnio un uso diferente: le canta a Dios, alabándolo y pensando en Su amor, en Su bondad y, sobre todo, en Su protección. "Toda la noche" o "en las vigilias de la noche" en otras traducciones (versículo 6), se refiere a los cambios de guardia militar, y David se encontraba despierto durante todas ellas, así que tenía tiempo de sobra para divagar en su mente. Pero en vez de hacer eso, David acude a Dios para sentir Su presencia, como un polluelo acude a las alas de su madre. Entrenar nuestro corazón para que invierta las noches de insomnio en alabanza y comunión con Dios ayudará a transformar nuestra frustración en intimidad con nuestro Salvador.

Oración: Señor, te alabo por ser un Dios que sacia. Enséñame a alabarte con tal gozo y amor que cuando termine me sienta lleno, satisfecho en Ti. Y enséñame a acudir a Ti en oración con tal tenacidad que al terminar me sienta completamente seguro. Amén.

Mayo 16

Salmo 63:9-11. ⁹Los que buscan mi muerte serán destruidos; bajarán a las profundidades de la tierra. ¹⁰Serán entregados a la espada y acabarán devorados por los chacales. ¹¹El rey se regocijará en Dios; todos los que invocan a Dios lo alabarán, pero los mentirosos serán silenciados.

EXPERIENCIA ESPIRITUAL. David anhela no solo creer, sino experimentar a Dios. Es posible "ver" al Señor, no con nuestros ojos físicos, sino a través de la fe (versículo 2; 1 Corintios 13:12; 2 Corintios 3:18, 5:7). Esto es deleitarse en Dios no por lo que Él nos da, sino por lo que Él es (versículo 3).⁴⁶ El resultado de la experiencia de David es la restauración de su identidad. "*El rey* (yo) se regocijará en Dios" (versículo 11). Este gozoso y fuerte fundamento de quiénes somos en Él siempre es fruto de la experiencia espiritual (Romanos 8:16). Los cristianos somos reyes y sacerdotes en Jesús (Apocalipsis 1:6). "Si la fe de David en su llamado a ser rey estaba bien fundado, más aun lo está el de los cristianos".⁴⁷

Oración: Señor, te alabo por ser no solo mi Rey, sino también mi Padre —y por el hecho de que el hijo de un soberano real también es de la realeza. Todo el lenguaje de "gobernar" y "reinar" contigo me asombra. Pero ayúdame a comprenderlo a tal medida que no me sienta herido fácilmente ni dependa de la aprobación de los demás. Amén.

Mayo 17

Salmo 64:1-6. ¹Escucha, oh Dios, la voz de mi queja; protégeme del temor al enemigo. ²Escóndeme de esa pandilla de impíos, de esa caterva de malhechores. ³Afilan su lengua como espada y lanzan como flechas palabras ponzoñosas. ⁴Emboscados, disparan contra el inocente; le tiran sin temor y sin aviso. ⁵Unos a otros se animan en sus planes impíos, calculan cómo tender sus trampas; y hasta dicen: "¿Quién las verá?" ⁶Maquinan injusticias, y dicen: "¡Hemos tramado un plan perfecto!". ¡Cuán incomprensibles son la mente y los pensamientos humanos!

DÁNDOLE VOZ A LA QUEJA. David presenta su "queja" ante Dios. Los departamentos de quejas (de atención al cliente) tienen empleados que trabajan para escucharte y que están capacitados para hacer algo por ti. Dios es el mejor departamento de quejas —nos invita a derramar nuestras frustraciones sobre Él para que así Él pueda hacer algo por nosotros (versículo 1). Pero este aspecto de la naturaleza de Dios no es solo para consolar a las víctimas; es una fuerte advertencia contra aquellos que hacen maldad. No pienses "¿quién las verá?" (versículo 5), ya que Agar, una víctima de la maldad de Sara, llamó a Dios "el Dios que ve" (Génesis 16:13). ¿Cómo vivirías, hablarías y actuarías si constantemente recordaras que Dios siempre te observa?

Oración: Señor, ayúdame a recordar que Tú escuchas y ves todo. Permite que esto inunde mi vida diaria de consuelo y sentido de responsabilidad, para que cuando vea a personas que hacen cosas terribles sin consecuencias aparentes, pueda recordar: "Dios me ve", y cuando sea tentado a mentir o engañar, también recuerde: "Dios me ve". Amén.

Mayo 18

Salmo 64:7-10. ⁷Pero Dios les disparará Sus flechas, y sin aviso caerán heridos. ⁸Su propia lengua será su ruina, y quien los vea se burlará de ellos. ⁹La humanidad entera sentirá temor: proclamará las proezas de Dios y meditará en Sus obras. ¹⁰Que se regocijen en el Señor los justos; que busquen refugio en Él; ¡que lo alaben todos los de recto corazón!

EL CONSUELO DEL JUICIO. El consuelo de David es nuevamente la naturaleza autodestructiva de la maldad y el hecho de que en el mundo de Dios hay consecuencias naturales del pecado. Somos atrapados por nuestras mentiras; nuestras calumnias terminan perjudicándonos (versículos 7 y 8). Dios es un Dios *de segar y cosechar* (Gálatas 6:7; Lucas 6:38). Incluso en esta vida, los codiciosos serán por lo menos espiritualmente pobres, mientras que los generosos tendrán una vida de riqueza, tengan dinero o no. Al final, todos quedarán asombrados del juicio divino contra el pecado (versículos 9 y 10). David no sabía lo que nosotros sabemos, que todos los confines de la tierra se asombrarán y regocijarán en el hecho de que Dios juzgó a Jesucristo para que, en el final de los tiempos, Él mismo pueda exterminar la maldad sin exterminarnos.

Oración: Señor, muchos huyen del Dios que juzga. Pero yo no podría vivir en un mundo pecaminoso si no supiera que Tú juzgarás todas las cosas en Tu sabiduría y con Tu justicia. Además no tendría esperanza si no supiera que todo el juicio que merezco fue llevado por Tu Hijo. Amén.

Mayo 19

Salmo 65:1-4. [1]A Ti, oh Dios de Sion, te pertenece la alabanza. A Ti se te deben cumplir los votos, [2]porque escuchas la oración. A Ti acude todo mortal, [3]a causa de sus perversidades. Nuestros delitos nos abruman, pero Tú los perdonaste. [4]¡Dichoso aquel a quien Tú escoges, al que atraes a Ti para que viva en Tus atrios! Saciémonos de los bienes de Tu casa, de los dones de Tu santo templo.

ELEGIDO POR GRACIA. Dios nos escucha y perdona, aunque no lo merezcamos (versículos del 1 al 3). Y aquellos que lo eligen se percatan de que desde un principio ya Dios los había escogido y los había acercado a Él (versículo 4; Juan 6:44; 15:16). Solo en el Nuevo Testamento vemos cuán radical es esa gracia. Dios nos acerca para vivir en Su corte, no solo como invitados, sino como hijos y herederos suyos (Juan 1:12-13). La mayor alabanza hacia Dios proviene de aquellos que saben que han sido traídos a vivir con Él a través de Jesús, el Hijo de Dios, quien murió para hacernos Sus hermanos (Hebreos 2:10-18). Nuestra salvación es absolutamente gratuita para nosotros, pero tremendamente costosa para Él. Eso es maravillosa gracia.

Oración: Señor, porque Tu gracia es inmerecida debo ser humilde; porque es costosa debo ser santo y amoroso; porque es incondicional debo estar en paz. Permite que Tu tierna y amorosa gracia me limpie de todo pecado y me dé gozo. Amén.

Mayo 20

Salmo 65:5-8. ⁵Tú, oh Dios y Salvador nuestro, nos respondes con imponentes obras de justicia; Tú eres la esperanza de los confines de la tierra y de los más lejanos mares. ⁶Tú, con Tu poder, formaste las montañas, desplegando Tu potencia. ⁷Tú calmaste el rugido de los mares, el estruendo de sus olas, y el tumulto de los pueblos. ⁸Los que viven en remotos lugares se asombran ante Tus prodigios; del oriente al occidente Tú inspiras canciones de alegría.

LOS CONFINES DE LA TIERRA. David está nuevamente hablando de forma profética sobre un tiempo en que "todo mortal" acudirá (versículo 2) y "el tumulto de los pueblos" (versículo 7) —todas las guerras, conflictos y opresiones— terminará. Dios es el Salvador y la esperanza incluso para aquellos que viven en los confines de la tierra y en los más lejanos mares (versículo 5). La salvación de Dios comenzó con la familia de Abraham, que después se convirtió en el pueblo de Israel y que ahora ha traspasado toda frontera de naciones, razas, lenguaje, origen étnico y punto geográfico. Debemos preparar nuestros corazones para la gran diversidad que habrá en el cielo (Apocalipsis 7:9) al mostrar amor por todos, especialmente al pueblo de Dios que se encuentra lejos de nosotros en los ámbitos social, económico, racial y político.

Oración: Señor, estoy tan absorto en mis problemas que no te alabo por lo que estás haciendo a través del mundo. Ayúdame a escapar del mecanismo de defensa de la superioridad racial para poder abrazar, aprender y regocijarme con mis hermanos y hermanas a través de las fronteras de raza, clase social y nacionalidad. Amén.

Mayo 21

Salmo 65:9-13. ⁹Con Tus cuidados fecundas la tierra, y la colmas de abundancia. Los arroyos de Dios se llenan de agua, para asegurarle trigo al pueblo. ¡Así preparas el campo! ¹⁰Empapas los surcos, nivelas sus terrones, reblandeces la tierra con las lluvias y bendices sus renuevos. ¹¹Tú coronas el año con Tus bondades, y Tus carretas se desbordan de abundancia. ¹²Rebosan los prados del desierto; las colinas se visten de alegría. ¹³Pobladas de rebaños las praderas, y cubiertos los valles de trigales, cantan y lanzan voces de alegría.

DIOS DE ABUNDANCIA. Dios mismo se ocupa del mundo que ha creado (versículo 9). Lo riega y fertiliza, y los ciclos de crecimiento y fertilidad se basan en Su propia naturaleza dadora de vida. Él es el autor de toda vida, desde la vida de una flor hasta el nuevo nacimiento que otorga salvación eterna (1 Timoteo 6:13). Porque el Espíritu de Dios predica a los corazones (Juan 16:8-10) y cultiva la tierra (Salmo 104:30), el trabajo tanto del predicador como del agricultor son dignos. El pueblo de Dios debería tomar la iniciativa del cuidado de la creación. En los últimos versículos se nos presenta la visión de una gran primavera, cuando Cristo removerá del mundo no solo el frío invierno, sino el pecado y la muerte (Salmo 96:11-13).

Oración: Señor, ayúdame a recibir la belleza y la riqueza de los regalos de la naturaleza, los cuales reflejan Tu abundancia y vida. Enséñame a cómo apreciarla para gozarme junto a Ti. Amén.

Mayo 22

Salmo 66:1-5. [1]¡Aclamen alegres a Dios, habitantes de toda la tierra! [2]Canten salmos a Su glorioso nombre; ¡ríndanle gloriosas alabanzas! [3]Díganle a Dios: "¡Cuán imponentes son Tus obras! Es tan grande Tu poder que Tus enemigos mismos se rinden ante Ti. [4]Toda la tierra se postra en Tu presencia, y te canta salmos; canta salmos a Tu nombre". [5]¡Vengan y vean las proezas de Dios, Sus obras portentosas en nuestro favor!

ALABANZA GLORIOSA. Todos son llamados a alabar (versículo 1). El contenido de esta alabanza es el nombre de Dios (versículo 2), es decir, todo lo que Él es y todo lo que ha hecho. La característica de esta alabanza es que es gloriosa (versículo 2). ¿Qué es la alabanza gloriosa? La palabra "gloria" tiene connotaciones de dignidad, magnificencia y hermosura. La alabanza gloriosa es exuberante, de todo corazón, atractiva, asombrosa, nunca sentimental ni descuidada. Nos apunta a Dios, no a los adoradores. Cumple su gran objetivo —busca ser gloriosa como Aquel a quien alaba. Así que la alabanza "nunca debe ser trivial ni pretenciosa".[48] No hay nada más evangelístico, nada que alcance más al mundo que la alabanza gloriosa (Salmos 100, 105:1-2).

Oración: Señor, gran parte de la alabanza pública de Tu iglesia es trivial y pretenciosa. Permite que mi iglesia —y las iglesias alrededor del mundo— comiencen a alabarte "en Espíritu y en verdad" (Juan 4:24). Danos alabanza gloriosa —tan hermosa que atraiga incluso a aquellos cuyos corazones se han endurecido. Amén.

Mayo 23

Salmo 66:6-12. ⁶Convirtió el mar en tierra seca, y el pueblo cruzó el río a pie. ¡Regocijémonos en Él! ⁷Con Su poder gobierna eternamente; Sus ojos vigilan a las naciones. ¡Que no se levanten contra Él los rebeldes! ⁸Pueblos todos, bendigan a nuestro Dios, hagan oír la voz de Su alabanza. ⁹Él ha protegido nuestra vida, ha evitado que resbalen nuestros pies. ¹⁰Tú, oh Dios, nos has puesto a prueba; nos has purificado como a la plata. ¹¹Nos has hecho caer en una red; ¡pesada carga nos has echado a cuestas! ¹²Las caballerías nos han aplastado la cabeza; hemos pasado por el fuego y por el agua, pero al fin nos has dado un respiro.

TRATO RUDO. Sorprendentemente, el salmista alaba a Dios por permitir que tantas cosas malas le sucedan a él y a su pueblo (versículos del 10 al 12). Dios es visto en cada uno de estos sufrimientos que se enlistan en los versículos. "Él ha protegido nuestra vida, ha evitado que resbalen nuestros pies" en medio de la aflicción (versículo 9). Él es quien está detrás de las prisiones, las cargas y la opresión, todas ellas resumidas en la frase "pasar por el fuego y por el agua". Pero Dios lo permite para purificarnos y convertirnos en algo precioso y hermoso (versículo 10). Así como José aparentemente estaba tratando de forma ruda a sus hermanos, pero solo para romper el hielo de sus corazones y salvarlos (Génesis 42), así Dios, cuando aparentemente nos trata con rudeza, lo hace para mostrarnos Su gracia.

Oración: Señor, ayúdame a saber en lo profundo de mi corazón que cuando sufro, incluso si conmueve Tu corazón verme en esa situación, Tú lo permites, en infinito amor y sabiduría, porque es lo mejor para mí. Amén.

Mayo 24

Salmo 66:13-16. [13]Me presentaré en Tu templo con holocaustos y cumpliré los votos que te hice, [14]los votos de mis labios y mi boca que pronuncié en medio de mi angustia. [15]Te ofreceré holocaustos de animales engordados, junto con el humo de ofrendas de carneros; te ofreceré toros y machos cabríos. [16]Vengan ustedes, temerosos de Dios, escuchen, que voy a contarles todo lo que Él ha hecho por mí.

SU AMOR EN TIEMPOS PASADOS. El salmista ha pasado la primera parte de este himno de alabanza recordando las grandes obras de Dios en el pasado. Se encuentra ahora lleno de gratitud y confianza. Es nuestra responsabilidad recordar estos hechos y alabar a Dios, para que nuestros corazones permanezcan confiados en toda circunstancia. Como John Newton dijo en uno de sus himnos, "Su amor demostrado en el pasado me prohíbe pensar que Él me dejará en medio de mis problemas".[49] Estos hechos no son solo lo que Él ha hecho por ti personalmente, sino que incluye preeminentemente el sacrificio de Jesús por ti. Recordar el amor de Dios en el pasado es una forma de enfrentar el estrés del presente con confianza.

Oración: Señor, *ya que todo lo que enfrento me ayudará a bien, lo amargo es dulce, la medicina es alimento, aunque doloroso en el presente, cesará pronto. Y después, ¡cuán placentero será el canto del victorioso!* [50] Amén.

Salmo 66:17-20. [17]Clamé a Él con mi boca; lo alabé con mi lengua. [18]Si en mi corazón hubiera yo abrigado maldad, el Señor no me habría escuchado; [19]pero Dios sí me ha escuchado, ha atendido a la voz de mi plegaria. [20]¡Bendito sea Dios, que no rechazó mi plegaria ni me negó Su amor!

DOS PRINCIPIOS PARA LA ORACIÓN. La alabanza debe acompañar la petición. El salmista clamó cuando estaba en problemas (versículo 17, comparar con el versículo 14), pero al mismo tiempo lo alabó con su lengua (versículo 17). Las expresiones de necesidad deben ir acompañadas con la confesión de la grandeza de Dios (2 Crónicas 20:12), agradeciéndole de antemano cualquier respuesta que en Su sabiduría y en Su tiempo nos otorgue. Esto apacigua el corazón incluso antes de recibir la respuesta. El otro requerimiento para la oración no es la perfecta santidad, sino una voluntad sincera de querer alejarse del pecado (versículo 18). "La pureza del corazón es desear una cosa".[51] Como aprendió Josué (Josué 7:12-13), no tiene caso pedirle cosas a Dios cuando estás siendo desobediente.

Oración: Señor, muéstrame mis pecados "atesorados" —aquellos que confieso pero en los que continúo cayendo. Esto es porque quiero parar pero a la vez no quiero hacerlo. No permitas que te deshonre al dividir mi lealtad. Amén.

Salmo 67. [1]Dios nos tenga compasión y nos bendiga; Dios haga resplandecer Su rostro sobre nosotros, [2]para que se conozcan en la tierra Sus caminos, y entre todas las naciones Su salvación. [3]Que te alaben, oh Dios, los pueblos; que todos los pueblos te alaben. [4]Alégrense y canten con júbilo las naciones, porque Tú las gobiernas con rectitud; ¡Tú guías a las naciones de la tierra! [5]Que te alaben, oh Dios, los pueblos; que todos los pueblos te alaben. [6]La tierra dará entonces su fruto, y Dios, nuestro Dios, nos bendecirá. [7]Dios nos bendecirá, y le temerán todos los confines de la tierra.

BENDECIDOS PARA BENDECIR. Como Abraham, somos bendecidos (versículo 1) para poder ser de bendición a todas las personas de la tierra (versículo 2; Génesis 12:2-3). Si realmente disfrutas algo, por instinto quieres ayudar a otros a que también disfruten de ello. Compartir eso que disfrutas con los demás "completa el gozo".[52] Así que el verdadero deleite en Dios debe conducirnos a las misiones, a ayudar a otros a que vean la hermosura que tú ves. Dios nunca nos acerca a Él si no es para enviarnos a servir y alcanzar a otros. Queremos una iglesia multiétnica e internacional de adoradores, y un mundo de justicia (versículos 3 y 4). No debemos tomar crédito de nuestras propias bendiciones, sino apuntar al que está por encima de nosotros: a Dios.

Oración: Señor, *alabar al que merece ser alabado sobrepasa toda recompensa.*[53] Que Tú —en toda Tu belleza— te hayas deleitado en nosotros y nos hayas bendecido por gracia debería despojarnos de todo miedo y pereza para poder hablar de Tu gloria y bondad. Ayúdame a testificar. Amén.

Salmo 68:1-6. ¹Que se levante Dios, que sean dispersados Sus enemigos, que huyan de Su presencia los que le odian. ²Que desaparezcan del todo, como humo que se disipa con el viento; que perezcan ante Dios los impíos, como cera que se derrite en el fuego. ³Pero que los justos se alegren y se regocijen; que estén felices y alegres delante de Dios. ⁴Canten a Dios, canten salmos a Su nombre; aclamen a quien cabalga por las estepas, y regocíjense en Su presencia. ¡Su nombre es el Señor! ⁵Padre de los huérfanos y defensor de las viudas es Dios en Su morada santa. ⁶Dios da un hogar a los desamparados y libertad a los cautivos; los rebeldes habitarán en el desierto.

ÉL DA HOGAR A LOS DESAMPARADOS. En este mundo "los fuertes devoran a los débiles", como dice el dicho, pero la fuerza de Dios es vista en Su cuidado por los débiles (versículo 5). Así que deberíamos ser conocidos por amar a los pobres y marginados. Esto refleja al evangelio mismo, ya que Dios no llama a que las personas se ganen la salvación a través de la fuerza. Jesús vino en debilidad y murió por nosotros para salvar solo a aquellos que admiten su impotencia espiritual. Dios creó a las personas para que se desarrollaran mejor en familias (Génesis 2:21-25); pero para aquellos sin cónyuge, padres ni hijos, está la familia de Dios, la iglesia (Marcos 3:31-35), unida por el Espíritu (Gálatas 4:4-6), proveyendo padres, madres, hermanos, hermanas e hijos (1 Timoteo 5:1-2) para los desamparados (versículo 6).

Oración: Señor, te alabo porque nos creaste a Tu imagen para vivir plenamente rodeados de relaciones profundas. Gracias por el gran regalo de la iglesia, Tu familia. Ayúdame a hacer de mi iglesia no solamente un club o una asociación, sino un conjunto de hermanos y hermanas, especialmente para aquellos que se encuentran desamparados. Amén.

Mayo 28

Salmo 68:7-18. [7]Cuando saliste, oh Dios, al frente de Tu pueblo, cuando a través de los páramos marchaste, [8]la tierra se estremeció, los cielos se vaciaron, delante de Dios, el Dios de Sinaí, delante de Dios, el Dios de Israel. [9]Tú, oh Dios, diste abundantes lluvias; reanimaste a Tu extenuada herencia. [10]Tu familia se estableció en la tierra que en Tu bondad, oh Dios, preparaste para el pobre. [11]El Señor ha emitido la palabra, y millares de mensajeras la proclaman: [12]"Van huyendo los reyes y sus tropas; en las casas, las mujeres se reparten el botín: [13]alas de paloma cubiertas de plata, con plumas de oro resplandeciente. Tú te quedaste a dormir entre los rebaños". [14]Cuando el Todopoderoso puso en fuga a los reyes de la tierra, parecían copos de nieve cayendo sobre la cumbre del Zalmón. [15]Montañas de Basán, montañas imponentes; montañas de Basán, montañas escarpadas: [16]¿Por qué, montañas escarpadas, miran con envidia al monte donde a Dios le place residir, donde el Señor habitará por siempre? [17]Los carros de guerra de Dios se cuentan por millares; del Sinaí vino en ellos el Señor para entrar en Su santuario. [18]Cuando Tú, Dios y Señor, ascendiste a las alturas, te llevaste contigo a los cautivos; tomaste tributo de los hombres, aun de los rebeldes, para establecer Tu morada.

DIOS PELEA POR TI. Esto conmemora el éxodo y el viaje hacia la tierra prometida (versículo 10). Dios peleó por Su pueblo (versículos del 12 al 16) y ascendió a Su trono (versículo 18) cuando el arca del pacto fue puesta en el tabernáculo (2 Samuel 6:12, 17). Pablo vio esto como una imagen de una ascensión mayor, en la que Cristo nos libera del pecado y la muerte, y después comparte con nosotros el don del Espíritu (Efesios 4:7-16; Hechos 2:33).[54] Activamos estos dones al utilizar la Biblia como un arma en nuestra lucha con las tentaciones y las dudas (Efesios 6:10-20). Si lo hacemos, nos percataremos de que Dios aún pelea por nosotros.

Oración: Señor, en ocasiones me siento débil. Todo lo que puedo hacer es pedirte que pelees por mí. Amén.

Salmo 68:19-23. [19]Bendito sea el Señor, nuestro Dios y Salvador, que día tras día sobrelleva nuestras cargas. [20]Nuestro Dios es un Dios que salva; el Señor Soberano nos libra de la muerte. [21]Dios aplastará la cabeza de Sus enemigos, la testa enmarañada de los que viven pecando. [22]El Señor nos dice: "De Basán los regresaré; de las profundidades del mar los haré volver, [23]para que se empapen los pies en la sangre de sus enemigos; para que, al lamerla, los perros tengan también su parte".

EL GRAN ESCAPE. Aquí hay un Dios del cual anhelamos escuchar más eso de "que día tras día sobrelleva nuestras cargas" y provee una manera de escapar de la muerte (versículos 19 y 20). Llevar las cargas de alguien más es simpatizar con él, identificarse con él e involucrarse en su vida para que no tenga que enfrentar esas cargas él solo. En Cristo, Dios literalmente se identificó con nosotros, haciéndose humano, cargando no solamente el peso de la mortalidad, sino también el juicio que nosotros merecemos por el pecado (descrito asombrosamente en los versículos del 21 al 23), un peso que literalmente lo molió (Isaías 53:4-5; Lucas 22:41-44). La muerte solía ser un verdugo, pero para aquellos que están en Cristo ahora es solo un jardinero, "un acompañante que llevará nuestras almas más allá de las estrellas".[55]

Oración: Señor, Tú has removido la carga que puede destruirme —el esfuerzo de salvarme a mí mismo, de alcanzar mi propia seguridad. Gracias por venir a mí cuando estaba cargado; gracias por darme Tu maravilloso descanso (Mateo 11:28-30). Amén.

Salmo 68:24-31. ²⁴En el santuario pueden verse las procesiones de mi Dios, las procesiones de mi Dios y rey. ²⁵Los cantores van al frente, seguidos de los músicos de cuerda, entre doncellas que tocan panderetas. ²⁶Bendigan a Dios en la gran congregación; alaben al Señor, descendientes de Israel. ²⁷Los guía la joven tribu de Benjamín, seguida de los múltiples príncipes de Judá y de los príncipes de Zabulón y Neftalí. ²⁸Despliega Tu poder, oh Dios; haz gala, oh Dios, de Tu poder, que has manifestado en favor nuestro. ²⁹Por causa de Tu templo en Jerusalén los reyes te ofrecerán presentes. ³⁰Reprende a esa bestia de los juncos, a esa manada de toros bravos entre naciones que parecen becerros. Haz que, humillada, te lleve barras de plata; dispersa a las naciones belicosas. ³¹Egipto enviará embajadores, y Cus se someterá a Dios.

LA ORACIÓN DE LA NACIÓN. Nuestro Dios será un día alabado por personas de todas las naciones (versículos 27 y 31), no porque nosotros los hayamos vencido, sino porque Dios conquistará sus corazones rebeldes. Esta asamblea internacional nunca se llevó a cabo en el templo de Jerusalén (versículo 24). Solo en Jesús —el templo que finalmente une a un Dios santo con la humanidad pecadora (Juan 2:18-22) a través de Su sacrificio— se han unido las personas de todas las naciones. Jesús dice que la oración en Su casa unirá a las naciones (Marcos 11:17) y de hecho, como se describe en este salmo, nada une más a las personas a través de las barreras raciales y culturales que la oración y la alabanza. Incluso las diferencias de idioma pueden superarse en tales asambleas. Alabar a Dios es la clave para sanar las divisiones de la raza humana.

Oración: Señor, que Tu iglesia nunca se aferre a una cultura en particular, sino que crezca internacionalmente, en razas, lenguas y diversidad. Permítenos reforzar la unidad que tenemos en Ti y mostrársela al mundo a través de alabanza gloriosa y oración comunitaria. Amén.

Mayo 31

Salmo 68:32-35. [32]Cántenle a Dios, oh reinos de la tierra, cántenle salmos al Señor, [33]al que cabalga por los cielos, los cielos antiguos, al que hace oír Su voz, Su voz de trueno. [34]Reconozcan el poder de Dios; Su majestad está sobre Israel, Su poder está en las alturas. [35]En Tu santuario, oh Dios, eres imponente; ¡el Dios de Israel da poder y fuerza a Su pueblo! ¡*Bendito sea Dios*!

DIOS DE ASOMBRO Y DE INTIMIDAD. Este coro final de alabanza se caracteriza por un éxtasis incontenible, una de las marcas de la verdadera adoración. También exhibe los dos pilares en los que la alabanza bíblica se fundamenta: asombro e intimidad. "Mientras que reafirma el poder cósmico de Dios (versículos 33 y 34), lo sigue llamando *el Dios de Israel* (versículo 35), no una deidad impersonal o difusa. El salmo [...] es testigo de esta realidad, de esta unión de inmenso poder y cuidado, en el Dios *cuya majestad está sobre Israel y Su poder está en las alturas*".[56] Si nuestra vida de oración considera a Dios solamente como alguien sublime, esta vida será fría y temerosa, mientras que si lo considera solo como un espíritu de amor, será extremadamente sentimental.

Oración: Señor, eres inmensurablemente alto, intimidantemente grandioso y vas más allá de mi comprensión. Aun así, te hiciste hombre y me ofreces Tu amistad a través de Jesús. Solo puedo maravillarme ante Tu gloria y Tu gracia. Permite que mi vida sea marcada tanto por el asombro ante Tu santidad como por la alegre intimidad que tengo contigo. Amén.

Salmo 69:1-6. [1]Sálvame, Dios mío, que las aguas ya me llegan al cuello. [2]Me estoy hundiendo en una ciénaga profunda, y no tengo dónde apoyar el pie. Estoy en medio de profundas aguas, y me arrastra la corriente. [3]Cansado estoy de pedir ayuda; tengo reseca la garganta. Mis ojos languidecen, esperando la ayuda de mi Dios. [4]Más que los cabellos de mi cabeza son los que me odian sin motivo; muchos son los enemigos gratuitos que se han propuesto destruirme. ¿Cómo voy a devolver lo que no he robado? [5]Oh Dios, Tú sabes lo insensato que he sido; no te puedo esconder mis transgresiones. [6]Señor Soberano, Todopoderoso, que no sean avergonzados por mi culpa los que en Ti esperan; oh Dios de Israel, que no sean humillados por mi culpa los que te buscan.

ODIADO SIN RAZÓN. Aquí vemos a un hombre profundamente herido por las calumnias (versículos del 1 al 3). Su falsa acusación (versículo 4) le lleva a la autoacusación (versículo 5) porque reconoce los pecados que sí ha cometido. Pero en lugar de pensar solamente en su reputación, a este hombre le preocupa que otros creyentes sean deshonrados por su culpa (versículo 6). Irónicamente, esto no le habría importado a un hombre egocéntrico. Cuanto más santos somos, más unido está nuestro corazón a los demás y a Dios, sintiendo más intensamente la tristeza del mundo. Jesús, el hombre perfecto, fue un "Varón de dolores". La piedad nos lleva a ser más felices y a la vez más tristes, aunque la nota final siempre será de alegría (Salmo 30:5).

Oración: Señor, cuando alguien está en problemas, temo involucrarme porque no quiero ser envuelto por su pesar. Pero cuando me amaste, te involucraste eternamente por mí y te costó un tremendo sufrimiento. Fortaléceme con Tu gracia para estar dispuesto a ayudar en las necesidades de los que me rodean. Amén.

Junio 2

Salmo 69:7-12. [7]Por Ti yo he sufrido insultos; mi rostro se ha cubierto de ignominia. [8]Soy como un extraño para mis hermanos; soy un extranjero para los hijos de mi madre. [9]El celo por Tu casa me consume; sobre mí han recaído los insultos de Tus detractores. [10]Cuando lloro y ayuno, tengo que soportar sus ofensas; [11]cuando me visto de luto, soy objeto de burlas. [12]Los que se sientan a la puerta murmuran contra mí; los borrachos me dedican parodias.

MALENTENDIDO. David está recibiendo insultos por su devoción a Dios (versículo 9). Cuando ora y se arrepiente, se burlan de él (versículos 10 y 11). Su mundo no es tan diferente al nuestro. Incluso cuando el cristianismo es aceptado por la sociedad occidental, los creyentes más devotos reciben burlas e insultos. En la actualidad también son despreciados. El mundo no entiende el evangelio de la gracia, en donde una vida piadosa es el resultado del gozo y la gratitud, no un método para ganarse el cielo. Por tanto, el mundo ve toda vida piadosa como fanatismo y autojusticia. Esto no debería sorprendernos (2 Timoteo 3:12), pero también deberíamos socavar estas falsas declaraciones con vidas de humildad, perdón y servicio hacia los demás.

Oración: Señor, Tú me has enseñado que cualquiera que vive una vida piadosa será perseguido. No permitas que sea un cobarde al nunca vivir plenamente mi fe, pero tampoco permitas que caiga en una hipocresía ni en una autojusticia que merezca desprecio. Amén.

Salmo 69:13-18. [13]Pero yo, Señor, te imploro en el tiempo de Tu buena voluntad. Por Tu gran amor, oh Dios, respóndeme; por Tu fidelidad, sálvame. [14]Sácame del fango; no permitas que me hunda. Líbrame de los que me odian, y de las aguas profundas. [15]No dejes que me arrastre la corriente; no permitas que me trague el abismo, ni que el foso cierre sus fauces sobre mí. [16]Respóndeme, Señor, por Tu bondad y Tu amor; por Tu gran compasión, vuélvete a mí. [17]No escondas Tu rostro de este siervo Tuyo; respóndeme pronto, que estoy angustiado. [18]Ven a mi lado, y rescátame; redímeme, por causa de mis enemigos.

EL TIEMPO DE DIOS. David continúa orando, rogándole a Dios que lo escuche no por su bondad, sino por la bondad de Dios y Su gran compasión (versículo 16). David le pide a Dios que le responda pronto (versículo 17) y utiliza un lenguaje altamente emocional ("No dejes que me arrastre la corriente; no permitas que me trague el abismo", versículo 15). Sin embargo, reconoce que Dios contestará "en el tiempo de [Su] buena voluntad" (versículo 13). Cuando oramos, es normal ser apasionados y desesperarnos, pero también debemos estar dispuestos a esperar en el tiempo de Dios. Nada nos hace más dependientes del soberano amor de Dios y de Su sabiduría que el perseverar en oración y esperar el tiempo de Su buena voluntad. "La incredulidad habla de tardanza; la fe sabe que tal cosa no existe".[57]

Oración: Señor, Tú permitiste que Abraham, José y David esperaran décadas antes de que contestaras sus oraciones, y Tus "retrasos" siempre fueron perfectos en Tu sabiduría. Ayúdame, ya que batallo para confiar y descansar en Tu juicio y en Tus tiempos. Amén.

Junio 4

Salmo 69:19-21. ¹⁹Tú bien sabes cómo me insultan, me avergüenzan y denigran; sabes quiénes son mis adversarios. ²⁰Los insultos me han destrozado el corazón; para mí ya no hay remedio. Busqué compasión, y no la hubo; busqué consuelo, y no lo hallé. ²¹En mi comida pusieron hiel; para calmar mi sed me dieron vinagre.

ORACIONES NO CONTESTADAS. David está sufriendo, sin encontrar descanso a pesar de sus oraciones. De repente, aparece una alusión a Jesús, de cómo fue insultado, avergonzado y denigrado; cómo se le ofreció vinagre (versículo 21; Juan 19:28-29). Jesús conoció —y conoce aún— el dolor de las oraciones no contestadas cuando preguntó si había otra forma de salvarnos además de la agonía de la cruz (Lucas 22:42). Dios le contestó a Jesús esta oración diciéndole, en efecto: *"No hay* otra manera... si quieres que los salve a ellos, no debo salvarte a *Ti"*. Esto no solo contesta la pregunta: ¿Hay salvación fuera de Jesús? (La respuesta es "no"). También es el mejor consuelo para cuando no tenemos respuesta a nuestras oraciones.

Oración: Señor, si Tú pacientemente cargaste el dolor de la oración no contestada por mi culpa, entonces yo también puedo ser paciente cuando parece no haber respuesta a mis oraciones. La cruz demuestra que me amas, así que puedo confiar en que Tú me escuchas y manejarás mi petición de acuerdo con Tu sabiduría. Amén.

Junio 5

Salmo 69:22-28. ²²Que se conviertan en trampa sus banquetes, y su prosperidad en lazo. ²³Que se les nublen los ojos, para que no vean; y que sus fuerzas flaqueen para siempre. ²⁴Descarga Tu furia sobre ellos; que Tu ardiente ira los alcance. ²⁵Quédense desiertos sus campamentos, y deshabitadas sus tiendas de campaña. ²⁶Pues al que has afligido lo persiguen, y se burlan del dolor del que has herido. ²⁷Añade a sus pecados más pecados; no los hagas partícipes de Tu salvación. ²⁸Que sean borrados del libro de la vida; que no queden inscritos con los justos.

JÚZGALOS. El salmista ora para que sus detractores sean condenados (versículos del 22 al 28). ¿Cómo entendemos esto? Primero, esto "nos ayuda a sentir parte de la desesperación que le produce" al guardarnos de ser complacientes con las injusticias del mundo.[58] Pero las sombras del sufrimiento de Jesús (versículos 4, 7 y 21) nos recuerdan que estamos en un lugar diferente al del salmista —estamos del otro lado de la cruz. Esteban buscó a Jesús por vindicación, no por retribución, y oró por sus enemigos mientras lo mataban (Hechos 7:54-60) como lo hizo Cristo mismo (Lucas 23:34). El salmista está en lo correcto al querer juicio contra la maldad, pero Jesús toma ese juicio sobre Sí mismo. Esto cambia por completo nuestra perspectiva sobre nuestros propios desiertos y sobre la manera en que buscamos la justicia.

Oración: Señor, me acuerdo nuevamente que no debo abandonar la búsqueda de la justicia, pero tampoco debo buscarla conservando un gramo de venganza o de malos deseos. Ayúdame a perdonar a cualquiera que me lastime, recordando mi inmerecido perdón en Jesús. Sin embargo, permíteme tener el valor y la pasión necesaria para corregir las injusticias que pueda corregir. Amén.

Junio 6

Salmo 69:29-33. [29]Y a mí, que estoy pobre y adolorido, que me proteja, oh Dios, Tu salvación. [30]Con cánticos alabaré el nombre de Dios; con acción de gracias lo exaltaré. [31]Esa ofrenda agradará más al Señor que la de un toro o un novillo con sus cuernos y pezuñas. [32]Los pobres verán esto y se alegrarán; ¡reanímense ustedes, los que buscan a Dios! [33]Porque el Señor oye a los necesitados, y no desdeña a Su pueblo cautivo.

NO DESPERDICIES TUS PENAS. ¿Qué hacemos cuando estamos en aflicciones o en dolor? Usualmente caemos en la autolástima, la amargura, el miedo o la envidia. Es porque "toda cosa difícil indica algo más que lo que nuestra teoría de lo que es la vida acepta en el momento".[59] David, sin embargo, no cae en esas cosas ya que él tiene una comprensión de la vida que engloba el sufrimiento; él utiliza el sufrimiento para glorificar a Dios (versículos 29 y 30). Alabar a Dios es un antídoto contra el egoísmo que puede envolvernos en medio del sufrimiento. Esto no solamente honra a Dios; también alienta a otros (versículo 32). Cuando sufras, no te enfoques en ti mismo —alaba a Dios y sirve a los necesitados.

Oración: Señor, ayúdame a ver los problemas y el sufrimiento no solo como algo que debo soportar, sino como algo en lo que debo invertir. Servirte a Ti y servir a los demás cuando no quiero hacerlo es el mayor acto de amor. Ayúdame a ver y agradecer el privilegio de sufrir pacientemente. Amén.

Junio 7

Salmo 69:34-36. ³⁴Que lo alaben los cielos y la tierra, los mares y todo lo que se mueve en ellos, ³⁵porque Dios salvará a Sion y reconstruirá las ciudades de Judá. Allí se establecerá el pueblo y tomará posesión de la tierra. ³⁶La heredarán los hijos de sus siervos; la habitarán los que aman al Señor.

UTILIZANDO EL FUTURO EN EL PRESENTE. No hay indicios de que el dolor o la circunstancia que David está pasando haya cambiado, así que este último brote de alabanza es asombroso. David mira hacia adelante, a un tiempo en donde no habrá maldad, enfermedad u opresión, cuando todas las cosas serán puestas en su correcto lugar. Y Pablo dice que de alguna inexplicable pero maravillosa forma nuestro sufrimiento actual hará que nuestra gloria temporal sea aún más brillante y asombrosa (2 Corintios 4:16-18). Si creemos en Cristo, esta es una herencia garantizada que no puede ser destruida o corrompida por el tiempo (Mateo 6:19-25). Cuando recibimos sanidad o liberación en el presente, recibimos pequeñas ventanas por las cuales podemos contemplar las grandes cosas que vendrán. Aprende a mirar a través de esas ventanas, aférrate a la salvación prometida y alábale.

Oración: Señor, debo aprender a alabarte —es la única cosa que te honrará y me satisfará. *Por tanto, con todo mi ser te cantaré; y lo mejor de mi corazón te presentaré.*[60] Amén.

Junio 8

Salmo 70. [1]Apresúrate, oh Dios, a rescatarme; ¡apresúrate, Señor, a socorrerme! [2]Que sean avergonzados y confundidos los que procuran matarme. Que retrocedan humillados todos los que desean mi ruina. [3]Que vuelvan sobre sus pasos, avergonzados, todos los que se burlan de mí. [4]Pero que todos los que te buscan se alegren en Ti y se regocijen; que los que aman Tu salvación digan siempre: "¡Sea Dios exaltado!" [5]Yo soy pobre y estoy necesitado; ¡ven pronto a mí, oh Dios! Tú eres mi socorro y mi libertador; ¡no te demores, Señor!

EL SECRETO. Existe un lugar en la oración para la urgencia. Jesús mismo aprobó la "impertinencia" (Lucas 11:8), una petición desvergonzada e implacable hecha a Dios. Sin embargo, incluso en medio de este tipo de oración, David utiliza su necesidad para estimular la alabanza (versículo 4). Las circunstancias pueden conducirnos a buscar a Dios y aun, antes de que estas cambien, podemos decir: "¡Sea Dios exaltado!", cuando comprendemos que Dios mismo y Su salvación son suficientes (versículo 4). Como dijo Elisabeth Elliot: "El secreto es Cristo en mí, no soy yo en circunstancias diferentes".[61]

Oración: Señor, ¡cuán pobremente oro! A veces oro con pereza, sin pasión o irritado, acusándote y diciéndote lo que debes hacer. Enséñame a orar con disciplina y pasión, pero al mismo tiempo a estar contento con Tu amor y voluntad. Entonces, a través de mis oraciones, harás tanto el bien en el mundo como el bien en mi corazón. Amén.

Junio 9

Salmo 71:1-6. [1]En Ti, Señor, me he refugiado; jamás me dejes quedar en vergüenza. [2]Por Tu justicia, rescátame y líbrame; dígnate escucharme, y sálvame. [3]Sé Tú mi roca de refugio adonde pueda yo siempre acudir; da la orden de salvarme, porque Tú eres mi roca, mi fortaleza. [4]Líbrame, Dios mío, de manos de los impíos, del poder de los malvados y violentos. [5]Tú, Soberano Señor, has sido mi esperanza; en Ti he confiado desde mi juventud. [6]De Ti he dependido desde que nací; del vientre materno me hiciste nacer. ¡Por siempre te alabaré!

LÍBRAME POR TU JUSTICIA. El salmista clama por ayuda porque sabe que Dios es justo (versículo 2). Pero ¿no debería eso llevarlo a castigarnos en lugar de ayudarnos? "Si Tú, Señor, tomaras en cuenta los pecados [y Él los toma en cuenta], ¿quién, Señor, sería declarado inocente?" (Salmo 130:3). ¿Cómo puede Dios amarnos y mantenerse justo? La Biblia es una gran y larga respuesta a esa pregunta. Es solo a través de Jesús. ¿Quién más ha dependido de Él desde que nació y lo ha alabado por siempre (versículo 6)? Él ganó la bendición de la salvación que nosotros *no* merecemos y tomó la maldición del pecado que nosotros *sí* merecemos (Gálatas 3:10-14). Si estamos en Cristo, la confianza que David tenía (versículo 5) se convierte en nuestra confianza por medio de la gracia.

Oración: Oh Señor, Tú estás más dispuesto a escuchar de lo que yo lo estoy para orar, y te inclinas a darme más de lo que deseo o merezco. Debido a que he buscado refugio en la obra salvadora de Jesús, dame Tu protección y Tu alegría.[62] *Amén.*

Junio 10

Salmo 71:7-18. [7]Para muchos, soy motivo de asombro, pero Tú eres mi refugio inconmovible. [8]Mi boca rebosa de alabanzas a Tu nombre, y todo el día proclama Tu grandeza. [9]No me rechaces cuando llegue a viejo; no me abandones cuando me falten las fuerzas. [10]Porque mis enemigos murmuran contra mí; los que me acechan se confabulan. [11]Y dicen: "¡Dios lo ha abandonado! ¡Persíganlo y agárrenlo, que nadie lo rescatará!". [12]Dios mío, no te alejes de mí; Dios mío, ven pronto a ayudarme. [13]Que perezcan humillados mis acusadores; que se cubran de oprobio y de ignominia los que buscan mi ruina. [14]Pero yo siempre tendré esperanza, y más y más te alabaré. [15]Todo el día proclamará mi boca Tu justicia y Tu salvación, aunque es algo que no alcanzo a descifrar. [16]Soberano Señor, relataré Tus obras poderosas, y haré memoria de Tu justicia, de Tu justicia solamente. [17]Tú, oh Dios, me enseñaste desde mi juventud, y aún hoy anuncio todos Tus prodigios. [18]Aun cuando sea yo anciano y peine canas, no me abandones, oh Dios, hasta que anuncie Tu poder a la generación venidera, y dé a conocer Tus proezas a los que aún no han nacido.

CUANDO SEA VIEJO. En la vejez la fuerza se desvanece (versículo 9) y no podemos realizar lo que alguna vez logramos (versículos 10 y 11). Pero nuestro valor se basa en el estatus ante Dios, no ante la sociedad (versículo 7). Cuando el predicador anglicano del siglo 19, Charles Simeón, se jubiló después de 54 años de ministerio, un amigo descubrió que él aún se levantaba a las 4:00 de la mañana, cada día, para orar y estudiar las Escrituras. Cuando se le sugirió que lo tomara con más calma, él respondió: "¿No debería correr con toda mi fuerza cuando la meta está tan cercana?".[63]

Oración: Señor, ayúdame a prepararme para la vejez. Que Tu Espíritu me muestre que mi valor no se fundamenta en mi economía, en mi productividad ni en mi popularidad. Se fundamenta en ser un miembro de Tu familia. Amén.

Junio 11

Salmo 71:19-24. [19]Oh Dios, Tú has hecho grandes cosas; Tu justicia llega a las alturas. ¿Quién como Tú, oh Dios? [20]Me has hecho pasar por muchos infortunios, pero volverás a darme vida; de las profundidades de la tierra volverás a levantarme. [21]Acrecentarás mi honor y volverás a consolarme. [22]Por Tu fidelidad, Dios mío, te alabaré con instrumentos de cuerda; te cantaré, oh Santo de Israel, salmos con la lira. [23]Gritarán de júbilo mis labios cuando yo te cante salmos, pues me has salvado la vida. [24]Todo el día repetirá mi lengua la historia de Tus justas acciones, pues quienes buscaban mi mal han quedado confundidos y avergonzados.

VOLVERÁS A DARME VIDA. En medio de este salmo encontramos una frase que debería detenernos y hacernos pensar: "Me has hecho pasar por muchos infortunios, pero volverás a darme vida" (versículo 20). El salmista confía en la soberana sabiduría y el amor de Dios, incluso cuando ha pasado por problemas. Él sabe que al final, todo lo que sucede es con el propósito de restaurar nuestras vidas —al profundizar en el amor, la sabiduría y el gozo de nuestra vida espiritual y finalmente al resucitar nuestros cuerpos en el nuevo mundo, libre de muerte y pecado (Romanos 8:18-25). Sin duda, entonces, "Él envía todo lo necesario; nada puede ser necesario si Él lo retiene".[64]

Oración: Señor, no permitas que la vejez aumente mi orgullo o mi preocupación. En vez de esto, permíteme crecer en humildad, al contemplar el gran número de pecados que me has perdonado y de los que me has protegido. Y permíteme crecer en paciencia al ver cuán paciente has sido conmigo. Amén.

Junio 12

Salmo 72:1-7. [1]Oh Dios, otorga Tu justicia al rey, Tu rectitud al príncipe heredero. [2]Así juzgará con rectitud a Tu pueblo y hará justicia a Tus pobres. [3]Brindarán los montes bienestar al pueblo, y fruto de justicia las colinas. [4]El rey hará justicia a los pobres del pueblo y salvará a los necesitados; ¡Él aplastará a los opresores! [5]Que viva el rey por mil generaciones, lo mismo que el sol y que la luna. [6]Que sea como la lluvia sobre un campo sembrado, como las lluvias que empapan la tierra. [7]Que en Sus días florezca la justicia, y que haya gran prosperidad, hasta que la luna deje de existir.

BUEN GOBIERNO. Solo si has experimentado la vida en un país en donde el gobierno sea corrupto y la ley haya fallado, puedes apreciar la bendición de un buen gobierno. El gran rey que se nos muestra aquí provee justicia social a los pobres y a los marginados (versículos del 2 al 4). La economía prospera debido a la buena administración de los bienes y a la gran confianza entre las personas, la cual es necesaria para el comercio (versículos 3, 6 y 7). Dios es un Dios que se interesa profundamente por estas cosas. Pero el encabezado del salmo menciona que es uno de Salomón e incluso él, el hijo de David, se convirtió en un opresor del pueblo (1 Reyes 12:4). Así que este salmo nos motiva a anhelar un rey mucho más grande que el del mejor gobierno terrenal que haya existido.

Oración: Concédeme, oh Señor, que el curso de este mundo sea ordenado pacíficamente por Tu gobierno, para que Tu pueblo pueda servirte alegremente cumpliendo con fidelidad Tu voluntad.[65] Amén.

Junio 13

Salmo 72:8-14. ⁸Que domine el rey de mar a mar, desde el río Éufrates hasta los confines de la tierra. ⁹Que se postren ante Él las tribus del desierto; ¡que muerdan el polvo Sus enemigos! ¹⁰Que le paguen tributo los reyes de Tarsis y de las costas remotas; que los reyes de Sabá y de Seba le traigan presentes. ¹¹Que ante Él se inclinen todos los reyes; ¡que le sirvan todas las naciones! ¹²Él librará al indigente que pide auxilio, y al pobre que no tiene quien lo ayude. ¹³Se compadecerá del desvalido y del necesitado, y a los menesterosos les salvará la vida. ¹⁴Los librará de la opresión y la violencia, porque considera valiosa su vida.

SANANDO LAS NACIONES. Las razas y las naciones —siempre en guerra unas con otras— ahora se ofrecen en servicio (versículos 10 y 11) no porque hayan sido conquistadas, sino porque han sido atraídas como un imán por la perfecta justicia y compasión de este rey (versículos del 12 al 14). Ningún rey terrenal ha sido así. Este cese de la lucha racial, de la eliminación de la pobreza y de la injusticia, son las marcas del reino de Dios, pero los gobiernos, aun los mejores, ni siquiera se acercan a esto. Sin embargo, cuando Jesús nació, recibió presentes procedentes de países lejanos (Mateo 2:1-12), y cuando la iglesia se estableció, las razas comenzaron a unificarse (Efesios 2:11-22) y la ayuda fue provista a los necesitados (Hechos 2:44-45; 4:32-36). El reino de Dios había entrado en la historia.

Oración: Señor, capacita a Tu iglesia para ganar el mundo no solo al proclamar Tu Palabra sino también al vivirla. Haz que nuestras congregaciones sean lugares en donde veamos que las razas y las clases sociales se reconcilian de maneras que no se reconciliarían en ningún otro lugar de la tierra. Amén.

Junio 14

Salmo 72:15-20. [15]¡Que viva el rey! ¡Que se le entregue el oro de Sabá! Que se ore por Él sin cesar; que todos los días se le bendiga. [16]Que abunde el trigo en toda la tierra; que ondeen los trigales en la cumbre de los montes. Que el grano se dé como en el Líbano; que abunden las gavillas como la hierba del campo. [17]Que Su nombre perdure para siempre; que Su fama permanezca como el sol. Que en Su nombre las naciones se bendigan unas a otras; que todas ellas lo proclamen dichoso. [18]Bendito sea Dios el Señor, el Dios de Israel, el único que hace obras portentosas. [19]Bendito sea por siempre Su glorioso nombre; ¡que toda la tierra se llene de Su gloria! Amén y amén. [20]Aquí terminan las oraciones de David hijo de Isaí.

EL VERDADERO REY. Este reino es eterno (versículo 5) y sin límite (versículo 8), pero, ¿es eso solo una antigua hipérbole? No. Estas declaraciones no pueden referirse a un rey terrenal. La imagen de la cosecha en lo alto de las montañas, en donde la tierra no puede soportar tal crecimiento (versículo 16), indica un mundo sobrenaturalmente renovado. Este rey solo puede ser Jesús. Ponernos bajo su reinado nos lleva a un crecimiento sobrenatural en el presente (Gálatas 5:22-26). Fuimos creados con la necesidad de obedecerlo, como el césped necesita de la lluvia (versículo 6). Y Cristo, algún día, unirá y sanará todas las cosas (Colosenses 1:15-20; Romanos 8:18-21). Todas las antiguas leyendas de un gran rey que regresará a poner todas las cosas en orden se cumplen en Él.

Oración: Señor, vivo en una cultura que demanda que no rinda mi autoridad a nadie. Pero violaría Tu gloria y mi naturaleza si no rindo el señorío sobre mi vida. Por tanto, voluntariamente obedezco a todo lo que Tú digas y recibo todo lo que Tú envíes, lo entienda o no. Amén.

Junio 15

Salmo 73:1-3. ¹En verdad, ¡cuán bueno es Dios con Israel, con los puros de corazón! ²Yo estuve a punto de caer, y poco me faltó para que resbalara. ³Sentí envidia de los arrogantes, al ver la prosperidad de esos malvados.

LA ENVIDIA DE LOS MALOS. El salmista confiesa que está al borde de la envidia (versículo 3). Envidiar es querer la vida de alguien más. Es sentir que ellos no merecen su buena vida y tú sí, y que Dios no ha sido justo. Esta autolástima espiritual —la cual se olvida de tus pecados y de lo que realmente mereces— te quita la alegría por completo, haciendo imposible que disfrutes lo que tienes. El poder de la envidia es tal que aun le hizo sentir al ser humano que el Jardín del Edén no era suficiente. No es de sorprender que el salmista "estuviera a punto de caer" y se alejara de Dios (versículo 2). No te permitas caer en la envidia, o destruirás tu propio gozo.

Oración: Señor, ¡los bienes de este mundo están repartidos tan inequitativamente! Sin embargo, confieso que si yo tuviera mayor prosperidad, no me molestarían tanto estas injusticias. Mi envidia está llena de autojusticia y esto me roba el gozo. Perdóname y transfórmame. Amén.

Junio 16

Salmo 73:4-9. [4]Ellos no tienen ningún problema; su cuerpo está fuerte y saludable. [5]Libres están de los afanes de todos; no les afectan los infortunios humanos. [6]Por eso lucen su orgullo como un collar, y hacen gala de su violencia. [7]¡Están que revientan de malicia, y hasta se les ven sus malas intenciones! [8]Son burlones, hablan con doblez, y arrogantes oprimen y amenazan. [9]Con la boca increpan al cielo, con la lengua dominan la tierra.

AUTOSUFICIENCIA. La descripción del salmista de las élites de sus días parece perdurar en el tiempo. Tienen cuerpos saludables y fuertes; hoy podríamos decir que los llamamos gente hermosa (versículo 4). Tienen las conexiones correctas para evitar las responsabilidades que la mayoría de la gente debe enfrentar (versículos 5 y 12). Han tenido fortuna, pero toman todo el crédito, sintiéndose superiores a todos los demás (versículos 6 y 8). La raíz de todo ello es que no se percatan de su necesidad de Dios. Si hay un cielo, sienten que lo han ganado (versículos 9 y 11). Los creyentes deben recordar que también tenemos esta autosuficiencia dentro de nosotros. ¿Por qué oramos menos cuando las cosas van bien en nuestra vida? ¿Y por qué secretamente sentimos que merecemos las vidas que ellos tienen?

Oración: Señor, nunca ha habido una sociedad humana que no sea orgullosamente arrogante en lo más alto ni amargamente envidiosa en lo más bajo. Padre, dale a nuestra cultura Tu gracia, haciendo humildes a los líderes y a los seguidores, y dándonos paz. Amén.

Junio 17

Salmo 73:10-14. [10]Por eso la gente acude a ellos y cree todo lo que afirman. [11]Hasta dicen: "¿Cómo puede Dios saberlo? ¿Acaso el Altísimo tiene entendimiento?". [12]Así son los impíos; sin afanarse, aumentan sus riquezas. [13]En verdad, ¿de qué me sirve mantener mi corazón limpio y mis manos lavadas en la inocencia, [14]si todo el día me golpean y de mañana me castigan?

¿QUÉ RECIBIDO DE ELLO? El salmista concluye que una buena vida no le ha traído riqueza ni le ha permitido estar libre de problemas (versículo 12). Por tanto, concluye que todo por lo que ha trabajado "no sirve de nada" (versículo 13). Pero esto solo desenmascara su corazón. Su obediencia no era una forma de agradar a Dios, sino una manera de hacer que Dios se lo recompensara. Cuando le decimos a Dios: "Te serviré solo si tal cosa pasa", entonces es aquella cosa que queremos que pase lo que amamos, y Dios se convierte solo en un medio para obtenerlo. El asombro por esta declaración comienza a aclarar su mente. En cada circunstancia difícil podemos escuchar a Dios decir: "Ahora veremos si viniste a Mí para servirme, o si viniste para servirte a ti mismo".

Oración: Señor, no quiero servirte cuando mi vida no es lo que deseo. No te amo tanto como amo las buenas cosas que deseo obtener de Ti. Ilumina mi mente y corazón para ver Tu belleza y amarte por quien eres. Eso no solo es lo justo, sino que también es mi verdadera alegría. Amén.

Junio 18

Salmo 73:15-20. [15]Si hubiera dicho: "Voy a hablar como ellos", habría traicionado a Tu linaje. [16]Cuando traté de comprender todo esto, me resultó una carga insoportable, [17]hasta que entré en el santuario de Dios; allí comprendí cuál será el destino de los malvados: [18]En verdad, los has puesto en terreno resbaladizo, y los empujas a su propia destrucción. [19]¡En un instante serán destruidos, totalmente consumidos por el terror! [20]Como quien despierta de un sueño, así, Señor, cuando Tú te levantes, desecharás su falsa apariencia.

EL SUEÑO DEL MUNDO. El primer paso para escapar del hoyo del resentimiento y de la envidia es la adoración. El salmista entra al santuario y, en presencia del Dios verdadero, su vista se aclara; comienza a comprender la perspectiva a largo plazo (versículos 16 y 17). Se percata de que las riquezas sin Dios se convertirán en pobreza eterna; los famosos que no tienen a Dios van camino a ser eternamente ignorados (versículos 18 y 19). Dentro de los confines del sueño, puedes ser muy intimidado por algunos seres poderosos, pero tan pronto despiertas, te ríes de su falta de poder como para perjudicarte en la vida real. Todo el poder y la riqueza terrenal son como un sueño. No pueden ni mejorar ni empeorar tu identidad cristiana, ni tu felicidad, ni tu herencia.

Oración: Señor, te alabo por ser más real que las montañas y en Ti soy más rico, más que si tuviera todas las joyas terrenales. A mis ojos, por el poder de Tu Espíritu, permite *que las cosas terrenales se desvanezcan a la luz de Tu gloria y de Tu gracia.*[66] Amén.

Junio 19

Salmo 73:21-23. ²¹Se me afligía el corazón y se me amargaba el ánimo ²²por mi necedad e ignorancia. ¡Me porté contigo como una bestia! ²³Pero yo siempre estoy contigo, pues Tú me sostienes de la mano derecha.

GRACIA ELECTRIFICANTE. El antídoto para el virus de la envidia y de la autolástima es la humildad. El salmista primero vio que su pecado le lastimaba (versículo 2) y después vio que lastimaba a los demás (versículo 15), pero finalmente se percata de que ha sido tan arrogante ante Dios como las personas a las que despreciaba. Existe en nosotros una voluntad instintiva tan desconsiderada e inhumana como las de las bestias (versículo 22). Agustín decía que llegó a robar peras por el mero hecho de que estaba prohibido.[67] Dentro de nosotros algo nos susurra: "Nadie me dirá qué hacer". Solo cuando admitimos que esta oscuridad existe en nuestro interior, la gloriosa palabra de gracia puede llegar a nosotros. Dios nunca desamparó al salmista. Solo cuando veamos la profundidad de nuestro pecado, seremos reanimados por la maravillosa gracia.

Oración: Señor, cuanto más oscuro es el cielo, más visibles y hermosas son las estrellas. Y cuanto más admito mi pecado, más real se vuelve Tu gracia. Solo entonces Tu gracia me da humildad y me afirma, me limpia y me moldea. Haz que Tu gracia sea maravillosa en mi corazón. Amén.

Junio 20

Salmo 73:24-28. ²⁴Me guías con Tu consejo, y más tarde me acogerás en gloria. ²⁵¿A quién tengo en el cielo sino a Ti? Si estoy contigo, ya nada quiero en la tierra. ²⁶Podrán desfallecer mi cuerpo y mi espíritu, pero Dios fortalece mi corazón; Él es mi herencia eterna. ²⁷Perecerán los que se alejen de Ti; Tú destruyes a los que te son infieles. ²⁸Para mí el bien es estar cerca de Dios. He hecho del Señor Soberano mi refugio para contar todas Sus obras.

NADA SINO TÚ. El salmista se quebranta. Cuando exclama: "¿A quién tengo en el cielo sino a Ti?" (versículo 25), quiere decir: "Si no te tengo a Ti, no tengo nada —ninguna otra cosa me saciará ni perdurará". Sin duda queremos reunirnos con nuestros seres queridos en el cielo. Sin embargo, lo que hace al cielo un paraíso es que Dios lo habita. Aquellos que se nos adelantaron no están mirando hacia abajo extrañándonos, sino que están sumergidos en una fuente inagotable de alegría, deleite y adoración. Agustín escribió: "Solo Dios es el lugar de paz que no puede interrumpirse —y Él no rechazará tu amor a menos que tú rechaces el Suyo".[68] La vida en la gloria con Dios (versículo 24) sanará todas las heridas y contestará todas las preguntas. Jesús lo ha prometido.

Oración: Señor, te agradezco porque el sufrimiento me acerca más a Ti. No son los placeres terrenales sino mi dolor el que me muestra que Tu gracia es suficiente. *Vivo para mostrar Tu poder, que primero cambió mi alegría en llanto, y ahora mi dolor en canto.*[69] Amén.

Salmo 74:1-8. [1]¿Por qué, oh Dios, nos has rechazado para siempre? ¿Por qué se ha encendido Tu ira contra las ovejas de Tu prado? [2]Acuérdate del pueblo que adquiriste desde tiempos antiguos, de la tribu que redimiste para que fuera Tu posesión. Acuérdate de este monte Sion, que es donde Tú habitas. [3]Dirige Tus pasos hacia estas ruinas eternas; ¡todo en el santuario lo ha destruido el enemigo! [4]Tus adversarios rugen en el lugar de Tus asambleas y plantan sus banderas en señal de victoria. [5]Parecen leñadores en el bosque, talando árboles con sus hachas. [6]Con sus hachas y martillos destrozaron todos los adornos de madera. [7]Prendieron fuego a Tu santuario; profanaron el lugar donde habitas. [8]En su corazón dijeron: "¡Los haremos polvo!", y quemaron en el país todos Tus santuarios.

ENFRENTANDO LA RUINA. El salmista repasa la total destrucción de Jerusalén y del templo (versículos 3 y 7) por el ejército babilonio. Generalmente se asume que mientras Dios puede permitir ciertas dificultades, no dejará que tragedias horrendas les sucedan a las personas que confían en Él. Pero la Biblia muestra que este desastre en particular no era total, que Dios no los estaba abandonando. Y la persona más fiel que ha existido, Jesús, también sufrió horrendamente con el propósito de redimirnos. Así que recuerda: "Dios es Dios. Si Él es Dios, Él es digno de mi alabanza y de mi servicio. No encontraré descanso en algún otro lugar más que en Su voluntad, y esa voluntad supera mi comprensión".[70]

Oración: Señor, te alabo porque no solo nos das gloria en medio de la oscuridad, fuerza en la debilidad y alegría en el sufrimiento, sino que también, con frecuencia, enriqueces las cosas buenas y las haces mejores y más poderosas a través de esas calamidades. Ayuda a que mi corazón y mi mente descansen en esta verdad. Amén.

Junio 22

Salmo 74:9-17. [9]Ya no vemos ondear nuestras banderas; ya no hay ningún profeta, y ni siquiera sabemos hasta cuándo durará todo esto. [10]¿Hasta cuándo, oh Dios, se burlará el adversario? ¿Por siempre insultará Tu nombre el enemigo? [11]¿Por qué retraes Tu mano, Tu mano derecha? ¿Por qué te quedas cruzado de brazos? [12]Tú, oh Dios, eres mi rey desde tiempos antiguos; Tú traes salvación sobre la tierra. [13]Tú dividiste el mar con Tu poder; les rompiste la cabeza a los monstruos marinos. [14]Tú aplastaste las cabezas de Leviatán y lo diste por comida a las jaurías del desierto. [15]Tú hiciste que brotaran fuentes y arroyos; secaste ríos de inagotables corrientes. [16]Tuyo es el día, Tuya también la noche; Tú estableciste la luna y el sol; [17]trazaste los límites de la tierra, y creaste el verano y el invierno.

ORANDO DURANTE LA RUINA. Ahora el salmista comienza a procesar este desastre en oración. Hay dos cosas que él no hace. No se resigna al mal estado de las cosas, pero tampoco se aleja enojado contra Dios, asumiendo que él sabe mejor cómo deberían ser las cosas. En lugar de ello, expresa su pesar y su queja, pero siempre dirigiéndose a Dios. Recuerda que Dios tiene todo el poder (versículos del 13 al 17). El salmista está diciendo: "Señor, ¿a quién iremos? Solo Tú tienes palabras de vida eterna" (Juan 6:68). Si creemos en Dios solamente cuando hace cosas grandiosas para nosotros, realmente no le estamos sirviendo; solo lo estamos usando.

Oración: Señor, en tiempos de oscuridad acostumbro no acudir al trono de la gracia en oración. Dame la fuerza para acudir y permanecer en Ti. Amén.

Salmo 74:18-23. [18]Recuerda, Señor, que Tu enemigo se burla, y que un pueblo insensato ofende Tu nombre. [19]No entregues a las fieras la vida de Tu tórtola; no te olvides, ni ahora ni nunca, de la vida de Tus pobres. [20]Toma en cuenta Tu pacto, pues en todos los rincones del país abunda la violencia. [21]Que no vuelva humillado el oprimido; que alaben Tu nombre el pobre y el necesitado. [22]Levántate, oh Dios, y defiende Tu causa; recuerda que a todas horas te ofenden los necios. [23]No pases por alto el griterío de Tus adversarios, el creciente tumulto de Tus enemigos.

RECUERDA TU PACTO. El templo destruido, el lugar de sacrificio y expiación, era el lugar en donde las personas podían acercarse al Santo Dios a pesar de su pecado. Esta provisión era parte del pacto que Él hizo con ellos a través de Moisés, en donde estableció que sería su Dios. Al final, el salmista descansa en que Dios no se olvidará de ese pacto (versículo 20). También podemos dejar a un lado nuestros miedos, sabiendo que Dios se ha mantenido fiel a Su pacto a través de Jesucristo, que gracias a Su sacrificio por el pecado y a Su mediación, ahora Él es el templo nuevo y final.[71] Ahora sabemos que la promesa del pacto: "Yo seré su Dios" (Éxodo 6:7) realmente significa: "*A pesar de todo*, Yo seré su Dios", porque en Cristo vemos hasta dónde fue capaz de ir Dios por amor a nosotros.

Oración: Señor, nuestras vidas están llenas de luz y oscuridad, pecado y gracia. Ayúdame a responder como debería en oración —gimiendo y alabando, lamentando y confiando— pero con el conocimiento de que al final todo terminará en alegría y en gloria. Amén.

Junio 24

Salmo 75:1-5. ¹Te damos gracias, oh Dios, te damos gracias e invocamos Tu nombre; ¡todos hablan de Tus obras portentosas! ²Tú dices: "Cuando Yo lo decida, juzgaré con justicia. ³Cuando se estremece la tierra con todos sus habitantes, soy Yo quien afirma sus columnas". ⁴"No sean altaneros", digo a los altivos; "No sean soberbios", ordeno a los impíos; ⁵"No hagan gala de soberbia contra el cielo, ni hablen con aires de suficiencia".

HUMILLANDO A LOS ORGULLOSOS. En la actualidad los discursos públicos están llenos de lenguaje de cómo las tecnologías, las políticas o las ideas cambiarán al mundo. Desde nuestro punto de vista, son los más brillantes, poderosos y ricos los que fijan el rumbo de los eventos. Dios, sin embargo, dice que es Él quien sostiene las columnas de la tierra (versículo 3), quien literalmente sostiene al mundo (Hechos 17:28; Hebreos 1:3). Todo el talento humano (Santiago 1:17), la sabiduría humana (Romanos 2:14-15) y el éxito (Mateo 5:45) son regalos suyos. Él está en control de todo lo que sucede en la historia, y aun los más poderosos terminan por cumplir Sus propósitos (versículo 2; Juan 19:11). Por tanto, no debemos pensar, arrogantemente, que somos capaces de dirigir nuestras vidas. No lo somos.

Oración: Señor, te alabo porque eres soberano sobre todo. Cuán desafiante es esto —no tengo control sobre mi vida. Y cuán reconfortante es —no puedo dirigir mi vida pero debo descansar en Ti. Aclara mi visión para contemplar esta verdad y recibir su desafío y consuelo día a día. Amén.

Salmo 75:6-10. [6]La exaltación no viene del oriente, ni del occidente ni del sur, [7]sino que es Dios el que juzga: a unos humilla y a otros exalta. [8]En la mano del Señor hay una copa de espumante vino mezclado con especias; cuando Él lo derrame, todos los impíos de la tierra habrán de beberlo hasta las heces. [9]Yo hablaré de esto siempre; cantaré salmos al Dios de Jacob. [10]Aniquilaré la altivez de todos los impíos, y exaltaré el poder de los justos.

LA COPA. En la Biblia, la copa es una imagen de prueba o juicio. La copa "de espumante vino" es la copa del juicio divino en contra de los impíos (versículo 8), la copa del castigo infinito que incluso provocó que el corazón del Hijo de Dios desfalleciera (Mateo 26:42). Sin embargo, en la cruz, Jesús aceptó la voluntad de Dios y bebió de esta copa por nosotros, sabiendo que a pesar de su amargura, del otro lado le esperaba la alegría de estar con nosotros. Somos Su recompensa (Isaías 40:10). Cuando somos enfrentados con un aspecto de la voluntad divina en nuestras vidas del cual queremos huir, debemos imitar a Cristo y susurrar: "Hágase Tu voluntad". Entonces podemos esperar el gozo de estar con Él.

Oración: Padre, no puedo agradecerte lo suficiente por Tu regalo. *Cristo, mi amado Salvador, tomó de la copa de Tu ira. Cuán amarga hubiese sido para mí si Él no la hubiese tomado por mí.*[72] Amén.

Salmo 76:1-6. ¹Dios es conocido en Judá; Su nombre es exaltado en Israel. ²En Salén se halla Su santuario; en Sion está Su morada. ³Allí hizo pedazos las centelleantes saetas, los escudos, las espadas, las armas de guerra. ⁴Estás rodeado de esplendor; eres más imponente que las montañas eternas. ⁵Los valientes yacen ahora despojados; han caído en el sopor de la muerte. Ninguno de esos hombres aguerridos volverá a levantar sus manos. ⁶Cuando Tú, Dios de Jacob, los reprendiste, quedaron pasmados jinetes y corceles.

EL DIOS QUE LUCHA POR NOSOTROS. Los jinetes y corceles representan la tecnología de punta en la guerra moderna. Ningún soldado a pie podía resistirlos y ganarles. Pero Dios es infinitamente más poderoso que cualquier fuerza humana (versículo 5). Uno de los grandes temas de la Biblia es que Dios pelea por nosotros contra nuestros enemigos. Cuando dice que Dios solo necesita reprender un ejército y este quedará pasmado (versículo 6), nos recuerda a Jesús cuando calmó la tormenta con una sola palabra (Marcos 4:39). Los cristianos saben que Jesús vino a combatir a nuestros enemigos más grandes —la muerte y el pecado— al ir a la cruz. Él nos protege de todo peligro, y mientras estemos con Él y Él con nosotros todo saldrá bien.

Oración: Señor, te alabo por ser un Dios majestuoso. Eres infinitamente importante y todo lo demás es secundario; eres eterno y todo lo demás se desvanece. No permitas que sea deslumbrado por el poder o la belleza humana. Amén.

Junio 27

Salmo 76:7-12. [7]Tú, y solo Tú, eres de temer. ¿Quién puede hacerte frente cuando se enciende Tu enojo? [8]Desde el cielo diste a conocer Tu veredicto; la tierra, temerosa, guardó silencio [9]cuando Tú, oh Dios, te levantaste para juzgar, para salvar a los pobres de la tierra. [10][La ira de la humanidad te dará alabanza; y con lo que quede de esa ira reforzarás Tu espada].[73] [11]Hagan votos al Señor su Dios, y cúmplanlos; que todos los países vecinos paguen tributo al Dios temible, [12]al que acaba con el valor de los gobernantes, ¡al que es temido por los reyes de la tierra!

LA FURIA DE LOS HOMBRES TE ALABA. El versículo 10 es muy interesante. No solamente todos los esfuerzos por desafiar o derrotar a Dios terminan por ser parte de Su propósito (Génesis 50:20; Hechos 4:27-28), sino que también harán que el gozo y la gloria del mundo renovado sea mayor. Esa será la derrota final de la maldad. El mayor ejemplo es la muerte de Jesús. "Este fue entregado según el determinado propósito y el previo conocimiento de Dios; y por medio de gente malvada, ustedes lo mataron, clavándolo en la cruz" (Hechos 2:23). Esto sin duda nos lleva a temerle, a maravillarnos de Su grandeza y a sujetarnos a Su señorío (versículo 7).

Oración: Señor, haznos tener temor y amor perpetuo por Tu santo nombre; porque Tú nunca fallas en ayudar y gobernar a aquellos que has traído a Tu amor que no cambia.[74] Concédenos esto a través de Jesucristo, nuestro Señor. Amén.

Junio 28

Salmo 77:1-4. ¹A Dios elevo mi voz suplicante; a Dios elevo mi voz para que me escuche. ²Cuando estoy angustiado, recurro al Señor; sin cesar elevo mis manos por las noches, pero me niego a recibir consuelo. ³Me acuerdo de Dios, y me lamento; medito en Él, y desfallezco. ⁴No me dejas conciliar el sueño; tan turbado estoy que ni hablar puedo.

LA IMPORTANCIA DE LA MEDITACIÓN. El salmista enfrenta sufrimiento y angustia (versículo 2). En respuesta a ello, medita (versículos 3, 6, 11 y 12). La palabra "meditar" puede ser traducida como "reflexionar", una palabra relacionada con la música. Cuando ponemos las palabras en cantos, llegan directo al corazón. Cuando meditamos, hacemos que la verdad llegue hasta el corazón. Esta es la clave para manejar las dificultades. El salmista no solo está crujiendo sus dientes hasta que la tormenta pase. Tampoco está solamente ventilando sus emociones. Él redirige sus pensamientos y sentimientos hacia las verdades de Dios. Su primer esfuerzo en los versículos del 1 al 4 parece no haber sido de gran ayuda. Así que meditar no da resultados inmediatos y aprender a hacerlo toma toda una vida.

Oración: Señor, tus discípulos te pidieron que les enseñases a orar —pero yo también te pido que me enseñes a meditar en Tu Palabra. Dame la paciencia y el hábito de que mi mente pueda notar, saborear y digerir Tus palabras. Permite que ellas moren abundantemente en mí. Amén.

Junio 29

Salmo 77:5-9. ⁵Me pongo a pensar en los tiempos de antaño; de los años ya idos ⁶me acuerdo. Mi corazón reflexiona por las noches; mi espíritu medita e inquiere: ⁷"¿Nos rechazará el Señor para siempre? ¿No volverá a mostrarnos Su buena voluntad? ⁸¿Se habrá agotado Su gran amor eterno, y Sus promesas por todas las generaciones? ⁹¿Se habrá olvidado Dios de Sus bondades, y en Su enojo ya no quiere tenernos compasión?".

HACIENDO PREGUNTAS. Otra fase importante de la meditación es "mi espíritu... inquiere" (versículo 6). La meditación consiste, en gran medida, en hacer las preguntas correctas. Meditar es hacer preguntas acerca de la verdad, como "¿qué diferencia hace esto? ¿Estoy tomando esto en serio? Si me olvido de esto, ¿cómo me afectará? ¿Me he olvidado de ello? ¿Estoy viviendo a la luz de esto?". Las preguntas del salmista sobre el "amor eterno" comienzan a sugerir sus propias respuestas (versículo 8). Mientras contamos cada minuto de sufrimiento como una eternidad, las misericordias de Dios se renuevan cada mañana que despertamos. Él no nos olvidará ni nos fallará, y aunque clamemos a Él y le digamos que nos sentimos abandonados, Él nunca nos dejará.

Oración: Señor, gracias porque eres un Dios que permite preguntas. Mantén mi mente clara mientras las formulo, porque las preguntas realizadas honestamente, a la luz de Tu santidad, siempre conducen a confiar en Ti. ¿En quién confiaré más que en Ti? ¿En mí mismo? Esa sería la cosa más tonta que podría hacer. Amén.

Junio 30

Salmo 77:10-15. [10]Y me pongo a pensar: "Esto es lo que me duele: que haya cambiado la diestra del Altísimo". [11]Prefiero recordar las hazañas del Señor, traer a la memoria Sus milagros de antaño. [12]Meditaré en todas Tus proezas; evocaré Tus obras poderosas. [13]Santos, oh Dios, son Tus caminos; ¿qué dios hay tan excelso como nuestro Dios? [14]Tú eres el Dios que realiza maravillas; el que despliega Su poder entre los pueblos. [15]Con Tu brazo poderoso redimiste a Tu pueblo, a los descendientes de Jacob y de José.

PRESENTANDO TU CASO. Finalmente el salmista decide realizar una meditación sostenida (versículo 12). Él apela (versículo 11) a las hazañas milagrosas que Dios realizó durante el éxodo. Los abogados apelan a un caso cuando tienen la esperanza de una resolución diferente a la que recibieron de otra corte con menor autoridad. El salmista está discutiendo con su propio corazón, quien había decidido que ya no había esperanza. Su argumento es: "Si un Dios con tales poderes (versículo 14) nos ama, ¿de qué temeré?". Él reflexiona en el poder y el amor de Dios mostrado en el pasado para contrarrestar sus miedos presentes.

Oración: Señor, te alabo porque las grandes muestras de Tu poder en la historia nos han revelado Tu misericordia, amor y salvación. Abre mis ojos y anima a mi corazón para confiar en Tus promesas, para poder vivir con la paz que Tú les das a todos los que te conocen. Amén.

Salmo 77:16-20. [16]Las aguas te vieron, oh Dios, las aguas te vieron y se agitaron; el propio abismo se estremeció con violencia. [17]Derramaron su lluvia las nubes; retumbaron con estruendo los cielos; rasgaron el espacio Tus centellas. [18]Tu estruendo retumbó en el torbellino y Tus relámpagos iluminaron el mundo; la tierra se estremeció con temblores. [19]Te abriste camino en el mar; te hiciste paso entre las muchas aguas, y no se hallaron Tus huellas. [20]Por medio de Moisés y de Aarón guiaste como un rebaño a Tu pueblo.

EL GRAN ÉXODO. Los versículos del 13 al 20 son el ejemplo de una meditación exitosa, en donde el salmista le predica a su propio corazón sobre la gracia de Dios revelada en el éxodo. El resultado es que su corazón renueva su confianza y es capaz de enfrentar los problemas. Los cristianos tenemos una más excelente forma de asegurarnos de que Dios nunca nos abandonará ni nos dejará. Jesús realizó el mayor éxodo de todos, liberándonos no solo de la esclavitud social o política, sino también del pecado y de la muerte (Lucas 9:31). Además, Su muerte en la cruz es un modelo de cómo lleva a cabo Dios Sus propósitos a través de lo que parece una derrota. Cuando meditemos en eso, tendremos un recurso para enfrentar cualquier cosa.

Oración: Señor, te agradezco por ser un Dios de poder infinito tal que las tormentas y los océanos te obedecen, y al mismo tiempo eres un pastor tierno para nosotros. Si el poder infinito del universo es nuestro pastor amoroso, podemos vivir sin temores. Amén.

Julio 2

Salmo 78:1-8. ¹Pueblo mío, atiende a mi enseñanza; presta oído a las palabras de mi boca. ²Mis labios pronunciarán parábolas y evocarán misterios de antaño, ³cosas que hemos oído y conocido, y que nuestros padres nos han contado. ⁴No las esconderemos de sus descendientes; hablaremos a la generación venidera del poder del Señor, de Sus proezas, y de las maravillas que ha realizado. ⁵Él promulgó un decreto para Jacob, dictó una ley para Israel; ordenó a nuestros antepasados enseñarlos a sus descendientes, ⁶para que los conocieran las generaciones venideras y los hijos que habrían de nacer, que a su vez los enseñarían a sus hijos. ⁷Así ellos pondrían su confianza en Dios y no se olvidarían de Sus proezas, sino que cumplirían Sus mandamientos. ⁸Así no serían como sus antepasados: generación obstinada y rebelde, gente de corazón fluctuante, cuyo espíritu no se mantuvo fiel a Dios.

UNA RELIGIÓN DEL CORAZÓN. Este salmo cuenta la historia de Israel, desde su liberación de Egipto hasta el reinado de David. La lección negativa que debe aprenderse es que la historia no debe repetirse en los oyentes (versículo 8). La lección positiva es que los creyentes sean marcados con la fe verdadera (versículo 7). No solo debemos conocer la verdad sobre lo que Dios es (versículo 7), sino que debemos confiar en Él con todo el corazón (versículos 7 y 8) y mostrar la fe salvadora a través de una vida transformada y de la obediencia (versículo 7). A través de la historia muchos han honrado a Dios con un comportamiento externo, pero han fallado en poseer corazones transformados (Isaías 29:13; Jeremías 4:4). ¿Estás solo practicando una religión, o has nacido de nuevo (Juan 3:1-16)?

Oración: Señor, puedo obedecerte a la fuerza, pero eso no te agrada. Tú quieres mi corazón. Pero como Pablo, observo impulsos en mí que te resisten. Reemplaza mi corazón de piedra por un corazón de carne (Ezequiel 36:26). Ayúdame a amarte y a desearte. Amén.

Julio 3

Salmo 78:9-16.
⁹La tribu de Efraín, con sus diestros arqueros, se puso en fuga el día de la batalla. ¹⁰No cumplieron con el pacto de Dios, sino que se negaron a seguir Sus enseñanzas. ¹¹Echaron al olvido Sus proezas, las maravillas que les había mostrado, ¹²los milagros que hizo a la vista de sus padres en la tierra de Egipto, en la región de Zoán. ¹³Partió el mar en dos para que ellos lo cruzaran, mientras mantenía las aguas firmes como un muro. ¹⁴De día los guió con una nube, y toda la noche con luz de fuego. ¹⁵En el desierto partió en dos las rocas, y les dio a beber torrentes de aguas; ¹⁶hizo que brotaran arroyos de la peña y que las aguas fluyeran como ríos.

NO OLVIDES. "La tribu de Efraín" se refiere a las tribus del norte de Israel (versículos 9 y 10) que cayeron en idolatría (1 Reyes 12) y fueron deportados, perdiéndose en la historia (2 Reyes 17). La raíz de su problema fue su amnesia espiritual (versículo 11). Los cristianos también pueden estancarse porque olvidan que Dios los ha limpiado de sus pecados (2 Pedro 1:9). Debemos tener un corazón que se revitalice constantemente al recordar el costoso sacrificio de Jesús. Debemos recordar que, por nuestros pecados, Él fue olvidado ("¿Por qué me has desamparado?", Mateo 27:46) para que ahora Dios no pueda olvidarnos, como una madre tiene siempre presentes a sus hijos (Isaías 49:14-16). Recordar esto te dará un gran corazón.

Oración: Señor, me preocupo porque olvido Tu sabiduría; guardo resentimiento porque olvido Tu misericordia; codicio porque olvido Tu belleza; peco porque olvido Tu santidad; temo porque olvido Tu soberanía. Tú siempre me recuerdas; ayúdame a siempre recordarte. Amén.

Julio 4

Salmo 78:17-25. [17]Pero ellos volvieron a pecar contra Él; en el desierto se rebelaron contra el Altísimo. [18]Con toda intención pusieron a Dios a prueba, y le exigieron comida a su antojo. [19]Murmuraron contra Dios, y aun dijeron: "¿Podrá Dios tendernos una mesa en el desierto? [20]Cuando golpeó la roca, el agua brotó en torrentes; pero ¿podrá también darnos de comer?, ¿podrá proveerle carne a Su pueblo?". [21]Cuando el Señor oyó esto, se puso muy furioso; Su enojo se encendió contra Jacob, Su ira ardió contra Israel. [22]Porque no confiaron en Dios, ni creyeron que Él los salvaría. [23]Desde lo alto dio una orden a las nubes, y se abrieron las puertas de los cielos. [24]Hizo que les lloviera maná, para que comieran; pan del cielo les dio a comer. [25]Todos ellos comieron pan de ángeles; Dios les envió comida hasta saciarlos.

PROBANDO A DIOS. En el desierto, las personas demandaban más señales y pruebas del amor de Dios por ellos, como si la liberación de Egipto no fuese suficiente. Poner "a Dios a prueba" (versículo 18) es uno de los impulsos básicos del corazón humano. No importa todo lo que Dios haya hecho por nosotros, nuestros corazones preguntan: "¿Pero qué has hecho por mí últimamente?". Lo malo de esto es que cambiamos de lugar con respecto a Dios. Lo ponemos a prueba, haciendo que nuestra relación sea condicionada a qué tan bien creemos que se comporta con nosotros. Sin embargo, Dios creó el universo con una palabra, y aun las galaxias son como polvo ante Él. ¿A esta clase de persona le pides que sea Tu asistente personal?

Oración: Señor Jesús, ¿cómo puedo obedecerte y amarte con condiciones si Tú me has amado incondicionalmente? Tú has mirado desde la cruz y has visto la traición, la negación, el abandono y aun así permaneciste ahí. Ayúdame a aferrarme a Ti y a obedecerte sin importar nada más. Amén.

Julio 5

Salmo 78:26-31. ²⁶Desató desde el cielo el viento solano, y con Su poder levantó el viento del sur. ²⁷Cual lluvia de polvo, hizo que les lloviera carne; ¡nubes de pájaros, como la arena del mar! ²⁸Los hizo caer en medio de su campamento y en los alrededores de sus tiendas. ²⁹Comieron y se hartaron, pues Dios les cumplió su capricho. ³⁰Pero el capricho no les duró mucho: aún tenían la comida en la boca ³¹cuando el enojo de Dios vino sobre ellos: dio muerte a sus hombres más robustos; abatió a la flor y nata de Israel.

EL ABURRIMIENTO DEL PECADO. Este salmo hace referencia a Números 11. Aquí los israelitas se quejan de haberse cansado de la provisión divina del maná como alimento diario. Ellos anhelaban carne. Dios les envió codornices y les advirtió que terminarían hastiados de lo que habían deseado (Números 11:20). Una de las marcas de la adicción es el llamada "efecto de tolerancia", en donde un adicto necesita cada vez una mayor dosis de la droga para obtener la misma sensación. De la misma manera, cualquier cosa que pongamos en el lugar de Dios, o cualquier cosa en la que confiemos, después de un gusto inicial, terminará por aburrirnos. Solo Dios y Su amor nos pueden producir cada vez más una mayor satisfacción.

Oración: Señor, confieso que con frecuencia encuentro que la oración es aburrida y el pecado es fascinante, pero esto es porque mi mente está distorsionada por el pecado. Solo Tú puedes satisfacer los anhelos más profundos de mi alma. Solo Tú eres eternamente interesante. Me comprometo a buscarte en la oración y en Tu Palabra. Ayúdame a cumplir esta promesa. Amén.

Julio 6

[32]A pesar de todo, siguieron pecando y no creyeron en Sus maravillas. [33]Por tanto, Dios hizo que sus días se esfumaran como un suspiro, que sus años acabaran en medio del terror. [34]Si Dios los castigaba, entonces lo buscaban, y con ansias se volvían de nuevo a Él. [35]Se acordaban de que Dios era su roca, de que el Dios Altísimo era su redentor. [36]Pero entonces lo halagaban con la boca, y le mentían con la lengua. [37]No fue su corazón sincero para con Dios; no fueron fieles a Su pacto.

MIEDO EGOÍSTA. Algunos parecen muy dispuestos a seguir a Dios (versículo 34). Hablan elocuentemente sobre su fe (Oseas 6:1-3) y se muestran muy alegres (Mateo 13:20-21). Sin embargo, su fe no perdura. Se vuelven a Dios solamente cuando su pecado produce consecuencias dolorosas ("Si Dios los castigaba, entonces lo buscaban", versículo 34). Por ejemplo, pueden ser honestos, pero solo por miedo a ser castigados o por el deseo de dar una apariencia de moralidad y justicia. Irónicamente, toda su moralidad está basada en el egoísmo. Vienen a Dios para evitar ser castigados, no para honrarle. Lo adulan pero no lo aman (versículo 36). ¿Estás viviendo una vida moral y decente? ¿Por qué?

Oración: Señor, Tu Palabra dice que el corazón es engañoso y nadie puede conocerlo (Jeremías 17:9) sin la ayuda de Tu Espíritu. Dame esa ayuda. Muéstrame Tu amor y Tu gloria para que mi obediencia se convierta cada vez más en un regalo voluntario y de gratitud. Amén.

Salmo 78:38-43. [38]Sin embargo, Él les tuvo compasión; les perdonó su maldad y no los destruyó. Una y otra vez contuvo Su enojo, y no se dejó llevar del todo por la ira. [39]Se acordó de que eran simples mortales, un efímero suspiro que jamás regresa. [40]¡Cuántas veces se rebelaron contra Él en el desierto, y lo entristecieron en los páramos! [41]Una y otra vez ponían a Dios a prueba; provocaban al Santo de Israel. [42]Jamás se acordaron de Su poder, de cuando los rescató del opresor, [43]ni de Sus señales milagrosas en Egipto, ni de Sus portentos en la región de Zoán...

LA PACIENCIA DE DIOS. La historia relatada en este salmo muestra cuán paciente es Dios (versículos 38 y 39). Él es "lento para la ira" (Éxodo 34:6; Salmo 86:15). Él dice: "Yo no quiero la muerte de nadie. ¡Conviértanse, y vivirán!" (Ezequiel 18:32, comparar con Romanos 2:4). Es solamente porque Él es paciente con nosotros, nunca dándonos lo que merecemos cuando lo merecemos, que podemos ser salvos (2 Pedro 3:15). Cuando leemos que Él "se acordó de que [somos] simples mortales" (versículo 39), escuchamos a Jesús, viendo a Sus discípulos que dormían en el Getsemaní en la hora de mayor necesidad, decir: "El espíritu está dispuesto, pero el cuerpo es débil" (Mateo 26:41); en otras palabras, Jesús está diciendo: "Sé que tenían buenas intenciones". ¡Qué Salvador tan paciente!

Oración: Señor Jesús, el significado antiguo de la paciencia es "soportar el sufrimiento", y Tú, sin duda, sufriste infinitamente en lugar de darme el castigo que merecía por mis pecados. Has sido increíblemente paciente conmigo. Permite que esa verdad me dé paciencia con las personas que me rodean, con mis circunstancias y con lo que Tú quieras hacer con mi vida. Amén.

Julio 8

Salmo 78:44-53. ...⁴⁴cuando convirtió en sangre los ríos egipcios y no pudieron ellos beber de sus arroyos; ⁴⁵cuando les envió tábanos que se los devoraban, y ranas que los destruían; ⁴⁶cuando entregó sus cosechas a los saltamontes, y sus sembrados a la langosta; ⁴⁷cuando con granizo destruyó sus viñas, y con escarcha sus higueras; ⁴⁸cuando entregó su ganado al granizo, y sus rebaños a las centellas; ⁴⁹cuando lanzó contra ellos el ardor de Su ira, de Su furor, indignación y hostilidad: ¡todo un ejército de ángeles destructores! ⁵⁰Dio rienda suelta a Su enojo y no los libró de la muerte, sino que los entregó a la plaga. ⁵¹Dio muerte a todos los primogénitos de Egipto, a las primicias de su raza en los campamentos de Cam. ⁵²A Su pueblo lo guió como a un rebaño; los llevó por el desierto, como a ovejas, ⁵³infundiéndoles confianza para que no temieran. Pero a Sus enemigos se los tragó el mar.

LA PLAGA DE LAS PLAGAS. Las plagas que Dios envió a Egipto fueron desastres naturales. Hizo que el río Nilo no fuese potable. Eso obligó a las ranas a salir de sus pantanos, por lo que murieron. Sus cadáveres condujeron a las plagas de las moscas, lo que posteriormente trajo epidemias. Los eventos naturales en Egipto nos muestran una verdad crucial. Dios creó el mundo, así que, cuando le desobedecemos, desencadenamos fuerzas del caos. Cuando tú, un ser creado para vivir para Dios, vives para ti mismo, estás violando tu diseño. La *plaga de las plagas* se llama pecado, y te destruirá si no utilizas el antídoto —la gracia de Dios por medio de Jesucristo.

Oración: Señor, la plaga del pecado infecta cada parte de mí. Me hace miserable y egoísta. Me hace incapaz espiritualmente para ser transformado sin Tu gracia ni Tu intervención. Dame esa ayuda: enséñame quién soy realmente, líbrame del dominio del pecado y permíteme amarte para obedecerte. Amén.

Julio 9

Salmo 78:54-58. ⁵⁴Trajo a Su pueblo a esta Su tierra santa, a estas montañas que Su diestra conquistó. ⁵⁵Al paso de los israelitas expulsó naciones, cuyas tierras dio a Su pueblo en heredad; ¡así estableció en Sus tiendas a las tribus de Israel! ⁵⁶Pero ellos pusieron a prueba a Dios: se rebelaron contra el Altísimo y desobedecieron Sus estatutos. ⁵⁷Fueron desleales y traidores, como sus padres; ¡tan falsos como un arco defectuoso! ⁵⁸Lo irritaron con sus santuarios paganos; con sus ídolos despertaron Sus celos.

IDOLATRÍA. El epítome del fracaso de Israel es que las personas se volvieron de Dios a los ídolos (versículo 58). La idolatría es la cosa fundamental de lo que está mal con la raza humana (Romanos 1:21-25). Cualquier cosa que sea más importante para ti que Dios es un ídolo. Cualquier cosa que ames más que a Dios —incluso una cosa buena, como un cónyuge, un hijo o una causa social— es un falso Dios. Porque las amamos demasiado, somos sacudidos con miedo e ira cuando son amenazadas o caemos en la desesperación cuando las perdemos. Hasta que puedas identificar tus ídolos no podrás conocerte a ti mismo. Hasta que no los abandones no podrás conocer a Dios ni caminar con Él.

Oración: Señor, soy propenso a convertir cosas buenas en ídolos. Tiendo a convertir las cosas que simplemente debería recibir con agradecimiento en el fundamento de mi felicidad, cosas que solo puedo encontrar en Tu gracia. *Ayúdame a quitar de Tu trono al ídolo que más haya atesorado, sin importar cuál sea, y a adorarte solo a Ti.*⁷⁵ Amén.

Julio 10

Salmo 78:59-64. [59]Dios lo supo y se puso muy furioso, por lo que rechazó completamente a Israel. [60]Abandonó el tabernáculo de Siló, que era Su santuario aquí en la tierra, [61]y dejó que el símbolo de Su poder y gloria cayera cautivo en manos enemigas. [62]Tan furioso estaba contra Su pueblo que dejó que los mataran a filo de espada. [63]A sus jóvenes los consumió el fuego, y no hubo cantos nupciales para sus doncellas; [64]a filo de espada cayeron sus sacerdotes, y sus viudas no pudieron hacerles duelo.

ICABOD. Israel se volvió tan indiferente a las cosas de Dios que permitió que el Arca del Pacto —la señal de que la presencia de Dios estaba con ellos— fuera capturada por los filisteos (versículo 61). A un niño que nació aquel día le llamaron Icabod, que significa "la gloria de Israel ha sido desterrada" (1 Samuel 4:21). Debido a que Dios es santo, el pecado nos separa de Su presencia (Isaías 59:2). Incluso en los cristianos cuyos pecados han sido perdonados, Jesús encuentra la tibieza del corazón tan nauseabunda como la comida cruda. "Por tanto, como no eres ni frío ni caliente, sino tibio, estoy por vomitarte de Mi boca" (Apocalipsis 3:16). ¿Te has hecho tolerante al pecado en tu vida debido a que dices: "Dios es amor"? Él sí te ama y por ello no tolerará que vivas alejado de Él.

Oración: Señor, me he alejado de Ti. *¡Cuánta paz disfruté contigo! ¡Cuán dulce sigue siendo, de esa paz, su memoria! Pero ha dejado un gran vacío que el mundo nunca podrá llenar. Regresa, oh Espíritu; por favor regresa, dulce mensajero de paz. Odio los pecados que te han hecho sufrir y que me han alejado de Ti.*[76] Amén.

Salmo 78:65-72. [65]Despertó entonces el Señor, como quien despierta de un sueño, como un guerrero que, por causa del vino, lanza gritos desaforados. [66]Hizo retroceder a Sus enemigos, y los puso en vergüenza para siempre. [67]Rechazó a los descendientes de José, y no escogió a la tribu de Efraín; [68]más bien, escogió a la tribu de Judá y al monte Sion, al cual ama. [69]Construyó Su santuario, alto como los cielos, como la tierra, que Él afirmó para siempre. [70]Escogió a Su siervo David, al que sacó de los apriscos de las ovejas, [71]y lo quitó de andar arreando los rebaños para que fuera el pastor de Jacob, Su pueblo; el pastor de Israel, Su herencia. [72]Y David los pastoreó con corazón sincero; con mano experta los dirigió.

ÉL ESCOGIÓ A DAVID. Este salmo termina con una nota esperanzadora. Nos narra cómo, a pesar de la desobediencia de Israel, Dios construyó Su templo (versículos 68 y 69) y eligió a un líder, David, para ser el pastor-rey de Su pueblo (versículos 70 y 71). Pero sabemos que, contrario a las esperanzas del salmista, la historia sí se repitió y los descendientes de David fallaron en obedecer a Dios. La raza humana requería un mejor Rey, el prometido descendiente de David (1 Samuel 7:11-18), el Salvador que sería el último templo y el sacrificio por el pecado (Juan 2:19-21; Hebreos 9:11-14). Jesús es nuestro verdadero Pastor-Rey. Solo Él es lo suficientemente sabio y capaz de dirigir tu vida. No te pongas en las manos de alguien más, ni siquiera en las tuyas. Confía en Él y nada te faltará.

Oración: Señor, confieso mi exceso de confianza. No me siento como una oveja que necesite un pastor que haga todo por Él; sin embargo, lo soy. Descanso en mi propia sabiduría, en mi carrera, en mi cuenta bancaria o en mis amigos, en vez de descansar en Ti. Tú, mi gran pastor, eres mi única seguridad. Me pongo en Tus manos. Amén.

Julio 12

Salmo 79:1-8. [1]Oh Dios, los pueblos paganos han invadido Tu herencia; han profanado Tu santo templo, han dejado en ruinas a Jerusalén. [2]Han entregado los cadáveres de Tus siervos como alimento de las aves del cielo; han destinado los cuerpos de Tus fieles para comida de los animales salvajes. [3]Por toda Jerusalén han derramado su sangre, como si derramaran agua, y no hay quien entierre a los muertos. [5]Nuestros vecinos hacen mofa de nosotros; somos blanco de las burlas de quienes nos rodean. ¿Hasta cuándo, Señor? ¿Vas a estar enojado para siempre? ¿Arderá tu celo como el fuego? [6]¡Enójate con las naciones que no te reconocen, con los reinos que no invocan Tu nombre! [7]Porque a Jacob se lo han devorado, y al país lo han dejado en ruinas. [8]No nos tomes en cuenta los pecados de ayer; ¡venga pronto Tu misericordia a nuestro encuentro, porque estamos totalmente abatidos!

EL CELO DE DIOS. Dios permitió que Jerusalén fuese destruida por el ejército babilonio debido a su "celo" (versículo 5). Pablo hablaba de tener un "celo que proviene de Dios" por sus amigos (2 Corintios 11:2). Es un amor que se irrita por cualquier cosa que mutile o destruya al amado. El amor de un padre, por ejemplo, es "celoso" del éxito y la felicidad de su hijo, y está dispuesto a remover cualquier mala acción que sea una barrera para que su hijo cumpla sus objetivos. Si Dios hubiera permitido que Israel siguiera en la idolatría, Israel se habría perdido por completo. Los cristianos saben que, en Cristo, sus pecados no pueden llevarlos a la condenación (Romanos 8:1), pero es debido a que somos tan amados que Dios nos disciplinará si nos desviamos (Hebreos 12:4-11).

Oración: Señor, Tú me amas como un padre y cuando estoy en dolor Tú sufres. Y, aun así, como un padre, me amas demasiado como para dejarme solo cuando estoy viviendo neciamente. Cuando vienen los problemas, en lugar de pensar que es injusto, ayúdame a preguntar: "¿Hay algo que quieras mostrarme?". Y muéstramelo. Amén.

Salmo 79:9-13. [9]Oh Dios y salvador nuestro, por la gloria de Tu nombre, ayúdanos; por Tu nombre, líbranos y perdona nuestros pecados. [10]¿Por qué van a decir las naciones: "¿Dónde está su Dios?". Permítenos ver, y muéstrales a los pueblos paganos cómo tomas venganza de la sangre de Tus siervos. [11]Que lleguen a Tu presencia los gemidos de los cautivos, y por la fuerza de Tu brazo salva a los condenados a muerte. [12]Señor, haz que sientan nuestros vecinos, siete veces y en carne propia, el oprobio que han lanzado contra Ti. [13]Y nosotros, Tu pueblo y ovejas de Tu prado, te alabaremos por siempre; de generación en generación cantaremos Tus alabanzas.

LA SANGRE CLAMA. El salmista escucha la sangre de las víctimas clamar por venganza (versículo 10). La Biblia frecuentemente habla de que la injusticia "clama" a Dios, como lo hizo la sangre de Abel contra Caín (Génesis 4:10-11). El salmista le pide a Dios que haga justicia contra los invasores (versículo 12). Lo que no sabía era que la sangre de Cristo también sería derramada en Jerusalén un día, sangre que "habla con más fuerza que la de Abel" (Hebreos 12:24). Demanda perdón más que retribución para aquellos que creen. Los cristianos también pueden alabar a Dios ante el maltrato (versículo 13). Pero, adicionalmente, aman a sus enemigos y oran por su salvación (Mateo 5:43-48).

Oración: Señor, ¿cómo puedo yo, quien vive solo por Tu misericordia y gracia, negarles lo mismo a los demás? Gracias por despojarme de la carga de pensar que sé lo que merecen aquellos que me han herido. Ayúdame a dejar eso en Tus manos. Amén.

Julio 14

Salmo 80:1-7. [1]Pastor de Israel, Tú que guías a José como a un rebaño, Tú que reinas entre los querubines, ¡escúchanos! ¡Resplandece [2]delante de Efraín, Benjamín y Manasés! ¡Muestra Tu poder, y ven a salvarnos! [3]Restáuranos, oh Dios; haz resplandecer Tu rostro sobre nosotros, y sálvanos. [4]¿Hasta cuándo, Señor, Dios Todopoderoso, arderá Tu ira contra las oraciones de Tu pueblo? [5]Por comida, le has dado pan de lágrimas; por bebida, lágrimas en abundancia. [6]Nos has hecho motivo de contienda para nuestros vecinos; nuestros enemigos se burlan de nosotros. [7]Restáuranos, oh Dios Todopoderoso; haz resplandecer Tu rostro sobre nosotros, y sálvanos.

RESTAURACIÓN. Tener el resplandor del rostro de Dios (versículos 3 y 7) no significa solamente creer en Dios; también significa experimentar Su presencia. Tener el resplandor del rostro de Dios significa tener una vida moldeada a la Suya, no solamente movida por un sentido del deber, sino también motivada por un deseo interno de contemplar Su hermosura. La mayoría de los creyentes viven entre estos dos polos. Cuando comenzamos a deslizarnos hacia el polo de la religión *mecánica*, necesitamos una renovación espiritual que purifique nuestra "infidelidad" (Ezequiel 37:23). ¿Cómo se dará esta renovación? El elemento constante en todo avivamiento espiritual es la extraordinaria oración. Tres veces (versículos 3, 7 y 19) el salmista llama al pueblo a ser renovado y restaurado espiritualmente.

Oración: Señor, Tú le dijiste a la iglesia en Éfeso que ellos habían abandonado su "primer amor" (Apocalipsis 2:4-5) y a veces siento que lo mismo me sucede a mí. ¿Cómo puedo despreciar el atractivo del rostro más hermoso del universo? Restaura mi alma y reabre mis ojos a Tu gloria y a Tu gracia. Amén.

Julio 15

Salmo 80:8-13. [8]De Egipto trajiste una vid; expulsaste a los pueblos paganos, y la plantaste. [9]Le limpiaste el terreno, y ella echó raíces y llenó la tierra. [10]Su sombra se extendía hasta las montañas, su follaje cubría los más altos cedros. [11]Sus ramas se extendieron hasta el Mediterráneo y sus renuevos hasta el Éufrates. [12]¿Por qué has derribado sus muros? ¡Todos los que pasan le arrancan uvas! [13]Los jabalíes del bosque la destruyen, los animales salvajes la devoran.

LA VID DE DIOS. El pueblo de Dios es como una vid. Una vid no es una cosa creada por el hombre, sino que es una cosa viviente (versículos 8 y 9). Así los cristianos son creación del Espíritu de Dios cuya vida es implantada en ellos (Romanos 8:9-10), produciendo el fruto espiritual de amor, gozo, paz y humildad (Gálatas 5:22-25). Las vides, por naturaleza, no crecen mucho, lo cual es incongruente que cubran a las montañas y a los árboles más altos (versículo 10). Así los cristianos son creación de la gracia sobrenatural de Dios. Por su propia fuerza ellos son necios y débiles (1 Corintios 1:26-31), pero a través de Cristo pueden cambiar el mundo (Hechos 17:6). ¿Eres una persona amable o una nueva criatura espiritual? ¿Tu carácter está produciendo fruto espiritual?

Oración: Señor, debería ser más amoroso, más valiente y menos egoísta cada año. Pero confieso que no lo soy. Ayúdame a percatarme de las áreas en donde no estoy llevando fruto. Gracias por ser un Dios de vida. Ayúdame a echar mis raíces en Ti para poder honrarte, creciendo a Tu semejanza. Amén.

Julio 16

Salmo 80:14-19. [14]¡Vuélvete a nosotros, oh Dios Todopoderoso! ¡Asómate a vernos desde el cielo y brinda Tus cuidados a esta vid! [15]¡Es la raíz que plantaste con Tu diestra! ¡Es el vástago que has criado para Ti! [16]Tu vid está derribada, quemada por el fuego; a Tu reprensión perece Tu pueblo. [17]Bríndale Tu apoyo al hombre de Tu diestra, al ser humano que para Ti has criado. [18]Nosotros no nos apartaremos de Ti; reavívanos, e invocaremos Tu nombre. [19]Restáuranos, Señor, Dios Todopoderoso; haz resplandecer Tu rostro sobre nosotros, y sálvanos.

AVIVAMIENTO. ¿Cómo se lleva a cabo el avivamiento espiritual? Cada vez que el salmista clama a Dios (versículos 3, 7 y 19) el nombre divino es más completo, mostrando un crecimiento constante en la oración. El avivamiento también requiere arrepentimiento, un volverse a Dios (versículos 18 y 19). Por último, el avivamiento espiritual requiere "al hombre de Tu diestra" (literalmente, al *Benjamín*, versículo 17). En la historia de los avivamientos de la iglesia, Dios ha elegido trabajar a través de un líder. Pero Jesús es el verdadero Benjamín, quien nos da completo acceso a Dios (Efesios 2:18). Y Jesús es la vid verdadera (Juan 15:1-6). Solo a través de unirnos a Él por medio de la fe podemos convertirnos en pámpanos y tener la vida de Dios fluyendo dentro de nosotros. A través de Él podemos tener avivamiento.

Oración: Oh Jesús, conviértete en una maravillosa realidad para mí más cerca y más dulce que cualquier deleite terrenal.[77] Amén.

Julio 17

Salmo 81:1-4. ¹Canten alegres a Dios, nuestra fortaleza; ¡aclamen con regocijo al Dios de Jacob! ²¡Entonen salmos! ¡Toquen ya la pandereta, la lira y el arpa melodiosa! ³Toquen el cuerno de carnero en la luna nueva, y en la luna llena, día de nuestra fiesta. ⁴Este es un decreto para Israel, una ordenanza del Dios de Jacob.

EL MANDATO DE ALEGRARNOS. De la fuerza de este llamado a alabar surgen varias preguntas. Más que invitarnos, el salmo nos ordena a alabar a Dios con alegría (versículo 4). ¿Cómo podemos alegrarnos cuando se nos ordena? Hay muchas maneras de hacerlo. Ya que hay muchas razones por las que los cristianos deberían tener alegría, también existen "medios válidos para despertarla e impulsarla".[78] Efesios 5:19 nos dice que debemos utilizar la música para sumergirnos en los salmos y para enseñarle a nuestro corazón a que se vuelva a Dios en gratitud en cada momento del día. Además, la Palabra nos ordena reunirnos regularmente para alabar en público (Hebreos 10:25) y no debemos ser negligentes en hacerlo. ¿Te estás alegrando en el Señor?

Oración: Señor, mi mente no tiene inclinación alguna por permanecer en Ti, en Tu pureza y en Tu hermosura. Mis pensamientos se aferran a cosas vanas. Ayúdame a volverlos a Ti y a Tu gracia habitualmente, todo el día, para poder cantarte con el corazón (Efesios 5:19). Amén.

Julio 18

Salmo 81:5-10. [5]Lo estableció como un pacto con José cuando salió de la tierra de Egipto. Escucho un idioma que no entiendo: [6]"Te he quitado la carga de los hombros; tus manos se han librado del pesado cesto. [7]En tu angustia me llamaste, y te libré; oculto en el nubarrón te respondí; en las aguas de Meribá te puse a prueba. [8]Escucha, pueblo Mío, Mis advertencias; ¡ay Israel, si tan solo me escucharas! [9]No tendrás ningún dios extranjero, ni te inclinarás ante ningún dios extraño. [10]Yo soy el Señor tu Dios, que te sacó de la tierra de Egipto. Abre bien la boca, y te la llenaré".

LA ALEGRÍA DE LA OBEDIENCIA. Los versículos del 8 al 10 son un eco de Éxodo 20:2: "Yo soy el Señor tu Dios. Yo te saqué de Egipto, del país donde eras esclavo". Inmediatamente después de decir estas palabras en Éxodo 20:2, Dios da los diez mandamientos: no adoren a otros dioses, no maten, no digan falso testimonio (Éxodo 20:2-17). Sin embargo, aquí, justo cuando esperamos que Dios nuevamente enliste Sus mandamientos, hace una promesa: "Abre bien la boca, y te la llenaré" (versículo 10). Las leyes de Dios no solo son mandatos tediosos. Son para nuestro bien, para que podamos prosperar (Deuteronomio 6:24); ellas reflejan sabiduría; nos ayudan a vivir de tal manera que cumplamos el propósito con el que fuimos diseñados. Este salmo dice que el propósito final de la obediencia es la alegría, la plenitud de conocer al Dios que te creó para que lo amaras.

Oración: Señor, te alabo por Tu santa ley. Debido a que soy salvo por la obra de Jesús, Tu ley no es un medio de salvación para mí, sino una regla para mi vida. Sin duda, cuanto más la obedezca, más espiritualmente vivo estaré. Ayúdame a obedecerte cada vez más. Amén.

Julio 19

Salmo 81:11-16. [11]"Pero Mi pueblo no me escuchó; Israel no quiso hacerme caso. [12]Por eso los abandoné a su obstinada voluntad, para que actuaran como mejor les pareciera. [13]Si Mi pueblo tan solo me escuchara, si Israel quisiera andar por Mis caminos, [14]¡cuán pronto sometería Yo a sus enemigos, y volvería Mi mano contra sus adversarios! [15]Los que aborrecen al Señor se rendirían ante Él, pero serían eternamente castigados. Y a ti te alimentaría con lo mejor del trigo; con miel de la peña te saciaría".

MIEL DE LA PEÑA. Si te regocijas en Dios (versículos del 1 al 5) y lo obedeces (versículos del 6 al 10), obtendrás una promesa maravillosa. Incluso los tiempos difíciles y los sufrimientos (*la peña*) producirán crecimiento espiritual y dulzura de una comunión con Él (*la miel*, versículo 16). Este es un principio que es mostrado de diferentes maneras a través de la Biblia. "Del que come salió comida, y del fuerte salió dulzura" (Jueces 14:14). "Porque cuando soy débil, entonces soy fuerte" (2 Corintios 12:10). Dios utiliza los problemas para mostrarnos en dónde reside nuestra verdadera alegría. "Él nos da lo mejor, y trae dulzura de lo amargo".[79] En la cruz tenemos el mejor ejemplo del triunfo que nace de la derrota, tenemos miel que brota de la peña.

Oración: Querido Señor, has estado conmigo el tiempo suficiente para probarte a Ti mismo. De una roca tras otra has traído dulzura que sobrepasa toda amargura. Sin embargo, aquí estoy, nuevamente en una situación difícil, dudando de Ti. Perdóname. Confiaré en Ti. Amén.

Julio 20

Salmo 82. ¹Dios preside el consejo celestial; entre los dioses dicta sentencia: ²"¿Hasta cuándo defenderán la injusticia y favorecerán a los impíos? ³Defiendan la causa del huérfano y del desvalido; al pobre y al oprimido háganles justicia. ⁴Salven al menesteroso y al necesitado; líbrenlos de la mano de los impíos". ⁵Ellos no saben nada, no entienden nada. Deambulan en la oscuridad; se estremecen todos los cimientos de la tierra. ⁶Yo les he dicho: "Ustedes son dioses; hijos del Altísimo. ⁷Pero morirán como cualquier mortal; caerán como cualquier otro gobernante". ⁸Levántate, oh Dios, y juzga a la tierra, pues Tuyas son todas las naciones.

DIOS SOBRE DIOSES. La palabra "dioses" puede hacer alusión a los gobernantes terrenales (versículos 6 y 7), aunque también puede referirse a las fuerzas espirituales malignas detrás de ellos (Efesios 6:12). Dios está profundamente interesado en los débiles, huérfanos, pobres e indefensos (versículos 3 y 4). Los cristianos que tienen una fe verdadera son movidos a ayudar a los necesitados y a los pobres (Santiago 2:14-17; 1 Juan 3:16-18). Dios está comprometido con la justicia porque, increíblemente, se identifica con los pobres. Oprimir a los pobres es ofenderlo a Él (Proverbios 14:31). Solo en Jesucristo aprendemos cuán lejos Dios está dispuesto a ir para identificarse con los pobres y los oprimidos. Él se convirtió en un hombre pobre que murió en la cruz, víctima de la injusticia humana.

Oración: Señor, dado que vivo en una región cómoda y segura del mundo y la sociedad, no soy tan sensible a las necesidades de los débiles como Tú lo eres. Ayúdame a odiar la injusticia que Tú odias y a amar a los necesitados que Tú amas. Amén.

Julio 21

Salmo 83:1-8. ¹Oh Dios, no guardes silencio; no te quedes, oh Dios, callado e impasible. ²Mira cómo se alborotan Tus enemigos, cómo te desafían los que te odian. ³Con astucia conspiran contra Tu pueblo; conspiran contra aquellos a quienes Tú estimas. ⁴Y dicen: "¡Vengan, destruyamos su nación! ¡Que el nombre de Israel no vuelva a recordarse!". ⁵Como un solo hombre se confabulan; han hecho un pacto contra Ti: ⁶los campamentos de Edom y de Ismael, los de Moab y de Agar, ⁷Guebal, Amón y Amalec, los de Filistea y los habitantes de Tiro. ⁸¡Hasta Asiria se les ha unido; ha apoyado a los descendientes de Lot!

RECONSIDERANDO A TUS ENEMIGOS. Este es un salmo sobre enemigos. ¿Cómo debemos responder a ellos? Los primeros versículos le dicen a Dios: "Mira cómo se alborotan *Tus* enemigos, cómo *te* desafían los que *te* odian" (versículo 2). Esta perspectiva es crucial. Todo pecado es una forma de luchar contra Dios, usurpar Su autoridad y tomar Su lugar. Incluso los creyentes deben reconocer que cualquier pecado cometido se considera un acto de enemistad contra Dios. ("Contra Ti he pecado, *solo* contra Ti", Salmo 51:4). Así que si alguien te está haciendo daño, míralo primeramente como alguien que está luchando contra Dios. Eso te ayudará a no sentirte solo contra ellos. También te consolará el saber que, al final de cuentas, Dios tratará con ellos.

Oración: Señor Jesús, existen personas que me hacen daño, pero ninguno de ellos me ha crucificado como Tus enemigos lo hicieron contigo. Aun así, oraste por su perdón y encomendaste Tu Espíritu a las manos de Dios. Ayúdame a hacer lo mismo. Amén.

Julio 22

Salmo 83:9-13. ⁹Haz con ellos como hiciste con Madián, como hiciste con Sísara y Jabín en el río Quisón, ¹⁰los cuales perecieron en Endor y quedaron en la tierra, como estiércol. ¹¹Haz con sus nobles como hiciste con Oreb y con Zeb; haz con todos sus príncipes como hiciste con Zeba y con Zalmuna, ¹²que decían: "Vamos a adueñarnos de los pastizales de Dios". ¹³Hazlos rodar como zarzas, Dios mío; ¡como paja que se lleva el viento!

REPOSICIONANDO A TUS ENEMIGOS. ¿Cómo respondemos a estos salmos que le piden a Dios que destruya a los enemigos en lugar de perdonarlos? Debemos reconocer algo importante. Aun en el Antiguo Testamento, el salmista no busca vengarse él mismo. Estos salmos, por tanto, "nos permiten llevar nuestra ira a Dios para que Él actúe como crea conveniente" y alinearnos al consejo de Pablo de "no [tomar] venganza sino [dejar] el castigo en las manos de Dios" (Romanos 12:19).⁸⁰ Una vez que reposiciones a tus enemigos —que dejes de guardar rencor contra ellos y se los entregues a Dios— podrás desarrollar simpatía por ellos. Al final de cuentas, nadie se saldrá con la suya (versículos del 9 al 13).

Oración: Señor, enséñame a no guardar rencor contra aquellos que me maltratan, sino a tener compasión de ellos. Ellos te ofenden a Ti y Tú eres el Juez que no pasará nada por alto. Los pongo en Tus manos. Amén.

Julio 23

Salmo 83:14-18. [14]Y así como el fuego consume los bosques y las llamas incendian las montañas, [15]así persíguelos con Tus tormentas y aterrorízalos con Tus tempestades. [16]Señor, cúbreles el rostro de ignominia, para que busquen Tu nombre. [17]Que sean siempre puestos en vergüenza; que perezcan humillados. [18]Que sepan que Tú eres el Señor, que ese es Tu nombre; que sepan que solo Tú eres el Altísimo sobre toda la tierra.

CONVIRTIENDO A TUS ENEMIGOS. El salmista parece querer solo la muerte para sus enemigos, pero la sorpresa viene en los versículos del 14 al 16, en donde su oración es que los impíos vean la verdad y conozcan el nombre de Dios (versículo 16 y 18). En tiempos bíblicos, eso sería una remota posibilidad para las naciones paganas que rodeaban a Israel. Y el salmista está más interesado en la vindicación de Dios que en la salvación de sus enemigos. Pero a la luz de Cristo y de la cruz, observamos que buscar la salvación de nuestros enemigos es la manera principal en la que derrotaremos la maldad. Cristo nos da grandes recursos para convertir a los enemigos de Dios en Sus amigos. Él murió por nosotros cuando nosotros aun éramos Sus enemigos (Romanos 5:10), lo que nos motiva a vencer el mal con el bien (Romanos 12:14-21).

Oración: Señor, te alabo porque cuando era Tu enemigo, me acercaste a Ti amorosamente. ¿Cómo podría responder de manera diferente a aquellos que hacen mi vida difícil? Ayúdame a perdonar a aquellos que me maltratan y a después buscar su bien, incluso si eso significa decirles cosas que no quieren escuchar. Amén.

Julio 24

Salmo 84:1-4. [1]¡Cuán hermosas son Tus moradas, Señor Todopoderoso! [2]Anhelo con el alma los atrios del Señor; casi agonizo por estar en ellos. Con el corazón, con todo el cuerpo, canto alegre al Dios de la vida. [3]Señor Todopoderoso, rey mío y Dios mío, aun el gorrión halla casa cerca de Tus altares; también la golondrina hace allí su nido, para poner sus polluelos. [4]Dichoso el que habita en Tu templo, pues siempre te está alabando.

CANCIÓN DE AMOR. Este es el lenguaje intenso de la poesía de amor. El salmista describe como hermosos los atrios del templo (versículos 1 y 2), no por su belleza arquitectónica, sino porque Dios mora ahí (versículo 2). Él es completamente consciente de que los deseos más profundos de su corazón serán satisfechos no por la fe en alguna fuerza divina remota e impersonal, sino por un Dios vivo a quien encontramos como una presencia personal (versículo 2). Haz de la comunión constante con Dios una prioridad. Deja de vagar como un ave y aprende a vivir cerca de Dios (versículo 3).

Oración: Señor, mi comunión contigo va y viene. Mi cercanía a Ti no es constante. Pero hoy decido vivir cerca de Ti, construir mi hogar cerca de Tu altar. Muéstrame lo que implica esta decisión y dame el amor y la gracia suficiente para llevarla a cabo. Amén.

Julio 25

Salmo 84:5-8. [5]Dichoso el que tiene en Ti su fortaleza, que solo piensa en recorrer Tus sendas. [6]Cuando pasa por el Valle de las Lágrimas lo convierte en región de manantiales; también las lluvias tempranas cubren de bendiciones el valle. [7]Según avanzan los peregrinos, cobran más fuerzas, y en Sion se presentan ante el Dios de dioses. [8]Oye mi oración, Señor, Dios Todopoderoso; escúchame, Dios de Jacob.

PEREGRINAJE ESPIRITUAL. El anhelo de estar cerca de Dios (versículos del 1 al 4) no se cumple en un abrir y cerrar de ojos. Cualquier persona que desee a Dios debe hacer un peregrinaje (versículo 5). Vamos de un grado de fuerza a otro mayor (versículo 7). Como lo establece Pablo, cuando encontramos al Señor en Su Palabra, entendiendo cada vez más quién es Él por medio de la fe, somos transformados de gloria en gloria (2 Corintios 3:18). Los versículos del 5 al 8 nos dicen que debemos esperar el "Valle de las Lágrimas" (un lugar sin agua), tiempos de sequía y dificultades. Pero esos momentos son cruciales para el progreso (versículos 6 y 7). Dios nos ayuda a encontrar crecimiento a través del sufrimiento. Otra vez, Dios nos saciará con "miel de la peña" (Salmo 81:16).

Oración: Señor, he recorrido suficiente camino contigo como para saber que los momentos de sequía y de dificultades han sido mis mejores momentos. Aun temo esos momentos, pero ayúdame a no rendirme en medio de ellos y a recordar que Tú estás obrando. Amén.

Julio 26

Salmo 84:9-12. ⁹Oh Dios, escudo nuestro, pon sobre Tu ungido Tus ojos bondadosos. ¹⁰Vale más pasar un día en Tus atrios que mil fuera de ellos; prefiero cuidar la entrada de la casa de mi Dios que habitar entre los impíos. ¹¹El Señor es sol y escudo; Dios nos concede honor y gloria. El Señor brinda generosamente Su bondad a los que se conducen sin tacha. ¹²Señor Todopoderoso, ¡dichosos los que en Ti confían!

MEJOR ES UN DÍA. Un día cerca de Dios es mejor que mil años experimentando cualquier otra cosa. Conocer a Dios y tener incluso la posición más baja en la vida ("cuidar la entrada en la casa de mi Dios", versículo 10) es mucho mejor que vivir lujosamente sin Dios. Esta no es una hipérbole, ya que "el Señor brinda generosamente Su bondad" (versículo 11) a aquellos que confían en Él (versículo 12). El Nuevo Testamento revelaría una perspectiva inimaginable para esto. Si Él no escatimó ni a Su propio Hijo, "¿cómo no habrá de darnos generosamente, junto con Él, todas las cosas?" (Romanos 8:32). Él hace esto por causa de Su Ungido (versículo 9). Para los cristianos, este solo puede ser Jesús.

Oración: Señor, la comunión contigo es la "perla de gran valor" (Mateo 13:45-46). Es el único tesoro que hace que todo lo demás parezca insignificante. Ayúdame a ver esto e inclina mi corazón a Ti, o no podré perdurar en este peregrinaje espiritual hacia Tu presencia. Amén.

Julio 27

Salmo 85:1-8. [1]Señor, Tú has sido bondadoso con esta tierra Tuya al restaurar a Jacob; [2]perdonaste la iniquidad de Tu pueblo y cubriste todos sus pecados; [3]depusiste por completo Tu enojo, y contuviste el ardor de Tu ira. [4]Restáuranos una vez más, Dios y salvador nuestro; pon fin a Tu disgusto con nosotros. [5]¿Vas a estar enojado con nosotros para siempre? ¿Vas a seguir eternamente airado? [6]¿No volverás a darnos nueva vida, para que Tu pueblo se alegre en Ti? [7]Muéstranos, Señor, Tu amor inagotable, y concédenos Tu salvación. [8]Voy a escuchar lo que Dios el Señor dice: Él promete paz a Su pueblo y a Sus fieles, siempre y cuando no se vuelvan a la necedad.

MANUAL PARA LA RESTAURACIÓN. Este salmo es una manual para enseñarnos cómo responder cuando la comunidad de tu iglesia decae. Primero, debemos estudiar los episodios anteriores de avivamiento y reforma (versículo 1). La historia de la iglesia es condenable y alentadora al mismo tiempo; muestra cuán bajo hemos caído, pero también muestra lo que Dios puede hacer. Después debemos proseguir con el arrepentimiento, reconociendo que nuestros corazones de piedra y el pecado han puesto una barrera entre Dios y nosotros (versículos 4 y 5). También debemos clamar a Dios en oración, pidiendo que nos muestre Su amor que no falla (versículo 7). Los avivamientos siempre involucran una perspectiva fresca del evangelio de la gracia —conociéndola teológicamente y experimentándola. Finalmente, debemos esperar en Él, escuchando fielmente Su Palabra (versículos del 7 al 9).

Oración: Señor, estoy espiritualmente seco; envíame el agua de Tu Espíritu. Yo fui creado y destinado para *deleitarme en Ti por siempre*[81] y no lo estoy haciendo. *¿No volverás a darnos nueva vida, para que Tu pueblo se alegre en Ti?* Amén.

Salmo 85:9-13. [9]Muy cercano está para salvar a los que le temen, para establecer Su gloria en nuestra tierra. [10]El amor y la verdad se encontrarán; se besarán la paz y la justicia. [11]De la tierra brotará la verdad, y desde el cielo se asomará la justicia. [12]El Señor mismo nos dará bienestar, y nuestra tierra rendirá su fruto. [13]La justicia será Su heraldo y le preparará el camino.

VERDADERA UNIDAD. Amor y verdad (el significado de "fidelidad") se encontrarán armoniosamente (versículo 10). ¿Pero cómo puede Dios, en Su fidelidad, castigar el pecado y al mismo tiempo acoger a los pecadores? Cristo reconcilia todas las cosas en el cielo y en la tierra, haciendo paz a través de Su sangre (Colosenses 1:20). Cuando Jesús cargó nuestro castigo en la cruz, la paz y la justicia se "besaron" —ambas se cumplieron al mismo tiempo. El amor sin santidad no es más que sentimentalismo; la justicia y la ley sin la gracia es fariseísmo. Nuestros temperamentos se inclinan naturalmente hacia el uno o el otro, pero el evangelio mantiene a la verdad y al amor juntos en nuestras vidas. Y cuanto más unidos estén en nosotros, tanto más somos llevados a una profunda relación con quienes también creen en el evangelio.

Oración: Señor, Tu salvación une todas las cosas. Sin embargo, no me entrego a las personas en amistad y comunión. Tengo temor de abrirme hacia los demás. Permite que Tu amor sane mis miedos. Acércame a Tus otros hijos para poder tener todo lo que Tú quieres darme. Amén.

Salmo 86:1-7. ¹Atiéndeme, Señor; respóndeme, pues pobre soy y estoy necesitado. ²Presérvame la vida, pues te soy fiel. Tú eres mi Dios, y en Ti confío; ¡salva a Tu siervo! ³Compadécete, Señor, de mí, porque a Ti clamo todo el día. ⁴Reconforta el espíritu de Tu siervo, porque a Ti, Señor, elevo mi alma. ⁵Tú, Señor, eres bueno y perdonador; grande es Tu amor por todos los que te invocan. ⁶Presta oído, Señor, a mi oración; atiende a la voz de mi clamor. ⁷En el día de mi angustia te invoco, porque Tú me respondes.

DIOS ESTÁ EN CONTROL. Este es un salmo del rey David. Él está rodeado por enemigos que lo atacan (versículo 14). De nuevo, los salmos proveen una lección de cómo enfrentar la vida cuando las cosas aparentemente se salen de nuestro control. David se siente solo, indefenso. Él responde al recordarse a sí mismo, una y otra vez, quién es Dios. Frecuentemente llama a Dios "Señor", la palabra hebrea *Adonai*, que significa "soberano". David está forzando a que su corazón recuerde que Dios está en control. Recuerda cuántas de tus peores actitudes, reacciones y acciones han sido provocadas por olvidar, en ese momento, quién es Dios.

Oración: Señor, constantemente te pido que me des Tu fortaleza, que me sanes y transformes. Pero nada me da más fortaleza ni transforma tanto mi vida que el simple hecho de adorarte. Inyecta la verdad de Tu sabiduría, santidad y soberanía en mi corazón hasta que me renueve. Amén.

Julio 30

Salmo 86:8-13. [8]No hay, Señor, entre los dioses otro como Tú, ni hay obras semejantes a las Tuyas. [9]Todas las naciones que has creado vendrán, Señor, y ante Ti se postrarán y glorificarán Tu nombre. [10]Porque Tú eres grande y haces maravillas; ¡solo Tú eres Dios! [11]Instrúyeme, Señor, en Tu camino para conducirme con fidelidad. Dame integridad de corazón para temer Tu nombre. [12]Señor mi Dios, con todo el corazón te alabaré, y por siempre glorificaré Tu nombre. [13]Porque grande es Tu amor por mí: me has librado de caer en el sepulcro.

UN CORAZÓN ÍNTEGRO. David pide "integridad de corazón" (versículo 11). Un corazón dividido puede tener muchas formas. Existe el corazón que no es sincero, en el que lo que se dice externamente no va de acuerdo con la actitud interna (Salmo 12:1). También existe el corazón indeciso, que no se compromete (Santiago 1:6-8). Incluso los corazones regenerados por el Espíritu y que aman a Dios conservan gran parte del antiguo rechazo hacia Su autoridad (Romanos 7:15-25).[82] La meta de David no es lograr la sanidad de su mente por sí misma, sino lograr el "temer" a Dios, es decir, amarlo con todo su ser. El camino hacia este nuevo corazón no es la autorreflexión, sino la adoración (versículo 12). Él dice: "Te alabaré".

Oración: Señor, te alabo porque Tu gloria es lo mejor para mí. Ahora, con toda sinceridad, me entrego a Ti, *porque el deseo de mi corazón se ha inclinado hacia Ti.*[83] Amén.

Salmo 86:14-17. [14]Gente altanera me ataca, oh Dios; una banda de asesinos procura matarme. ¡Son gente que no te toma en cuenta! [15]Pero Tú, Señor, eres Dios clemente y compasivo, lento para la ira, y grande en amor y verdad. [16]Vuélvete hacia mí, y tenme compasión; concédele Tu fuerza a este siervo Tuyo. ¡Salva a Tu hijo fiel! [17]Dame una muestra de Tu amor, para que mis enemigos la vean y se avergüencen, porque Tú, Señor, me has brindado ayuda y consuelo.

APRENDE DE LAS CRÍTICAS. Hombres orgullosos están atacando a David, hombres que "no toman en cuenta" a Dios (versículo 14). Considerando su carácter, los versículos 15 y 16 son muy interesantes. En lugar de invocar la justicia de Dios y pedir la destrucción de sus enemigos, David se enfoca en sí mismo. Apela a la misericordia de Dios, agradeciendo la paciencia que ha mostrado con él. David está abierto a la corrección, dispuesto a examinarse a sí mismo para considerar, a pesar de las malas intenciones de sus enemigos, si existe algo que deba cambiar. Si alguien te está criticando, en su mayor parte injustamente, aprende a identificar la pequeña porción de la crítica que está justificada. Sin excusa, debes estar dispuesto a considerarla. Los cristianos más fuertes son aquellos que están más dispuestos a arrepentirse.

Oración: Señor, no solo te muestras a nosotros por medio de Tu Palabra y de nuestros amigos. También nos envías mensajes a través de nuestros oponentes y de los que nos critican. Dame la confianza en Tu amor que necesitaré para sacarles provecho. Amén.

Salmo 87. ¹Los cimientos de la ciudad de Dios están en el santo monte. ²El Señor ama las entradas de Sion más que a todas las moradas de Jacob. ³De ti, ciudad de Dios, se dicen cosas gloriosas: ⁴Entre los que me reconocen puedo contar a Rahab y a Babilonia, a Filistea y a Tiro, lo mismo que a Cus. Se dice: "Este nació en Sion". ⁵De Sion se dirá, en efecto: "Este y aquel nacieron en ella. El Altísimo mismo la ha establecido". ⁶El Señor anotará en el registro de los pueblos: "Este nació en Sion". ⁷Y mientras cantan y bailan, dicen: "En ti se hallan todos mis orígenes".

TODA MI ALEGRÍA. Aquí hay una visión de la ciudad que existirá en el nuevo mundo. Sus ciudadanos vienen de toda tribu, pueblo y nación. Incluso antiguos enemigos son reconciliados (versículos del 4 al 6). A través de la fe en Cristo, nosotros, sus antiguos enemigos, somos inscritos en el libro de la vida (Filipenses 4:3). Ya somos ciudadanos de la futura ciudad, la cual está llena de fuentes de alegría infinita (versículo 6; Filipenses 3:20). ¿Puede una fuente ser fea? La música del agua corriente y la belleza del agua mientras sube y cae siempre son especiales de cierta forma. Todos los que pertenecen al pueblo de Dios saben que toda su alegría proviene de Él, fluyendo, subiendo y bajando como una fuente.

Oración: Señor Jesús, solo Tú tienes el "agua de la vida" que provee de satisfacción y alegría, Tu gracia y vida eterna. No permitas que busque mi felicidad en otro lugar. *¿Quién podrá desmayar mientras tal río fluya para saciar nuestra sed? Gracia, que como el Señor, nunca falla.*[84] Amén.

Agosto 2

AL BORDE DEL SEPULCRO. El salmista se siente olvidado y abatido. Esta oración termina en oscuridad, sin rastro alguno de esperanza. Pero el título del salmo nos dice que el autor es Hemán, líder de los hijos de Coré, los cuales fueron músicos que escribieron muchos de los salmos que se encuentran entre la literatura más importante de la historia. Sus experiencias dolorosas lo convirtieron en un artista que ha ayudado a millones de personas. En su desesperación, pensó que Dios le había abandonado, pero no fue así. Los cristianos sabemos que Jesús cargó toda la ira de Dios (Mateo 27:45) y debido a que Él recibió el castigo que nosotros merecíamos, Dios no nos abandona (Hebreos 13:5). Él está con nosotros, incluso cuando no lo sentimos cerca.

Oración: Señor, este salmo nos muestra que podemos traerte nuestros miedos, enojos y desesperación sin ocultarte nada. Tú nos entiendes. Mientras lo hago, pido que te hagas real para mi corazón, para que, como la niebla matutina, estas cosas se disipen ante la luz de Tu presencia. Amén.

Salmo 88:10-18. [10]¿Acaso entre los muertos realizas maravillas? ¿Pueden los muertos levantarse a darte gracias? [11]¿Acaso en el sepulcro se habla de Tu amor, y de Tu fidelidad en el abismo destructor? [12]¿Acaso en las tinieblas se conocen Tus maravillas, o Tu justicia en la tierra del olvido? [13]Yo, Señor, te ruego que me ayudes; por la mañana busco Tu presencia en oración. [14]¿Por qué me rechazas, Señor? ¿Por qué escondes de mí Tu rostro? [15]Yo he sufrido desde mi juventud; muy cerca he estado de la muerte. Me has enviado terribles sufrimientos y ya no puedo más. [16]Tu ira se ha descargado sobre mí; Tus violentos ataques han acabado conmigo. [17]Todo el día me rodean como un océano; me han cercado por completo. [18]Me has quitado amigos y seres queridos; ahora solo tengo amistad con las tinieblas.

SATANÁS HA SIDO DERROTADO. Este es uno de los pocos salmos que terminan sin algo de luz, sin una expresión de esperanza y confianza. ¿Por qué Dios incluyó este salmo en las Escrituras, en donde sería recitado y entonado por miles de años? En primer lugar, porque nos enseña que en ocasiones los periodos de oscuridad espiritual pueden prolongarse por mucho tiempo. También nos muestra qué hacer en dichos periodos: declararle a Dios nuestra incapacidad y desesperación. Podemos adorar a Dios incluso con nuestra desesperación. En segundo lugar, porque esas oraciones surgidas de la oscuridad traen más victoria de lo que aparentan. Satanás le dijo a Dios que nadie le adora a menos que obtengan algo de Él, pero aquí vemos a un hombre orando y sirviendo a Dios a cambio de nada (Job 1:9). Así que Satanás ha sido derrotado.

Oración: Señor, te alabo porque eres un Dios que entiende lo que sufre el ser humano; que entiende lo que es estar desesperado en la oscuridad; que ha sido tentado de toda forma posible, como nosotros lo somos. Por eso puedo acudir a Ti, maravilloso consolador, en mis luchas y momentos de necesidad. Amén.

Agosto 4

Salmo 89:1-8. [1]Oh Señor, por siempre cantaré la grandeza de Tu amor; por todas las generaciones proclamará mi boca Tu fidelidad. [2]Declararé que Tu amor permanece firme para siempre, que has afirmado en el cielo Tu fidelidad. [3]Dijiste: "He hecho un pacto con Mi escogido; le he jurado a David Mi siervo: [4]Estableceré tu dinastía para siempre, y afirmaré tu trono por todas las generaciones". [5]Los cielos, Señor, celebran Tus maravillas, y Tu fidelidad la asamblea de los santos. [6]¿Quién en los cielos es comparable al Señor? ¿Quién como Él entre los seres celestiales? [7]Dios es muy temido en la asamblea de los santos; grande y portentoso sobre cuantos lo rodean. [8]¿Quién como Tú, Señor, Dios Todopoderoso, rodeado de poder y de fidelidad?

PRESENTANDO TU CASO. Dios nos invita, a través de este salmo, a argumentar con Él de la misma manera como un abogado presenta un caso. El salmista le declara a Dios no solo lo que él quiere, sino que además presenta argumentos de por qué sus peticiones van de acuerdo con Su carácter y propósitos. Presenta su caso señalando la fidelidad del pacto de Dios (versículos 1 y 2) y Su promesa de establecer la dinastía de David *por siempre* (versículos 2 y 4). Este es un modelo para nuestras oraciones. Debemos brindar razones teológicas para nuestras peticiones, explicando cómo ellas van de acuerdo con el carácter, la salvación y los propósitos de Dios para el mundo. Si presentamos nuestras peticiones de esta manera, profundizaremos en el conocimiento de Sus caminos y depositaremos en Él nuestras cargas.

Oración: Señor, mi vida de oración es muy diminuta. Enséñame e impúlsame a dejar mis necesidades y preocupaciones en Tus manos, fundamentando mis peticiones en Tus promesas y en Tu Palabra. Tales oraciones te honran, animan mi corazón y transforman al mundo. Amén.

Agosto 5

Salmo 89:9-18. ⁹Tú gobiernas sobre el mar embravecido; Tú apaciguas sus encrespadas olas. ¹⁰Aplastaste a Rahab como a un cadáver; con Tu brazo poderoso dispersaste a Tus enemigos. ¹¹Tuyo es el cielo, y Tuya la tierra; Tú fundaste el mundo y todo lo que contiene. ¹²Por Ti fueron creados el norte y el sur; el Tabor y el Hermón cantan alegres a Tu nombre. ¹³Tu brazo es capaz de grandes proezas; fuerte es Tu mano, exaltada Tu diestra. ¹⁴La justicia y el derecho son el fundamento de Tu trono, y Tus heraldos, el amor y la verdad. ¹⁵Dichosos los que saben aclamarte, Señor, y caminan a la luz de Tu presencia; ¹⁶los que todo el día se alegran en Tu nombre y se regocijan en Tu justicia. ¹⁷Porque Tú eres su gloria y su poder; por Tu buena voluntad aumentas nuestra fuerza. ¹⁸Tú, Señor, eres nuestro escudo; Tú, Santo de Israel, eres nuestro rey.

PODEROSO Y JUSTO. Este salmo presenta dos atributos de Dios. Él es Todopoderoso (versículos del 9 al 13) y es perfectamente justo (versículos del 14 al 18). Para aquellos que confían en su propia opinión, el sufrimiento es una prueba de que Dios no existe. Ellos razonan que Él querría terminar con el sufrimiento si Él fuese bueno, y lo haría si fuese omnipotente. Ya que la maldad continúa, ellos concluyen que Dios no puede ser ambas cosas. Pero nosotros debemos concluir que un Dios infinito debe tener buenos motivos para permitir el sufrimiento que nuestras mentes limitadas no pueden comprender. Cuando tomamos la postura más humilde, los atributos de Dios son de gran consuelo. Porque Él es Todopoderoso, nada está fuera de Su control. Porque Él es perfectamente justo, todo cambiará para bien (Génesis 50:20).

Oración: Señor, mi corazón frecuentemente resiente Tu poder y cuestiona Tu justicia. Pero cuando pienso que sé más que Tú, me hundo en la ansiedad. Cuán cierto es que son "dichosos los que saben aclamarte" (versículo 15). Cuanto más acepto Tu bondad, más puedo descansar. Amén.

Agosto 6

Salmo 89:19-26. [19]Una vez hablaste en una visión, y le dijiste a Tu pueblo fiel: "Le he brindado Mi ayuda a un valiente; al mejor hombre del pueblo lo he exaltado. [20]He encontrado a David, Mi siervo, y lo he ungido con mi aceite santo. [21]Mi mano siempre lo sostendrá; Mi brazo lo fortalecerá. [22]Ningún enemigo lo someterá a tributo; ningún inicuo lo oprimirá. [23]Aplastaré a quienes se le enfrenten y derribaré a quienes lo aborrezcan. [24]La fidelidad de Mi amor lo acompañará, y por Mi nombre será exaltada su fuerza. [25]Le daré poder sobre el mar y dominio sobre los ríos. [26]Él me dirá: 'Tú eres mi Padre, mi Dios, la roca de salvación'".

MIRA AL CORAZÓN. El salmista relata cómo David se convirtió en rey (1 Samuel 16 y 17). Mientras que Saúl y Eliab, el hermano de David, tenían fortaleza física para ser reyes, Dios eligió al joven David. Incluso el profeta Samuel fue engañado y Dios tuvo que advertirle: "La gente se fija en las apariencias, pero Yo me fijo en el corazón" (1 Samuel 16:7). Solamente Dios mira las cosas como realmente son, y la verdadera belleza y grandeza provienen del carácter (1 Pedro 3:3-4). Contrario a nuestra cultura que idolatra la apariencia física, el carácter del corazón es infinitamente más importante que la belleza física. Es también más importante que el talento o la inteligencia, cosas que no pueden prevenir los problemas de la vida. ¿Estás siendo menos egoísta, más amoroso, menos orgulloso, menos vanidoso, más sabio y menos sensible a las críticas? Esto es lo que realmente importa.

Oración: Padre, llamaste a David. Él no buscaba construir un gran imperio, simplemente quería hacer Tu voluntad, y Tú lo usaste. Hazme como David por Tu gracia, la cual he recibido solo a través de la fe en el Hijo de David, Jesús. Amén.

Salmo 89:27-37. [27]"Yo le daré los derechos de primogenitura, la primacía sobre los reyes de la tierra. [28]Mi amor por él será siempre constante, y Mi pacto con él se mantendrá fiel. [29]Afirmaré su dinastía y su trono para siempre, mientras el cielo exista. [30]Pero si sus hijos se apartan de Mi ley y no viven según Mis decretos, [31]si violan Mis estatutos y no observan Mis mandamientos, [32]con vara castigaré sus transgresiones y con azotes su iniquidad. [33]Con todo, jamás le negaré Mi amor, ni Mi fidelidad le faltará. [34]No violaré Mi pacto ni me retractaré de Mis palabras. [35]Una sola vez he jurado por Mi santidad, y no voy a mentirle a David: [36]Su descendencia vivirá por siempre; su trono durará como el sol en Mi presencia. [37]Como la luna, fiel testigo en el cielo, será establecido para siempre".

ALTAS EXPECTATIVAS. Si antes de entrar a un cuarto algo desarreglado se te dice: "Esta es la celda de una cárcel", podrías pensar: "Pues está bastante bien". Pero si antes de entrar al mismo cuarto se te dice: "Esta es una habitación de lujo para disfrutar de una luna de miel", podrías responder: "¡Pero qué estafa es esta!". Las expectativas controlan nuestra forma de interpretar las cosas. Dios dijo que el reino de David duraría por siempre (versículo 29; 2 Samuel 7:4-17) y crecería hasta cubrir a todas las naciones del mundo (versículo 27). El salmista, como veremos, pensó que esto significaba que la nación política de Israel nunca faltaría. Nosotros también leemos las promesas de Dios y las interpretamos según nuestras expectativas. Cuando no se cumplen nuestras expectativas, nos encontramos desilusionados con Dios, pero realmente es culpa nuestra.

Oración: Señor, yo leo Tus promesas —me bendecirás, me cuidarás y me sostendrás— y las interpreto según mis expectativas. Después te hago responsable si no las cumples. De esta forma te convierto en mi siervo, en lugar de yo hacerme siervo Tuyo. Perdóname por ofenderte de esta manera. Amén.

Agosto 8

Salmo 89:38-45. [38]Pero Tú has desechado, has rechazado a Tu ungido; te has enfurecido contra él en gran manera. [39]Has revocado el pacto con Tu siervo; has arrastrado por los suelos su corona. [40]Has derribado todas sus murallas y dejado en ruinas sus fortalezas. [41]Todos los que pasan lo saquean; ¡es motivo de burla para sus vecinos! [42]Has exaltado el poder de sus adversarios y llenado de gozo a sus enemigos. [43]Le has quitado el filo a su espada, y no lo has apoyado en la batalla. [44]Has puesto fin a su esplendor al derribar por tierra su trono. [45]Has acortado los días de su juventud; lo has cubierto con un manto de vergüenza.

EXPECTATIVAS INCUMPLIDAS. El salmista se queja de que Dios haya renunciado a Su pacto con David (versículo 39). Israel ha sido conquistado y llevado al exilio (versículos 40 y 45). ¿Cómo pueden las promesas de un reino eterno hechas a David corresponder a este desastre? Muchos de los que recibieron a Jesús como el Mesías también fueron desilusionados cuando falló en tomar el poder. Cuando murió en la cruz, no se imaginaban cómo Dios podía cumplir Sus promesas de salvarnos al dejar que tal tragedia sucediera. Pero el exilio a Babilonia y el horror de la cruz fueron eventos que propiciaron la historia de nuestra salvación. Aprende que Dios siempre cumple Sus promesas, pero lo hace con un nivel de gran complejidad, el cual no podemos comprender con facilidad.

Oración: Señor, Tú te escondes en la historia, pero no en Tu Palabra. A menudo no puedo comprender de qué manera estás trabajando en mi vida, pero cuando leo sobre Tus propósitos de salvación en las vidas de José, Job, David y Jesús mismo, me queda claro que Tú nunca fallas cuando se trata de ayudarnos y de salvarnos. Gracias por Tu Palabra; ayúdame a confiar en ella. Amén.

Agosto 9

Salmo 89:46-52. [46]¿Hasta cuándo, Señor, te seguirás escondiendo? ¿Va a arder Tu ira para siempre, como el fuego? [47]¡Recuerda cuán efímera es mi vida! Al fin y al cabo, ¿para qué creaste a los mortales? [48]¿Quién hay que viva y no muera jamás, o que pueda escapar del poder del sepulcro? [49]¿Dónde está, Señor, Tu amor de antaño, que en Tu fidelidad juraste a David? [50]Recuerda, Señor, que se burlan de Tus siervos; que llevo en mi pecho los insultos de muchos pueblos. [51]Tus enemigos, Señor, nos ultrajan; a cada paso ofenden a Tu ungido. ¡Bendito sea el Señor por siempre! Amén y amén.

EXPECTATIVAS CUMPLIDAS. El salmista enfrenta el conflicto entre la propuesta de Dios y su incumplimiento. A él no le da vergüenza expresar su desilusión, pero en la oración del salmista encontramos más asombro que resentimiento. Sabemos que, contrario a las apariencias, las promesas de Dios hacia David sí cumplieron las expectativas. De hecho, su cumplimiento en Cristo excedió toda posible expectativa imaginable. Jesús es el descendiente de David, literalmente es el Hijo primogénito de Dios. Jesús es la persona que está atrayendo a todas las naciones a Sí mismo, es la persona que gobernará el mundo para siempre (versículos del 26 al 29). Así que este salmo nos sirve de ejemplo. Ora mostrando tus desilusiones, pero déjalas en las manos de Dios. Recuerda que no alcanzas a ver todo el panorama. Y cuando Él nos conteste, será mucho mejor y más asombroso de lo que nos pudiéramos imaginar.

Oración: Señor, te alabo porque Tus promesas siempre nos darán más de lo que imaginamos, no menos. He tenido pequeñas muestras de esto a través de los años. Tú me has ayudado de mejores formas de las que había esperado. Permíteme vivir con gran anticipación y gozo por mi futuro contigo. Amén.

Agosto 10

Salmo 90:1-4. [1]Señor, Tú has sido nuestro refugio generación tras generación. [2]Desde antes que nacieran los montes y que crearas la tierra y el mundo, desde los tiempos antiguos y hasta los tiempos postreros, Tú eres Dios. [3]Tú haces que los hombres vuelvan al polvo, cuando dices: "¡Vuélvanse al polvo, mortales!". [4]Mil años, para Ti, son como el día de ayer, que ya pasó; son como unas cuantas horas de la noche.

ESTA CORTA VIDA. El versículo 4 es uno de los más citados en los salmos porque nos da consuelo cuando estamos frustrados por los tiempos de Dios. El tiempo se mueve lentamente para nosotros mientras avanzamos de momento en momento. Dios, quien habita en la eternidad, observa toda la historia en un solo momento, así que Su agenda muy probablemente no concordará con la nuestra. El autor de este salmo, Moisés, parece mirar la vida desde el punto de vista de un anciano, desde donde por fin puede ver, como Dios lo hace, que nuestro tiempo aquí es muy corto. Permite que este salmo te haga sabio hoy (ver versículo 12), cuando todavía estás a tiempo para decidir que no vas a malgastar tu vida en cosas pasajeras. Pronto será demasiado tarde.

Oración: Señor, ¡la vida pasa tan rápido! De no ser porque recuerdo Tu eternidad me asustaría. Somos tan superficiales como la hierba y seremos llevados por el viento, a menos que Tú seas nuestra morada. En Ti estamos en casa. Lo que tengo en Ti jamás lo podré perder y lo tendré para siempre. Te alabo por este maravilloso consuelo. Amén.

Agosto 11

Salmo 90:5-12. [5]Arrasas a los mortales. Son como un sueño. Nacen por la mañana, como la hierba [6]que al amanecer brota lozana y por la noche ya está marchita y seca. [7]Tu ira en verdad nos consume, Tu indignación nos aterra. [8]Ante Ti has puesto nuestras iniquidades; a la luz de Tu presencia, nuestros pecados secretos. [9]Por causa de Tu ira se nos va la vida entera; se esfuman nuestros años como un suspiro. [10]Algunos llegamos hasta los setenta años, quizás alcancemos hasta los ochenta, si las fuerzas nos acompañan. Tantos años de vida, sin embargo, solo traen pesadas cargas y calamidades: pronto pasan, y con ellos pasamos nosotros. [11]¿Quién puede comprender el furor de Tu enojo? ¡Tu ira es tan grande como el temor que se te debe! [12]Enséñanos a contar bien nuestros días, para que nuestro corazón adquiera sabiduría.

NOS DESVANECEMOS. El salmista nos recuerda que nuestras vidas se están desintegrando —poco a poco nos desgastamos hasta volver al polvo (versículo 3; Génesis 2:7). Los versículos del 7 al 11 nos recuerdan que la muerte no es el orden natural de las cosas, sino el efecto de haber rechazado a Dios; es la maldición pronunciada contra la creación (Génesis 3:1-19). Si no tenemos clara esta doctrina del pecado, no seremos sabios (versículo 12). Constantemente nos asombrará lo que las personas (y nosotros) son capaces de hacer, y nos asombrará cómo la vida se lleva lentamente todo lo que amamos. Confiamos demasiado en nuestras propias habilidades y buscamos satisfacción en cosas que inevitablemente perderemos. Enfrenta el pecado y la muerte o estarás fuera de la realidad.

Oración: Señor, no he trabajado profundamente en mi alma como para estar listo para morir. Dame la fuerza para hacerme la gran pregunta: "¿Estaría listo para morir mañana?". Sé una *viviente y brillante realidad*[85] para mí, para poder responder esa pregunta sabiamente y después hacer lo necesario. Amén.

Agosto 12

Salmo 90:13-17. [13]¿Cuándo, Señor, te volverás hacia nosotros? ¡Compadécete ya de Tus siervos! [14]Sácianos de Tu amor por la mañana, y toda nuestra vida cantaremos de alegría. [15]Días y años nos has afligido, nos has hecho sufrir; ¡devuélvenos ahora ese tiempo en alegría! [16]¡Sean manifiestas Tus obras a Tus siervos, y Tu esplendor a sus descendientes! [17]Que el favor del Señor nuestro Dios esté sobre nosotros. Confirma en nosotros la obra de nuestras manos; sí, confirma la obra de nuestras manos.

AMOR QUE NO FALLA. Nunca queremos perder aquello que realmente amamos. Nosotros, como seres finitos, no podemos ver el propósito final. Pero si nos conectamos con el amor infalible e inagotable de Dios (versículo 14), ese amor sobrepasará nuestra mortalidad; nunca moriremos. Esta es la intuición de Moisés, pero los cristianos sabemos que los que creen en Jesús, la Resurrección y la Vida, "vivirán aunque mueran" (Juan 11:25). No permitas que nada te deslumbre; más bien mira el esplendor de Dios como lo único duradero (versículo 16). Y no permitas que nada te mueva, ya que Dios confirmará la obra de tus manos (versículo 17).

Oración: Señor, una vez que Tu amor me sostenga, incluso la muerte solo puede acercarme a Ti. *El pecador, durmiendo en su tumba, despertará con el sonido de mi voz; ya que una vez que comienza a salvar, mi obra nunca cesa.*[86] ¡Te amo por ser así! Amén.

Agosto 13

Salmo 91:1-4. [1]El que habita al abrigo del Altísimo se acoge a la sombra del Todopoderoso. [2]Yo le digo al Señor: "Tú eres mi refugio, mi fortaleza, el Dios en quien confío". [3]Solo Él puede librarte de las trampas del cazador y de mortíferas plagas, [4]pues te cubrirá con sus plumas y bajo sus alas hallarás refugio. ¡Su verdad será tu escudo y tu baluarte!

LA FORMA EN QUE DIOS PROTEGE. Dos metáforas opuestas entre sí son utilizadas para hacer referencia a la protección de Dios: una fortaleza y un ave que protege a sus polluelos bajo sus alas. La fortaleza tiene paredes de una fuerza impenetrable. Las lanzas y las flechas no le hacen daño alguno. El ave, sin embargo, protege con alas que son esencialmente frágiles. Protege a sus polluelos del calor, la lluvia o el frío solo al sufrir estas cosas ella misma. El Antiguo Testamento nos explica cómo la fuerza y la debilidad del sacrificio pueden combinarse en Dios. Es en la cruz en donde contemplamos el poder justo de Dios y Su amor tierno y sacrificial, ambos mostrándose por completo y al mismo tiempo.

Oración: Señor, te alabo por Tu majestad y Tu mansedumbre en Jesucristo. *¡Maravillémonos! La gracia y la justicia se unen y nos señalan Tu misericordia. Cuando nuestra confianza está en Cristo, la justicia sonríe satisfecha: Aquel que nos lavó con Su sangre ha asegurado nuestro camino a Dios.*[87] Amén.

Agosto 14

Salmo 91:5-13. [5]No temerás el terror de la noche, ni la flecha que vuela de día, [6]ni la peste que acecha en las sombras ni la plaga que destruye a mediodía. [7]Podrán caer mil a tu izquierda, y diez mil a tu derecha, pero a ti no te afectará. [8]No tendrás más que abrir bien los ojos, para ver a los impíos recibir su merecido. [9]Ya que has puesto al Señor por tu refugio, al Altísimo por tu protección, [10]ningún mal habrá de sobrevenirte, ninguna calamidad llegará a tu hogar. [11]Porque Él ordenará que sus ángeles te cuiden en todos tus caminos. [12]Con sus propias manos te levantarán para que no tropieces con piedra alguna. [13]Aplastarás al león y a la víbora; ¡hollarás fieras y serpientes!

NINGÚN MAL HABRÁ DE SOBREVENIRTE. Estos versículos parecen prometer que nada malo les sucederá a los creyentes. Y cuando Satanás le cita el versículo 11 a Jesús en el desierto, eso es lo que está sugiriendo (Lucas 4:9-12). El diablo quiere hacernos pensar que las promesas de Dios han fallado si Él permite que suframos. Pero el salmo posteriormente aclara que Dios estará con nosotros *en* los momentos de angustia, no que nos librará *de* ellos (ver versículo 15). Lucas 21:16-18 dice, paradójicamente, que bajo el cuidado de Dios "no se perderá ni un solo cabello de su cabeza" y, sin embargo, "a algunos de ustedes se les dará muerte". Lo único que los creyentes pueden perder en medio del sufrimiento son cosas que no son indispensables. El verdadero tú, el que Dios está creando (Filipenses 1:6; 2 Corintios 3:18, 4:16-17), no puede ser dañado.

Oración: Señor, valoro las cosas terrenales más que la gracia, el amor y la santidad. Por tal razón me desanimo en medio de las pruebas y de los problemas. Pueden dañar a mi falso yo —el que se construye en base a las apariencias, al estatus social y a la aprobación humana. Pero no pueden dañar mi verdadera identidad como hijo Tuyo. ¡Solo pueden fortalecerla! Enséñame a crecer en Tu semejanza en medio de las aflicciones. Amén.

Agosto 15

Salmo 91:14-16. [14]"Yo lo libraré, porque él se acoge a Mí; lo protegeré, porque reconoce Mi nombre. [15]Él me invocará, y Yo le responderé; estaré con él en momentos de angustia; lo libraré y lo llenaré de honores. [16]Lo colmaré con muchos años de vida y le haré gozar de Mi salvación".

DULCES PROMESAS. En pocos renglones, Dios hace siete promesas a aquellos que le aman (versículo 14). Las primeras cuatro son prácticas. Él nos rescatará y protegerá, contestará nuestras oraciones y estará a nuestro lado en medio de los problemas (versículos 14 y 15). Sin embargo, las últimas tres nos llevan a un horizonte más allá de nuestra vista. Nos llenará de "honores" o, literalmente, *de gloria* (versículo 15). Él nos da la estima y el valor que tanto nos esforzamos por obtener de los demás. Va más allá de nuestra imaginación: *Su* alta estima, *Su* "bien hecho" —un regalo de *Su* gracia. También nos da vida eterna y salvación para nuestros cuerpos y almas (Romanos 8:11, 23-25). Aquí encontramos verdaderamente "una caja de dulces promesas".[88]

Oración: Padre, deseo aplausos, aprobación y alabanza de otros. Pero eso me esclaviza. Por las noches me acuesto enfadado por ser ignorado. La crítica se siente como la muerte. Ayúdame a vivir en alegría y estabilidad, sabiendo que soy Tu hijo y Tu heredero, y que en Cristo Tú te deleitas en mí. Amén.

Agosto 16

Salmo 92:1-4. [1]¡Cuán bueno, Señor, es darte gracias y entonar, oh Altísimo, salmos a Tu nombre; [2]proclamar Tu gran amor por la mañana, y Tu fidelidad por la noche, [3]al son del decacordio y de la lira; al son del arpa y del salterio! [4]Tú, Señor, me llenas de alegría con Tus maravillas; por eso alabaré jubiloso las obras de Tus manos.

CANTOS PARA EL SÁBADO. Este salmo se titula *Salmo para cantarse en sábado*. Para nosotros, la palabra "sábado" (que aquí significa "día de descanso") conlleva mayormente inactividad, pero la adoración es la forma principal en la que el sábado bíblico renueva nuestras fuerzas y nuestra alegría. La adoración es "buena" (versículo 1). Todo lo que amemos o sirvamos más que a Dios se convierte en un ídolo que absorbe nuestra fuerza. Los ídolos de la profesión, el dinero y las relaciones nunca pueden ser satisfechos, y nos quitan las fuerzas. Pero la adoración al Dios verdadero nos restaura y renueva nuestras fuerzas. El versículo 4 dice que debemos encontrar nuestra alegría en "las manos de Dios". Los cristianos saben más de Su obra de salvación que las generaciones pasadas. Tenemos muchas más razones de cantar alegremente que nadie más, porque somos amados con el costoso amor de la cruz.

Oración: Señor, permíteme conocer el descanso y la restauración que provienen de la verdadera alabanza. Solo ahí podré encontrar descanso de la preocupación y del resentimiento. Envía Tu Espíritu para alegrarme en Tus obras y cantar por lo que Tus manos han hecho. Amén.

Agosto 17

Salmo 92:5-9. ⁵Oh Señor, ¡cuán imponentes son Tus obras, y cuán profundos Tus pensamientos! ⁶Los insensatos no lo saben, los necios no lo entienden: ⁷aunque broten como hierba los impíos, y florezcan todos los malhechores, para siempre serán destruidos. ⁸Solo Tú, Señor, serás exaltado para siempre. ⁹Ciertamente Tus enemigos, Señor, ciertamente Tus enemigos perecerán; ¡dispersados por todas partes serán todos los malhechores!

ABRE NUESTROS OJOS. La adoración a Dios no solo nos causa alegría; también abre nuestras mentes y nos hace pensar. Todos somos tan ciegos espiritualmente por naturaleza, como una persona ciega físicamente lo es ante las cosas que le rodean. Vemos la naturaleza y no podemos comprender que existe un Creador. Vemos la historia y no podemos ver la mano de Dios, así que tomamos crédito por cosas que nos han sido regaladas. Leemos el evangelio y pensamos que es una tontería. Aun nosotros los creyentes sabemos que existe un velo en nuestra visión, que no vemos las cosas claramente. Vemos personas que "parecen árboles que caminan" (Marcos 8:24), por eso necesitamos que nuestra visión mejore a través del toque sanador de Jesús.

Oración: Señor, a través de la obra de Tu Espíritu en mi vida puedo ver las cosas a las que antes estaba ciego. Veo cosas maravillosas y cautivantes en Tu Palabra, las cuales antes consideraba aburridas. Continúa tocando mis ojos hasta que pueda ver claramente. Amén.

Agosto 18

Salmo 92:10-15. [10]Me has dado las fuerzas de un toro; me has ungido con el mejor perfume. [11]Me has hecho ver la caída de mis adversarios y oír la derrota de mis malvados enemigos. [12]Como palmeras florecen los justos; como cedros del Líbano crecen. [13]Plantados en la casa del Señor, florecen en los atrios de nuestro Dios. [14]Aun en su vejez, darán fruto; siempre estarán vigorosos y lozanos, [15]para proclamar: "El Señor es justo; Él es mi Roca, y en Él no hay injusticia".

VIGOR EN LA VEJEZ. El versículo 10 nos presenta la figura de un "toro", símbolo de la fuerza, y la figura de "ser ungido", símbolo del rejuvenecimiento. Solo a través de la adoración somos restaurados a la vitalidad, después de cansarnos cada vez que buscamos nuestra propia gloria. Si mantenemos comunión con Dios a través de los años (versículo 13), tendremos un tipo de vigor que puede aumentar con el paso del tiempo. Esto no significa que permaneceremos espiritualmente jóvenes. El vigor espiritual crecerá solo a través de confiar en Dios por medio de la oración, acompañado con la sabiduría que proviene de un gran número de recuerdos, tanto amargos como dulces. "Aunque por fuera nos vamos desgastando, por dentro nos vamos renovando día tras día" (2 Corintios 4:16).

Oración: Señor, al ir envejeciendo permíteme tener un vigor en mi fe y en mi adoración que no tuve en mis años anteriores. Hazme más fuerte en espíritu y más débil en mi cuerpo. Amén.

Agosto 19

Salmo 93. ¹El Señor reina, revestido de esplendor; el Señor se ha revestido de grandeza y ha desplegado Su poder. Ha establecido el mundo con firmeza; jamás será removido. ²Desde el principio se estableció Tu trono, y Tú desde siempre has existido. ³Se levantan las aguas, Señor; se levantan las aguas con estruendo; se levantan las aguas y sus batientes olas. ⁴Pero el Señor, en las alturas, se muestra poderoso: más poderoso que el estruendo de las muchas aguas, más poderoso que los embates del mar. ⁵Dignos de confianza son, Señor, Tus estatutos; ¡la santidad es para siempre el adorno de Tu casa!

MÁS PODEROSO QUE EL MAR. El mar era temido como la fuente del caos y el hogar de muchos monstruos, pero el reino de Dios es absoluto sobre todas las fuerzas (versículos 3 y 4). Es por esta razón que debemos obedecer Su Palabra ("Tus estatutos", versículo 5) y presentarnos en santidad ante Su presencia. Pero la santidad de Dios es más asombrosa que el tormentoso mar. ¿Cómo podemos presentarnos ante el Dios santo? Cuando Jesús calma la tormenta (Marcos 4:35-41) nos da una señal de la victoria sobre el caos del pecado y la muerte en la cruz. Por el poder de Dios en la creación y en la salvación, el mundo es seguro para ti. Cuando contemplas el mar, ¿te motivas a adorar a tu Creador y Redentor?

Oración: Señor, cuando veo un rayo de luz, mis ojos naturalmente buscan la fuente de luz. ¿Por qué no hago lo mismo al contemplar las montañas, el mar y todas las maravillas de la naturaleza? Dame el hábito de utilizar todas las cosas buenas como medio de entenderte y disfrutarte mejor. Amén.

Salmo 94:1-10. ¹Señor, Dios de las venganzas; Dios de las venganzas, ¡manifiéstate! ²Levántate, Juez de la tierra, y dales su merecido a los soberbios. ³¿Hasta cuándo, Señor, hasta cuándo habrán de ufanarse los impíos? ⁴Todos esos malhechores son unos fanfarrones; a borbotones escupen su arrogancia. ⁵A Tu pueblo, Señor, lo pisotean; ¡oprimen a Tu herencia! ⁶Matan a las viudas y a los extranjeros; a los huérfanos los asesinan. ⁷Y hasta dicen: "El Señor no ve; el Dios de Jacob no se da cuenta". ⁸Entiendan esto, gente necia; ¿cuándo, insensatos, lo van a comprender? ⁹¿Acaso no oirá el que nos puso las orejas, ni podrá ver el que nos formó los ojos? ¹⁰¿Y no habrá de castigar el que corrige a las naciones e instruye en el saber a todo el mundo?

OPRESORES. En la actualidad existe mucha ira contra los ricos despiadados. Dios es el vengador de aquellos que han sido oprimidos en todas las épocas y juzgará a quienes utilizan su dinero para mejorar sus vidas a expensas de los demás. Las riquezas no son malas en sí mismas, como lo demostraron Abraham y Job, pero son una tentación enorme para la autosuficiencia (1 Timoteo 6:9-10). El poema "Avaricia" de George Herbert describe cómo, al amar el dinero, le damos el poder de convertirnos en inhumanos. Él le dice al dinero: "Los hombres te llaman su riqueza. Y mientras te buscan, caen en el foso".⁸⁹ El juicio de Dios hacia los opresores toma muchas formas.

Oración: Señor, te alabo por ser un Dios que venga a los débiles y marginados. Pero esta verdad es una espada de dos filos. Me consuela cuando veo grandes desigualdades en el mundo. Pero también me confronta con mi vida cómoda y mi indiferencia hacia los necesitados. Lidia con mi corazón hasta que transformes mi vida. Amén.

Agosto 21

Salmo 94:11-15. [11]El Señor conoce los pensamientos humanos, y sabe que son absurdos. [12]Dichoso aquel a quien Tú, Señor, corriges; aquel a quien instruyes en Tu ley, [13]para que enfrente tranquilo los días de aflicción mientras al impío se le cava una fosa. [14]El Señor no rechazará a Su pueblo; no dejará a Su herencia en el abandono. [15]El juicio volverá a basarse en la justicia, y todos los rectos de corazón lo seguirán.

BENDITA DISCIPLINA. Si todos nuestros pensamientos del lunes fueran puestos en Internet el martes, perderíamos a todos nuestros amigos. Pensamos que podemos esconder nuestros pensamientos crueles, envidiosos y lujuriosos, pero Dios los ve (versículo 11). Es por eso que los creyentes sabios se alegran en la disciplina, ya que les conduce a la ley de Dios y a Su Palabra (versículo 12). A través de ella obtienen tranquilidad (versículo 13), una palabra que significa "quietud interior al enfrentar problemas externos".[90] Mientras que Dios puede probarnos y refinarnos, no nos abandonará (versículo 14) a pesar de nuestro pecado. ¿Por qué no? Porque Dios dictó la sentencia contra el maligno y después sufrió Él mismo el castigo en Jesús. Por ello podemos estar seguros de que "no dejará a Su herencia en el abandono" (versículo 14).

Oración: Señor, ayúdame a recordar que Tú conoces todos mis pensamientos. Durante el día, permíteme vivir —y pensar— en Ti. Así no viviré neciamente, pensando en mí mismo, cosa que solo oscurece mi corazón. Cambia mis pensamientos, oh Señor. Amén.

Agosto 22

Salmo 94:16-23. [16]¿Quién se levantó a defenderme de los impíos? ¿Quién se puso de mi parte contra los malhechores? [17]Si el Señor no me hubiera brindado Su ayuda, muy pronto me habría quedado en mortal silencio. [18]No bien decía: "Mis pies resbalan", cuando ya Tu amor, Señor, venía en mi ayuda. [19]Cuando en mí la angustia iba en aumento, Tu consuelo llenaba mi alma de alegría. [20]¿Podrías ser amigo de reyes corruptos que por decreto fraguan la maldad, [21]que conspiran contra la gente honrada y condenan a muerte al inocente? [22]Pero el Señor es mi protector, es mi Dios y la roca en que me refugio. [23]Él les hará pagar por sus pecados y los destruirá por su maldad; ¡el Señor nuestro Dios los destruirá!

TU CONSUELO. El salmista confiesa que experimentó gran ansiedad y fue rescatado de ella solo gracias al consuelo de Dios (versículo 19). ¿Cuál es este consuelo? Vemos este consuelo en el tema de este salmo, es decir, que Dios no permitirá que todas las historias —la tuya, la mía y la del mundo— terminen mal. Él corregirá toda la maldad que hay en el mundo. Él permitirá que a nuestra vida lleguen solo los problemas que nos refinarán. Pero la mayor manifestación de este consuelo es que en Jesús tenemos a un campeón. Cuando el salmista pide que alguien luche a su favor (versículo 16), estaba pidiendo a un campeón como David, quien peló contra Goliat para que lo que israelitas no tuvieran que hacerlo. Jesús es nuestro campeón, quien tomó nuestro castigo para que nosotros no tuviéramos que hacerlo.

Oración: Padre, Tu siervo David arriesgó su vida para pelear contra el gigante a favor de Tu pueblo. Pero Tu Hijo *perdió* Su vida para luchar contra el pecado y contra la muerte a mi favor. Ayúdame a apreciar y contemplar el valor de Jesús, hasta que cree en mí ese mismo valor que quite mi egoísmo. Amén.

Agosto 23

Salmo 95:1-4. ¹Vengan, cantemos con júbilo al Señor; aclamemos a la roca de nuestra salvación. ²Lleguemos ante Él con acción de gracias, aclamémoslo con cánticos. ³Porque el Señor es el gran Dios, el gran Rey sobre todos los dioses. ⁴En Sus manos están los abismos de la tierra; Suyas son las cumbres de los montes.

ACLAMEMOS. Este salmo y el siguiente nos dan casi una liturgia para el servicio de adoración grupal. La primera etapa es la adoración. "Vengan, cantemos con júbilo al Señor" (versículo 1). Alabémoslo por ser el Creador y Sustentador de todo el mundo. La alabanza no es siempre silenciosa y decorosa. Puede contener gritos y saltos cada vez que derramamos nuestros corazones. Cuando el amor del eterno Dios se hace real para nosotros, nuestra alegría debe ser incontenible.

Oración: Señor, Tú eres eterno, siempre estás presente, eres perfecto en conocimiento y sabiduría, tienes poder absoluto, eres completamente puro y justo. Tú eres todo eso. Sin embargo, mi adoración se queda tan corta comparada contigo que me avergüenza. Acepta mi alabanza a través de los méritos de Jesús, mi Salvador. Amén.

Agosto 24

Salmo 95:5-7. [5]Suyo es el mar, porque Él lo hizo; con Sus manos formó la tierra firme. [6]Vengan, postrémonos reverentes, doblemos la rodilla ante el Señor nuestro Hacedor. [7]Porque Él es nuestro Dios y nosotros somos el pueblo de Su prado; ¡somos un rebaño bajo Su cuidado!

POSTRÉMONOS. El siguiente elemento de la adoración es la confesión del pecado y de nuestra necesidad. "Postrémonos reverentes, doblemos la rodilla ante el Señor nuestro Hacedor" (versículos 6 y 7). En contraste con la alegría incontenible de los primeros versículos, que parecen invitar incluso a la danza, cada uno de los tres verbos en el versículo 6 se relacionan a humillarse ante Dios, ya que la palabra hebrea para "vengan" literalmente significa "postrarse uno mismo". Debemos postrarnos reverentemente, arrodillarnos humildemente ante Dios, admitiendo nuestro pecado y nuestra dependencia. Mientras que la adoración viene al contemplar la gloria de Dios, la sumisión viene al contemplar Su gracia, la gracia del Dios del pacto que nos redimió y nos compró como ovejas para Su rebaño (versículo 7).

Oración: Señor, confieso la ceguera de mi entendimiento, la necedad de mi voluntad y la adicción de mi corazón hacia las cosas de este mundo. *Estoy lleno de pecado; Tú estás lleno de verdad y gracia.*[91] Sin esa gracia estoy perdido. Te alabo porque gracias a Cristo Tu gracia abunda en mí. Amén.

Agosto 25

Salmo 95:8-11. Si ustedes oyen hoy Su voz, [8]"no endurezcan el corazón, como en Meribá, como aquel día en Masá, en el desierto, [9]cuando sus antepasados me tentaron, cuando me pusieron a prueba, a pesar de haber visto Mis obras. [10]Cuarenta años estuve enojado con aquella generación, y dije: 'Son un pueblo mal encaminado que no reconoce Mis senderos'. [11]Así que, en Mi enojo, hice este juramento: 'Jamás entrarán en mi reposo'".

OIGAMOS BIEN. El tercer elemento de la alabanza grupal es ablandar nuestros corazones y atender a la Palabra de Dios mientras esta es leída, estudiada y enseñada. Israel falló en cumplir esto (Números 14:1-44), pero Hebreos 4:1-13 nos dice que nosotros también podemos fallar. En Cristo se nos ofrece una tierra prometida, no física, sino una que hace referencia a un descanso eterno —un descanso de la carga de alcanzar la salvación por nuestras propias fuerzas (Hebreos 4:10). ¿Por qué no iban a querer todos tener este descanso? Porque este descanso es una libertad desconocida para las personas de hoy en día, pues se necesita confiar en Dios en vez de confiar en nosotros mismos.

Oración: Padre, ¡cómo necesito Tu descanso! Estoy agotado de obedecer lo que dictan mis miedos, mis impulsos, mi necesidad de aprobación y control. Necesito la profunda paz que viene al dejar de tratar de ganar mi salvación a través de las obras y descansar en la obra que Tu Hijo terminó a la perfección por mí. Amén.

Agosto 26

Salmo 96:1-9. ¹Canten al Señor un cántico nuevo; canten al Señor, habitantes de toda la tierra. ²Canten al Señor, alaben Su nombre; anuncien día tras día Su victoria. ³Proclamen Su gloria entre las naciones, Sus maravillas entre todos los pueblos. ⁴¡Grande es el Señor y digno de alabanza, más temible que todos los dioses! ⁵Todos los dioses de las naciones no son nada, pero el Señor ha creado los cielos. ⁶El esplendor y la majestad son Sus heraldos; hay poder y belleza en Su santuario. ⁷Tributen al Señor, pueblos todos, tributen al Señor la gloria y el poder. ⁸Tributen al Señor la gloria que merece Su nombre; traigan Sus ofrendas y entren en Sus atrios. ⁹Póstrense ante el Señor en la majestad de Su santuario; ¡tiemble delante de Él toda la tierra!

LEVANTA LA VOZ. La adoración debe ser realizada "entre las naciones" (versículo 3). El versículo 2 dice que al alabar, estamos proclamando la salvación de Dios —literalmente, estamos llevando las buenas nuevas. No hay mejor manera de mostrarles a los escépticos la grandeza de Dios y la belleza de Su verdad que a través de la adoración (versículos del 4 al 10). Nuestra adoración debe ser irresistible para los incrédulos; es decir, "debe corregir la adoración estática y la predicación vana".⁹² La adoración dinámica no es solo un medio para ganarnos al mundo; también nos provee una motivación para hacerlo. Solo un corazón que esté rebosando de alegría querrá compartir la fuente de su alegría con todos los que le rodean. Si tuvieras la cura contra el cáncer, ¿la mantendrías en secreto? La adoración nos impulsa a servir y a amar al mundo.

Oración: Señor, incrementa mi entendimiento de Tu gracia hasta que me deshaga del egoísmo, de la pereza y del pesimismo que me impiden abrir mi boca e identificarme como cristiano en público. Perdóname por no proclamar lo que Tú has hecho por mí. Amén.

Agosto 27

[10]Que se diga entre las naciones: "¡El Señor es Rey!" Ha establecido el mundo con firmeza; jamás será removido. Él juzga a los pueblos con equidad. [11]¡Alégrense los cielos, regocíjese la tierra! ¡Brame el mar y todo lo que él contiene! [12]¡Canten alegres los campos y todo lo que hay en ellos! ¡Canten jubilosos todos los árboles del bosque! [13]¡Canten delante del Señor, que ya viene! ¡Viene ya para juzgar la tierra! Y juzgará al mundo con justicia, y a los pueblos con fidelidad.

MIRA HACIA ADELANTE. Toda la creación se alegrará por el regreso de Dios a la tierra, cuando la opresión, la maldad y el pecado lleguen a su fin. Los árboles cantarán alabanzas cuando el Sanador del mundo regrese para juzgar y renovar la tierra (versículos del 11 al 13). "Donde Dios reina [...] Sus más humildes criaturas pueden ser ellas mismas; allí Dios es su canción. En la creación, las estrellas de la mañana cantan juntas; a Su regreso, la tierra se unirá nuevamente; mientras tanto, los salmos muestran el efecto que Su presencia tiene en aquellos que, aunque sea a través de un espejo, borrosamente ven Su rostro".[93] ¿Te alegrarás aquel día, sabiendo que en Cristo no hay condenación para ti, sino solamente aceptación amorosa en Su familia? ¿O aún no estás seguro?

Oración: Señor, lléname de la alegría y la esperanza que vienen de mi deseo de verte cara a cara en el día final. *Débil es el esfuerzo de mi corazón, y frío mi más cálido pensamiento; pero cuando te veo como eres, te alabaré como debo.*[94] Amén.

Agosto 28

Salmo 97:1-5. ¹¡El Señor es Rey! ¡Regocíjese la tierra! ¡Alégrense las costas más remotas! ²Oscuros nubarrones lo rodean; la rectitud y la justicia son la base de Su trono. ³El fuego va delante de Él y consume a los adversarios que lo rodean. ⁴Sus relámpagos iluminan el mundo; al verlos, la tierra se estremece. ⁵Ante el Señor, dueño de toda la tierra, las montañas se derriten como cera.

EL FUEGO DE DIOS. El regreso de Dios para renovar la tierra traerá alegría al mundo entero (versículo 1). Pero luego el salmo describe un escenario intimidante. La presencia de Dios quema y consume todo lo que está mal en este mundo. Habrá quienes rechacen Su señorío, a ellos Su regreso los dejará afligidos (versículos del 1 al 5). ¿Qué es el fuego? Es el amor santo de Dios, el cual debe quitar las impurezas que arruinan la creación que Él ama (versículo 3; Deuteronomio 4:24; Hebreos 12:29). Esto no debería parecernos extraño. Si amamos a alguien, debemos odiar cualquier cosa que les haga daño, incluso si son sus propias decisiones. Debido a que el amor de Dios es perfecto, no puede tolerar la maldad y el pecado.

Oración: Señor, te alabo porque eres perfecto en santidad y belleza moral. No hay maldad en Ti, ni tampoco la maldad puede existir en Tu presencia. Esta es mi esperanza completa para el cambio. Acércame a Ti para que el pecado que todavía quede en mí sea expuesto y consumido por Tu gracia. Amén.

Agosto 29

Salmo 97:6-9. [6]Los cielos proclaman Su justicia, y todos los pueblos contemplan Su gloria. [7]Sean avergonzados todos los idólatras, los que se jactan de sus ídolos inútiles. ¡Póstrense ante Él todos los dioses! [8]Señor, por causa de Tus juicios Sion escucha esto y se alegra, y las ciudades de Judá se regocijan. [9]Porque Tú eres el Señor Altísimo, por encima de toda la tierra. ¡Tú estás muy por encima de todos los dioses!

¡PÓSTRENSE ANTE ÉL TODOS LOS DIOSES! Debemos abandonar nuestros ídolos (versículo 7). Los ídolos generalmente son cosas buenas que se han vuelto primordiales para nosotros. Las cosas buenas no deben ser quitadas de nuestras vidas, pero el lugar que ocupan en nuestros corazones debe ser transformado. En una frase interesante, estos dioses son llamados a "postrarse ante Dios" (versículo 7). Cuando hacemos de nuestra profesión un dios, esta demanda que la consideremos como un fin en sí misma. Susurra: "Solo si me tienes a mí, solo si eres exitoso, tendrás una vida que valga la pena". En lugar de ello, debes permitir que el amor y el cuidado de Dios hacia ti sea la base de tu identidad. Solo entonces tu profesión podrá decir: "Soy importante, pero no lo soy todo. Soy solo una manera de servir a Dios".

Oración: Señor, Tu gracia ha talado el árbol del pecado en mi vida, pero las raíces siguen ahí. *Señor, ¿seré culpable de albergar ídolos en mi corazón por siempre? Oh, Señor, permite que el fuego de Tu amor los consuma.*[95] Amén.

Agosto 30

Salmo 97:10-12. [10]El Señor ama a los que odian el mal; Él protege la vida de Sus fieles, y los libra de manos de los impíos. [11]La luz se esparce sobre los justos, y la alegría sobre los rectos de corazón. [12]Alégrense en el Señor, ustedes los justos, y alaben Su santo nombre.

LA LUZ SE ESPARCE SOBRE LOS JUSTOS. Si nos deshacemos de nuestros ídolos (versículo 7), la luz resplandecerá sobre nosotros (versículo 11). Algunas traducciones más antiguas dicen que la luz será "sembrada" en nosotros. La luz se refiere tanto a la verdad y la claridad que provee como a la santidad y belleza que nos otorga. La luz de Dios es un perfecto conocimiento y una gloria infinita. Cuando creemos en Cristo, el Espíritu de Dios mora en nosotros (1 Corintios 3:16; 2 Timoteo 1:14; Romanos 8:9-11). Dios realmente siembra luz en nosotros, y como semilla que germina esparcirá Su sabiduría y belleza en nuestras vidas. Nosotros los cristianos ahora entendemos de que lo que vemos en el mundo y en nuestros corazones tiene sentido. Y las personas que nos rodean observan que poco a poco nos convertimos en algo hermoso.

Oración: Señor, te alabo porque eres un Dios de luz, porque en Ti no hay oscuridad. Sin embargo, aún hay mucha oscuridad en mí. Estoy ciego ante mis errores; se me dificulta ver Tu gloria y Tu amor durante el día. Llena mi ser interior con Tu luz, no importa cuán grande sea el costo. Amén.

Agosto 31

Salmo 98:1-6. [1]Canten al Señor un cántico nuevo, porque ha hecho maravillas. Su diestra, Su santo brazo, ha alcanzado la victoria. [2]El Señor ha hecho gala de Su triunfo; ha mostrado Su justicia a las naciones. [3]Se ha acordado de Su amor y de Su fidelidad por el pueblo de Israel; ¡todos los confines de la tierra son testigos de la salvación de nuestro Dios! [4]¡Aclamen alegres al Señor, habitantes de toda la tierra! ¡Prorrumpan en alegres cánticos y salmos! [5]¡Canten salmos al Señor al son del arpa, al son del arpa y de coros melodiosos! [6]¡Aclamen alegres al Señor, el Rey, al son de clarines y trompetas!

¡ACLAMEMOS! Este salmo alaba a Dios por el éxodo (versículos del 1 al 3). Pero sabemos que desde la cruz Jesucristo llevó a cabo una liberación mucho más grande y alcanzó a las naciones a una mayor escala que la que alcanzó el éxodo. La victoria de Jesús en la cruz explica cómo el Salmo 97, con su descripción intimidante de la santidad e ira de Dios, puede ser seguido por la alegría incontrolable del Salmo 98. Cristo pagó por nuestros pecados. Dios nos ve hermosamente perfectos y justos "en Él" (Filipenses 3:9). Esto significa que la justicia de Dios no está contra nosotros, sino a favor de nosotros. Así que ¿cómo debemos vivir? Vivamos diariamente con alegres cantos en nuestros corazones (versículos del 4 al 6).

Oración: Jesús, mi pastor, esposo, amigo, profeta, sacerdote y rey. Mi Señor, mi vida, mi camino, mi final, acepta mi alabanza.[96] Amén.

Salmo 98:7-9. [7]¡Brame el mar y todo lo que él contiene; el mundo y todos sus habitantes! [8]¡Batan palmas los ríos, y canten jubilosos todos los montes! Canten delante del Señor, que ya viene a juzgar la tierra. [9]Y juzgará al mundo con justicia, a los pueblos con equidad.

APLAUDAN LOS RÍOS. La imagen de los árboles y los peces alabando a Dios (Salmo 96:11-12), con las montañas y los ríos aplaudiendo y cantando (versículo 8), es más que solo poesía. Romanos 8:18-25 dice que la naturaleza fue creada para estar más viva y ser mucho más gloriosa de lo que es actualmente. Las filosofías modernas no pueden comprender que el mundo natural resurgirá hasta que la raza humana sea justa nuevamente. Jesús vendrá a restaurar esta antigua armonía (versículo 9). Así que nuestra esperanza futura es poderosa. Si las montañas y los ríos van a ser de esta manera cuando Él regrese, imagina cómo seremos nosotros (1 Juan 3:2-3).

Oración: Señor, me emociona escuchar cuentos de árboles y animales parlantes, en donde la magia le ayuda a las personas a escapar de la muerte y el amor triunfa sobre el maligno. Porque Jesús fue resucitado de los muertos, nosotros lo seremos también y todas las cosas serán nuestras. Permíteme vivir todo el día con esperanza y alegría por mi futura resurrección. Amén.

Septiembre 2

Salmo 99:1-5. [1]El Señor es Rey: que tiemblen las naciones. Él tiene Su trono entre querubines: que se estremezca la tierra. [2]Grande es el Señor en Sion, ¡excelso sobre todos los pueblos! [3]Sea alabado Su nombre grandioso e imponente: ¡Él es santo! [4]Rey poderoso, que amas la justicia: Tú has establecido la equidad y has actuado en Jacob con justicia y rectitud. [5]Exalten al Señor nuestro Dios; adórenlo ante el estrado de Sus pies: ¡Él es santo!

ÉL ES SANTO. ¿Qué significa decir que Dios es santo? La palabra hebrea literalmente significa estar "completamente separado". Cuando la aplicamos a Dios, la palabra significa que no hay nadie como Él, que Él es infinitamente superior a todos en poder, perfección y justicia. Cuando la aplicamos a las personas (Levítico 11:44; 1 Pedro 1:16), la palabra significa que ellas le pertenecen por completo a Dios y le sirven sin lealtades divididas, con todo el corazón. Que la iglesia cristiana sea *santa* significa que debe ser radicalmente *diferente*. Los primeros cristianos destacaron en la sociedad pagana greco-romana debido a su integridad, honestidad, perdón, pureza y generosidad. Ellos eran santos... ¿lo somos nosotros?

Oración: Señor, al comienzo de mi vida cristiana traté de vivir moralmente. Ser santo no es menos que eso, es más. Quiero pertenecer por completo a Ti, reservarme solo para Ti. Quiero que tomes posesión de mi corazón y que no permitas que invierta su pasión en otras cosas. Hazme santo, porque Tú eres santo. Amén.

Septiembre 3

Salmo 99:6-9. ⁶Moisés y Aarón se contaban entre Sus sacerdotes, y Samuel, entre los que invocaron Su nombre. Invocaron al Señor, y Él les respondió; ⁷les habló desde la columna de nube. Cumplieron con Sus estatutos, con los decretos que Él les entregó. ⁸Señor y Dios nuestro, Tú les respondiste; fuiste para ellos un Dios perdonador, aun cuando castigaste sus rebeliones. ⁹Exalten al Señor nuestro Dios; adórenlo en Su santo monte: ¡Santo es el Señor nuestro Dios!

EL REGALO DE LA ORACIÓN. Uno de los mayores regalos que Dios nos da es permitir que nos acerquemos a Él por medio de la oración (versículo 6). Samuel tenía una amplia teología sobre la oración, la cual podemos observar cuando dijo: "Que el Señor me libre de pecar contra Él dejando de orar por ustedes" (1 Samuel 12:23). ¿Cómo puede un Dios santo (versículos del 1 al 5) escuchar las oraciones de los pecadores? El versículo 8 hace una conexión entre el acceso a la oración y el perdón de Dios. La referencia a los querubines (versículo 1) nos recuerda al arca del pacto y al tabernáculo, en donde la sangre era rociada para la expiación de los pecados (Éxodo 25:17). Eso era solamente un símbolo. La sangre de Jesús nos lleva con toda seguridad a la presencia del Dios santo (Hebreos 9:5, 11-14, 10:19-25).

Oración: Señor, dejar de orar es pecar contra Ti. Proviene de una autosuficiencia que te deshonra. Dejar de orar también es pecar contra los que me rodean. Debería interesarme de todo corazón por sus necesidades. Señor, te pido que me des un corazón dedicado a la oración. Amén.

Septiembre 4

Salmo 100. [1]Aclamen alegres al Señor, habitantes de toda la tierra; [2]adoren al Señor con regocijo. Preséntense ante Él con cánticos de júbilo. [3]Reconozcan que el Señor es Dios; Él nos hizo, y somos suyos. Somos Su pueblo, ovejas de Su prado. [4]Entren por Sus puertas con acción de gracias; vengan a Sus atrios con himnos de alabanza; denle gracias, alaben Su nombre. [5]Porque el Señor es bueno y Su gran amor es eterno; Su fidelidad permanece para siempre.

MÁS LIBRES, MÁS SUYOS. El salmo nos invita a rendirnos ante Dios, reconociendo que no nos pertenecemos (versículo 3). Esta ofrenda personal debe ser presentada con alegría (versículos 1 y 2). Ni la moralidad religiosa (que ve la obediencia como algo necesario para que Dios esté en deuda con nosotros) ni el modernismo de la autodeterminación (que ve la pérdida de la libertad como un tipo de muerte) pueden comprender esto. Los cristianos tienen una motivación adicional para entregarse con alegría. "Ustedes no son sus propios dueños; fueron comprados por un precio" (1 Corintios 6:19-20). Esto hace que la obediencia sea algo placentero, una forma de conocer, servir, agradar y ser semejantes a aquel cuyo amor es para siempre (versículo 5).

Oración: ¡Que todo el mundo cante, Señor y Rey mío! Los cielos no son tan altos, sus alabanzas pueden llegar ahí; la tierra no es tan baja, sus alabanzas pueden crecer allí. ¡Que todo el mundo cante, Señor y Rey mío! [97] Amén.

Septiembre 5

Salmo 101. ¹Quiero cantar al amor y a la justicia: quiero, Señor, cantarte salmos. ²Quiero triunfar en el camino de perfección: ¿Cuándo me visitarás? Quiero conducirme en mi propia casa con integridad de corazón. ³No me pondré como meta nada en que haya perversidad. Las acciones de gente desleal las aborrezco; no tendrán nada que ver conmigo. ⁴Alejaré de mí toda intención perversa; no tendrá cabida en mí la maldad. ⁵Al que en secreto calumnie a su prójimo, lo haré callar para siempre; al de ojos altivos y corazón soberbio no lo soportaré. ⁶Pondré mis ojos en los fieles de la tierra, para que habiten conmigo; solo estarán a mi servicio los de conducta intachable. ⁷Jamás habitará bajo mi techo nadie que practique el engaño; jamás prevalecerá en mi presencia nadie que hable con falsedad. ⁸Cada mañana reduciré al silencio a todos los impíos que hay en la tierra; extirparé de la ciudad del Señor a todos los malhechores.

UNA VIDA INTACHABLE. Este es un salmo de David. Sus declaraciones de tener una vida intachable (versículos 2 y 3) y que la maldad no tiene cabida en su vida (versículo 4) no son ilusiones legalistas de pureza moral, sino el deseo del rey de tener una administración incorruptible ("una casa", versículo 2). No permitirá las calumnias (versículo 5) ni la deshonestidad (versículo 7). Él busca justicia en su tierra (versículo 8). Este es un gran conjunto de ideales para todos los gobernantes. Pero también expone cuán cortas se quedan las sociedades humanas respecto a esta visión. Aún más trágico es saber que David y su hijo Salomón, los mejores reyes de Israel, violaron estos estándares. "Felizmente, la última palabra no la tiene David... sino su Hijo. Allí, allí no hay sombras".[98]

Oración: Señor, oro por los líderes de las naciones, de los negocios y el comercio, de las instituciones de arte y cultura. Pido que la honestidad, sabiduría, capacidad, justicia y virtud caractericen sus tareas y que su trabajo sea una bendición pública. Amén.

Septiembre 6

Salmo 102:1-11. ¹Escucha, Señor, mi oración; llegue a Ti mi clamor. ²No escondas de mí Tu rostro cuando me encuentro angustiado. Inclina a mí Tu oído; respóndeme pronto cuando te llame. ³Pues mis días se desvanecen como el humo, los huesos me arden como brasas. ⁴Mi corazón decae y se marchita como la hierba; ¡hasta he perdido el apetito! ⁵Por causa de mis fuertes gemidos se me pueden contar los huesos. ⁶Parezco una lechuza del desierto; soy como un búho entre las ruinas. ⁷No logro conciliar el sueño; parezco ave solitaria sobre el tejado. ⁸A todas horas me ofenden mis enemigos, y hasta usan mi nombre para maldecir. ⁹Las cenizas son todo mi alimento; mis lágrimas se mezclan con mi bebida. ¹⁰¡Por Tu enojo, por Tu indignación, me levantaste para luego arrojarme! ¹¹Mis días son como sombras nocturnas; me voy marchitando como la hierba.

NO ESTÁS SOLO. El salmista nos muestra el sufrimiento en todos sus aspectos. Observamos el ardor de su fiebre (versículo 3) y su agotamiento físico (versículo 4). Vemos en él muestras de depresión, incluyendo insomnio (versículo 7), falta de apetito (versículo 4) y llanto incontrolable (versículo 9). El salmista se siente tan rechazado y aislado que se compara con un búho en el desierto (versículo 6). Todos necesitamos de este salmo. Ayuda a quienes se encuentran en circunstancias confortables a ponerse en el lugar de los atribulados y a compartir sus cargas (Gálatas 6:2). Pero sobre todo, ayuda a que cualquiera que se sienta de esta manera pueda percatarse de que no está solo, de que otros, incluido Cristo (versículos del 23 al 27), han pasado por lo mismo y han vencido.

Oración: Señor, lo real de Tu Palabra me asusta. No quiero pensar que podría pasar por circunstancias como las que se describen aquí y evito a las personas que están en dichas circunstancias. Eso está mal. Señor, Tú sufriste de manera infinita por mí, y lo hiciste de manera voluntaria. Por eso puedo enfrentar la aflicción —y ayudar a que los demás la enfrenten también— contigo. Amén.

Septiembre 7

Salmo 102:12-17. [12]Pero Tú, Señor, reinas eternamente; Tu nombre perdura por todas las generaciones. [13]Te levantarás y tendrás piedad de Sion, pues ya es tiempo de que la compadezcas. ¡Ha llegado el momento señalado! [14]Tus siervos sienten cariño por sus ruinas; los mueven a compasión sus escombros. [15]Las naciones temerán el nombre del Señor; todos los reyes de la tierra reconocerán su majestad. [16]Porque el Señor reconstruirá a Sion, y se manifestará en su esplendor. [17]Atenderá a la oración de los desamparados, y no desdeñará sus ruegos.

¿ORACIONES SIN CONTESTAR? Un desastre ha caído sobre Jerusalén y la ha dejado en ruinas; también ha dejado a muchos de sus habitantes cautivos (versículos 16 y 20). El salmista ora para que Dios restaure a Sion y haga que Su gloria sea visible para todo el mundo (versículo 16) —ahora (versículo 13). Pero esto no sucedió. ¿Oración no contestada? No realmente. La respuesta de Dios fue: "No ahora y no de la forma en la que tú piensas". La respuesta, a través de Jesús, fue mucho mejor de lo que pudimos habernos imaginado (Hebreos 12:12-28). De la misma manera, cuando Elías pidió morir (1 Reyes 19:4), la respuesta de Dios fue: "No digas eso, ¡tú nunca morirás!".[99] No existen las oraciones no contestadas. Si la respuesta inicial es un "no" o un "aún no", es porque Él nos da lo que queremos usando mejores maneras que las que pedimos.

Oración: Señor, confieso que Tu promesa de que siempre escuchas mis oraciones (versículo 17) me es de poco consuelo y eso es mi culpa. Pienso estar tan seguro de cómo debe ser una buena vida. Recuérdame que a veces Tu amor *nos alimenta... Señor, destruye mi cielo en la tierra para que pueda ser salvo por la eternidad.*[100] Amén.

Septiembre 8

Salmo 102:18-22. [18]Que se escriba esto para las generaciones futuras, y que el pueblo que será creado alabe al Señor. [19]Miró el Señor desde Su altísimo santuario; contempló la tierra desde el cielo, [20]para oír los lamentos de los cautivos y liberar a los condenados a muerte; [21]para proclamar en Sion el nombre del Señor y anunciar en Jerusalén Su alabanza, [22]cuando todos los pueblos y los reinos se reúnan para adorar al Señor.

LAS PUERTAS DEL INFIERNO NO PREVALECERÁN. En cada época Dios crea una generación escogida por gracia (versículo 18). Todos comenzamos sin pertenecer al pueblo de Dios, pero a través del nuevo nacimiento, somos incluidos en él (1 Pedro 1:3; 2:9-10). Siempre habrá quienes alaben a Dios por Su obra de salvación (versículo 20). Poco sabía el salmista sobre los alcances de esta salvación, que a través de la fe en Jesús no habría condenación para nosotros — de que tendríamos libertad eterna de la paga del pecado (Romanos 8:1). La iglesia permanece mientras que otras formas de religión e incredulidad crecen, menguan y son olvidadas. El cristianismo verdadero, fiel a la Palabra de Dios, prevalecerá hasta el fin de los tiempos y aún más allá de ellos (Mateo 16:18).

Oración: Señor, muchas fuerzas son hostiles a nuestra fe. La cultura popular la rechaza; muchos líderes mundiales la encuentran amenazante; institutos poderosos se quieren deshacer de ella. Recuérdale a mi corazón que ninguna oposición prevalecerá. Te agradezco porque, gracias a que Tú mismo habitas en medio de la iglesia, incluso las puertas del infierno no la podrán vencer. Amén.

Septiembre 9

Salmo 102:23-28. ²³En el curso de mi vida acabó Dios con mis fuerzas; me redujo los días. ²⁴Por eso dije: "No me lleves, Dios mío, a la mitad de mi vida; Tú permaneces por todas las generaciones. ²⁵En el principio Tú afirmaste la tierra, y los cielos son la obra de Tus manos. ²⁶Ellos perecerán, pero Tú permaneces. Todos ellos se desgastarán como un vestido. Y como ropa los cambiarás, y los dejarás de lado. ²⁷Pero Tú eres siempre el mismo, y Tus años no tienen fin. ²⁸Los hijos de Tus siervos se establecerán, y sus descendientes habitarán en Tu presencia".

PERSPECTIVA. El salmista se enfrenta a una vida de tiempo limitado y a la muerte prematura (versículo 23). Él no lo sabía, pero este rechazo, agonía, muerte e ira divina (versículo 10) predecía los sufrimientos de Cristo (Hebreos 1:10-12), quien cargó nuestros pecados y trajo el reino que el salmista tanto anhelaba. Sin embargo, la Sion celestial sobrepasará toda nuestra imaginación (Hebreos 12:22-27). Hoy por hoy, en el cielo, ¡el salmista conoce todo esto! Así que "al ver su experiencia y sus palabras a la luz del Hijo de Dios, ¿no se habrá alegrado de que Dios haya rechazado su petición, pero haya escuchado su oración?".[101]

Oración: Señor, en esta vida nada *perdura*, pero te alabo porque cuando todas las cosas perezcan, incluso los fundamentos de la tierra, Tú eres eterno. Y si nos aferramos a Ti y Tú nos recibes con amor, viviremos contigo en nuestro verdadero país, en donde finalmente nuestros corazones descansarán. Te agradezco por tan grande consuelo y salvación. Amén.

Septiembre 10

Salmo 103:1-5. [1]Alaba, alma mía, al Señor; alabe todo mi ser Su santo nombre. [2]Alaba, alma mía, al Señor, y no olvides ninguno de Sus beneficios. [3]Él perdona todos tus pecados y sana todas tus dolencias; [4]Él rescata tu vida del sepulcro y te cubre de amor y compasión; [5]Él colma de bienes tu vida y te rejuvenece como a las águilas.

ORANDO EL EVANGELIO. La manera como aprendemos a aplicar el evangelio en nuestros corazones hasta que nos transforme es a través del diálogo interno, cuando hablamos directamente a nuestro corazón ("alma mía", versículos 1 y 2) en lugar de solo escuchar lo que nos dice. La meditación bíblica, a diferencia de las demás variantes populares, no es una técnica de relajación que te ayuda a vaciar tu mente, sino que llena nuestra mente con la verdad, utilizando nuestro pensamiento y nuestra memoria con el fin de alentar nuestro corazón. En este salmo David medita en la verdad de que Dios perdona el pecado y de que, algún día, Él removerá el sufrimiento y las enfermedades. Cuando lo pedimos, obtenemos perdón al instante (1 Juan 1:8-9), pero quizá no nos libremos del sufrimiento (2 Corintios 12:8-9; 2 Samuel 12:13-23). Esto es porque mientras el pecado siempre impide nuestra relación con Dios, el sufrimiento puede acercarnos a Él.

Oración: Señor, confieso que gran parte de mi miedo, ansiedad, enojo y desánimo vienen porque me olvido de Tus bendiciones, olvido cuánto me has dado y cuántas promesas tengo en Cristo. Mi mente sabe pero mi corazón olvida que soy perdonado, que te deleitas en mí, que me has prometido una corona y un banquete. Perdóname y ayúdame a hablarle a mi alma hasta que mi ánimo y mi fuerza sean renovados. Amén.

Septiembre 11

Salmo 103:6-12. ⁶El Señor hace justicia y defiende a todos los oprimidos. ⁷Dio a conocer Sus caminos a Moisés; reveló Sus obras al pueblo de Israel. ⁸El Señor es clemente y compasivo, lento para la ira y grande en amor. ⁹No sostiene para siempre Su querella ni guarda rencor eternamente. ¹⁰No nos trata conforme a nuestros pecados ni nos paga según nuestras maldades. ¹¹Tan grande es Su amor por los que le temen como alto es el cielo sobre la tierra. ¹²Tan lejos de nosotros echó nuestras transgresiones como lejos del oriente está el occidente.

LENTO PARA LA IRA Y GRANDE EN AMOR. La ira de Dios es diferente a la nuestra. Nosotros nos enojamos fácilmente, hacemos que las personas paguen por lo que nos han hecho y, después, aun así, nos quejamos. Dios es lento para la ira, provee para nuestro perdón y después se olvida de nuestros pecados. El versículo 8 es sorprendente porque cita a Éxodo 34:6, el cual continúa diciendo en Éxodo 34:7 que Dios "no deja sin castigo al culpable". ¿Cómo puede Moisés tener razón al decir en Éxodo que Dios no dejará sin castigo al culpable si David dice que Dios no nos dará nuestro merecido castigo? Solo la cruz revelaría lo que le costó a Dios castigar el pecado sin castigarnos a nosotros. Distancias infinitas (versículos 11 y 12) son utilizadas para describir este amor infinito.

Oración: Señor, mi ira es totalmente diferente a la Tuya. Permite que Tu Espíritu me purifique para que mi enojo no lo provoque un ego herido, sino el ver tanta injusticia y maldad, y para que mi enojo no endurezca ni arruine mi alegría, sino que me lleve a la compasión. Amén.

Septiembre 12

Salmo 103:13-18. [13]Tan compasivo es el Señor con los que le temen como lo es un padre con Sus hijos. [14]Él conoce nuestra condición; sabe que somos de barro. [15]El hombre es como la hierba, sus días florecen como la flor del campo: [16]sacudida por el viento, desaparece sin dejar rastro alguno. [17]Pero el amor del Señor es eterno y siempre está con los que le temen; Su justicia está con los hijos de Sus hijos, [18]con los que cumplen Su pacto y se acuerdan de Sus preceptos para ponerlos por obra.

AMOR PATERNAL. Un adulto puede ver con claridad el corazón de un niño que no tiene desarrolladas las habilidades necesarias para esconder su egoísmo, impaciencia y falta de sabiduría. Los padres conocen los pecados más habituales de sus hijos (versículo 14). De todas maneras, un buen padre ama sus hijos (versículo 13). Sin duda, cuanto más débil y necesitado esté un niño, el corazón del padre se apega más a él. Así también Dios conoce hasta lo más profundo de nuestro corazón y, sin embargo, nos ama inmensamente. Dios no solo perdona nuestros pecados, Él nos adopta en Su familia; nos da Su amor, el acceso a Él a través de la oración, la herencia de Su gloria y aún Su parecido familiar: el Espíritu Santo que reproduce el carácter de Dios en nosotros (Juan 1:12-13; Mateo 6:9; Gálatas 4:7; 1 Juan 3:1-3).

Oración: Señor, te alabo porque no eres solo mi Rey y mi Pastor, sino también mi Padre... tan solo pensar que el Dios Omnipotente es mi Padre —¡el Poder infinito que me ama y busca lo mejor para mí! Transforma mi vida de oración a través de una mejor comprensión de Tu amor paternal por mí. Amén.

Septiembre 13

[19]El Señor ha establecido Su trono en el cielo; Su reinado domina sobre todos. [20]Alaben al Señor, ustedes Sus ángeles, paladines que ejecutan Su palabra y obedecen Su mandato. [21]Alaben al Señor, todos Sus ejércitos, siervos Suyos que cumplen Su voluntad. [22]Alaben al Señor, todas Sus obras en todos los ámbitos de Su dominio. ¡Alaba, alma mía, al Señor!

TODA LA NATURALEZA ALABA. El salmista le hace un llamado a su propia alma a que alabe al Señor (versículos 1 y 2). Después aprende a alegrarse de corazón en los incomprensibles beneficios del evangelio de salvación. Ahora bien, al final de este salmo él se percata de una particularidad de la naturaleza que nunca creyó posible, ya que contempla que la naturaleza está haciendo lo mismo que él —¡alegrarse en Dios! "Todas Sus obras", las de la tierra (versículo 22) y las del cielo (versículos 20 y 21) alaban a Dios, y el salmista se une a la mayor sinfonía que haya existido jamás. La fe en el evangelio te permite escuchar y unirte a la alabanza. Jonathan Edwards escribió: "El mundo debe celebrar, abrazar y cantar" a un alma que se entrega a la alabanza de Dios.[102]

Oración: Señor, cuando no estoy bien contigo, me siento solo en el mundo. Pero cuando te alabo, puedo escuchar Tus cantos de alegría en el canto de los pájaros o en la lluvia. Señor, quiero ser parte de la alabanza; quiero entonar mi parte. Amén.

Septiembre 14

Salmo 104:1-4. ¹¡Alaba, alma mía, al Señor! Señor mi Dios, Tú eres grandioso; te has revestido de gloria y majestad. ²Te cubres de luz como con un manto; extiendes los cielos como un velo. ³Afirmas sobre las aguas Tus altos aposentos y haces de las nubes Tus carros de guerra. ¡Tú cabalgas en las alas del viento! ⁴Haces de los vientos Tus mensajeros, y de las llamas de fuego Tus servidores.

EL RESPLANDOR DE LA LUZ. El salmo 104 es una meditación acerca de las maravillas de la creación y del maravilloso Creador que se encuentra detrás de ellas. A diferencia del misticismo oriental, aquí vemos a un Dios que es personal y que aunque es diferente a Su creación, no está lejos de ella. Las referencias que hace el salmista sobre la vestimenta, los aposentos y los caballos señalan que la naturaleza está llena de la energía y la presencia de Dios, de ahí el asombro y el respeto de él hacia el mundo natural. Como nuestros ojos no pueden contemplar el brillo de la luz, debemos arrodillarnos ante Dios y alabarlo, porque Él es más poderoso y glorioso de lo que podemos imaginar. "Te damos toda alabanza, ayúdanos a ver, ya que solo el esplendor de la luz te oculta".[103]

Oración: Señor, frecuentemente encuentro que Tus palabras y Tus caminos son difíciles de comprender. Mi corazón tiende a culparte instintivamente. Ayúdame a ver que mi problema real es la debilidad de mis ojos espirituales, que no pueden contemplar Tu gran luz. Refuerza mi vista espiritual para poder contemplarte cada vez mejor. Amén.

Septiembre 15

Salmo 104:5-9. ⁵Tú pusiste la tierra sobre sus cimientos, y de allí jamás se moverá; ⁶la revestiste con el mar, y las aguas se detuvieron sobre los montes. ⁷Pero a Tu reprensión huyeron las aguas; ante el estruendo de Tu voz se dieron a la fuga. ⁸Ascendieron a los montes, descendieron a los valles, al lugar que Tú les asignaste. ⁹Pusiste una frontera que ellas no pueden cruzar; ¡jamás volverán a cubrir la tierra!

PUSISTE UNA FRONTERA QUE NO PUEDEN CRUZAR. El salmista está meditando en el tercer día de la creación (Génesis 1:9-10), cuando Dios dividió los mares de la tierra (versículos 7 y 8). La ciencia se basa en la regularidad de la naturaleza y afirma: "Si X crea a Y bajo ciertas condiciones, hará lo mismo nuevamente bajo las mismas condiciones". ¿Pero por qué la naturaleza debe funcionar así? Porque no vivimos en un mundo caótico, basado completamente en el azar, sino en uno con límites establecidos (versículo 9). Un Creador personal ha llenado el mundo con principios de física, matemáticas, química, biología. Por esto, tenemos aerodinámica (haciendo que los vuelos sean posibles), electricidad, medicina, entre otras cosas —todas ellas con sus límites establecidos en la creación que han hecho que la civilización sea posible. Agradécele a Dios por todo eso.

Oración: Señor, doy por sentado tantas cosas, tantos avances científicos que han hecho que mi vida sea segura y cómoda. Te robo tu gloria y me pierdo de la bendición cuando fallo al detenerme, contemplar y alabarte por Tus maravillas. Enséñame esta disciplina. Amén.

Septiembre 16

Salmo 104:10-13. [10]Tú haces que los manantiales viertan sus aguas en las cañadas, y que fluyan entre las montañas. [11]De ellas beben todas las bestias del campo; allí los asnos monteses calman su sed. [12]Las aves del cielo anidan junto a las aguas y cantan entre el follaje. [13]Desde Tus altos aposentos riegas las montañas; la tierra se sacia con el fruto de Tu trabajo.

CALMAN SU SED. Dios también cuida lo que ha creado. A través de las aguas que ha provisto, sacia la sed de sus criaturas (versículo 11) y riega la tierra para hacerla fértil (versículo 13). El cuidado de Dios por toda Su creación debería hacer que los creyentes fueran los protectores y no los explotadores de Sus bondades. ¿Está la tierra satisfecha con el fruto de nuestro trabajo, o hemos fallado, por ignorancia y avaricia, en administrar adecuadamente las riquezas que este mundo nos ofrece? Podemos encontrar que es difícil no abusar de la naturaleza para beneficio propio a menos que tengamos contentamiento, el cual solo podemos obtener del agua que Jesús provee, el agua de la vida eterna (Juan 4:13-14).

Oración: Señor Jesús, confieso que estoy tan preocupado por mi comodidad y conveniencia que no me gusta pensar en las posibles malas consecuencias que las prácticas de mi vida diaria puedan tener sobre la naturaleza. Pero este es Tu mundo, al cual amas. Así que dame la humildad y paciencia para considerar esto antes que nada. Amén.

Septiembre 17

Salmo 104:14-18. [14]Haces que crezca la hierba para el ganado, y las plantas que la gente cultiva para sacar de la tierra su alimento: [15]el vino que alegra el corazón, el aceite que hace brillar el rostro, y el pan que sustenta la vida. [16]Los árboles del Señor están bien regados, los cedros del Líbano que Él plantó. [17]Allí las aves hacen sus nidos; en los cipreses tienen su hogar las cigüeñas. [18]En las altas montañas están las cabras monteses, y en los escarpados peñascos tienen su madriguera los tejones.

QUE ALEGRA EL CORAZÓN. Dios no solo satisface las necesidades físicas de nosotros, Sus criaturas. También quiere que estemos alegres, quiere que nuestros rostros resplandezcan, quiere que no solo nuestros cuerpos sino también nuestros corazones sean sustentados (versículo 15). Jesús también vino para alegrar el corazón de los hombres (versículo 15). Comenzó Su ministerio al proveer un vino excelente para que continuara la celebración de una boda (Juan 2:1-11). ¿Por qué hizo que este fuera Su milagro inicial? Porque quería comunicar Su misión, la cual no es solo asegurar el perdón de pecados, sino también asegurar la restauración de una vida plena, trayendo alegría abundante. No habremos recibido todo lo que Dios quiere darnos hasta que obtengamos "aceite de alegría en vez de luto" (Isaías 61:3).

Oración: Señor, no te honro solo con obedecerte. La mejor manera de glorificarte es disfrutarte al máximo. Ayúdame por favor a meditar en todo lo que Tú eres y todo lo que has hecho por mí, hasta que esto despierte alegría en mi corazón. Amén.

Septiembre 18

Salmo 104:19-24. [19]Tú hiciste la luna, que marca las estaciones, y el sol, que sabe cuándo ocultarse. [20]Tú traes la oscuridad, y cae la noche, y en sus sombras se arrastran los animales del bosque. [21]Los leones rugen, reclamando su presa, exigiendo que Dios les dé su alimento. [22]Pero al salir el sol se escabullen, y vuelven a echarse en sus guaridas. [23]Sale entonces la gente a cumplir sus tareas, a hacer su trabajo hasta el anochecer. [24]¡Oh Señor, cuán numerosas son Tus obras! ¡Todas ellas las hiciste con sabiduría! ¡Rebosa la tierra con todas Tus criaturas!

REBOSA LA TIERRA CON TODAS TUS CRIATURAS. El versículo 24 hace una pausa para presentarnos una adoración reflexiva. Existen 5.000 especies de esponjas en el suelo del océano y más de 300.000 especies de escarabajos. Hay un gran número de flores, árboles, pájaros y animales, todos de diferente forma, algunos de ellos increíblemente hermosos y otros increíblemente raros. ¿Por qué? Porque toda la creación revela la extrema riqueza de la creatividad de Dios, el infinito rango de Sus pensamientos, Su amor por la belleza e incluso Su sentido del humor. Y debido a que todo fue diseñado por la sabiduría divina, estos versículos nos invitan no solo a admirar Sus maravillas, sino a explorarlas y estudiarlas también. Es una invitación a estudiar la ciencia y las artes.

Oración: Señor, Tu Palabra dice que Tus criaturas proclaman Tu existencia y grandeza, si no detenemos nuestros oídos a escuchar. ¡Abre mis oídos! *Oyen la razón y se alegran, con voz gloriosa proclaman. Por siempre en su esplendor cantan: "La Mano que nos creó es divina".*[104] Amén.

Septiembre 19

Salmo 104:25-29. ²⁵Allí está el mar, ancho e infinito, que abunda en animales, grandes y pequeños, cuyo número es imposible conocer. ²⁶Allí navegan los barcos y se mece Leviatán, que Tú creaste para jugar con él. ²⁷Todos ellos esperan de Ti que a su tiempo les des su alimento. ²⁸Tú les das, y ellos recogen; abres la mano, y se colman de bienes. ²⁹Si escondes Tu rostro, se aterran; si les quitas el aliento, mueren y vuelven al polvo.

CREADO PARA JUGAR. La comida es producida en el momento preciso (versículo 27) y es recogida (versículo 28). Pero en todo ese proceso es Dios quien provee el alimento (versículo 27). Las grandes criaturas del mar "juegan" (versículo 26), saltan por los aires y realizan piruetas acrobáticas. Aunque esas actividades pueden tener propósitos prácticos, en un sentido más profundo estas criaturas conocen la alegría y la libertad de realizar aquellas cosas para las que fueron creadas. Nosotros también podemos conocer la alegría y la plenitud solo al vivir de acuerdo con el diseño de Dios. En este punto, la naturaleza nos lleva ventaja. Como dijo Elisabeth Elliot: "Una almeja glorifica a Dios mejor que nosotros, porque ella está siendo todo para lo que fue creada, mientras que nosotros no".[105]

Oración: Señor, desobedecerte es fácil a corto plazo pero trae consecuencias a la larga, pues estoy violando mi propia naturaleza. Así que la obediencia puede ser difícil en un inicio, pero es maravillosa con el pasar del tiempo porque a través de ella me convierto en lo que debo ser. Ayúdame a recordar esto cuando las cosas se pongan difíciles. Amén.

Salmo 104:30-35. [30]Pero si envías Tu Espíritu, son creados, y así renuevas la faz de la tierra. [31]Que la gloria del Señor perdure eternamente; que el Señor se regocije en Sus obras. [32]Él mira la tierra y la hace temblar; toca los montes y los hace echar humo. [33]Cantaré al Señor toda mi vida; cantaré salmos a mi Dios mientras tenga aliento. [34]Quiera Él agradarse de mi meditación; yo, por mi parte, me alegro en el Señor. [35]Que desaparezcan de la tierra los pecadores; ¡que no existan más los malvados! ¡Alaba, alma mía, al Señor! ¡Aleluya! ¡Alabado sea el Señor!

RENUEVAS LA FAZ DE LA TIERRA. Aquellos que nutren y cultivan la creación física están haciendo algo que Dios conoce. El Espíritu de Dios no solo regenera el corazón (Tito 3:5-6), sino que también renueva la faz de la tierra (versículo 30), ya que Él es la fuente de la vida tanto espiritual como biológica. Dios se deleita en la naturaleza. También deberíamos hacerlo nosotros. Sin embargo, el versículo 35 nos recuerda que el mundo ha caído y el pecado debe ser enfrentado. No es suficiente preocuparse por la naturaleza y ayudar a las personas necesitadas. Así que los cristianos deberían amar a sus vecinos preocupándose por la condición tanto de sus cuerpos como de sus almas.

Oración: Señor, Tú creaste las almas y los cuerpos, y los redimirás a ambos en el día de la resurrección. Ayúdame a servir a las personas no solo con palabras, aun no solo con las palabras del evangelio, sino también con ayuda práctica y generosidad. Amén.

Septiembre 21

Salmo 105:1-7. ¹Den gracias al Señor, invoquen Su nombre; den a conocer Sus obras entre las naciones. ²Cántenle, entónenle salmos; hablen de todas Sus maravillas. ³Siéntanse orgullosos de Su santo nombre; alégrese el corazón de los que buscan al Señor. ⁴Recurran al Señor y a Su fuerza; busquen siempre Su rostro. ⁵Recuerden las maravillas que ha realizado, Sus señales, y los decretos que ha emitido. ⁶¡Ustedes, descendientes de Abraham Su siervo! ¡Ustedes, hijos de Jacob, elegidos Suyos! ⁷Él es el Señor, nuestro Dios; en toda la tierra están Sus decretos.

HABLEN DE SUS MARAVILLAS. Este salmo describe las poderosas obras redentoras de Dios en el transcurso de la historia. Pero antes de comenzar su relato, el salmista llama a las personas a alabar a Dios por *todas* Sus maravillas (versículo 2) y milagros. Los creyentes interpretan claramente estos versículos como un llamado a proclamar lo que Dios ha hecho en nuestras vidas a los demás. Muchas veces nos quedamos en silencio respecto a las obras y maravillas que Dios ha hecho en nuestra propia historia. Podemos pensar que guardar silencio sobre estas cosas refleja modestia, pero su efecto es el opuesto: permite que los demás piensen que hemos superado nuestros problemas y vivido nuestras vidas en nuestras propias fuerzas.

Oración: Señor, te alabo porque Tú has entrado a mi vida, has abierto mis ojos y has encendido mi corazón con amor por Tu nombre. ¡Ah, y lo has hecho de formas muy sabias, brillantes y hermosas! Dame la humildad y el valor que necesito para comenzar a testificar a los demás de Tu bondad hacia mí. Amén.

Septiembre 22

Salmo 105:8-11. [8]Él siempre tiene presente Su pacto, la palabra que ordenó para mil generaciones. [9]Es el pacto que hizo con Abraham, el juramento que le hizo a Isaac. [10]Se lo confirmó a Jacob como un decreto, a Israel como un pacto eterno, [11]cuando dijo: "Te daré la tierra de Canaán como la herencia que te toca".

LA PROMESA DE UN HOGAR. La promesa de Dios de otorgarles una tierra a los descendientes de Abraham (Génesis 12:1-5) es esencial para la comprensión del plan de redención. Anhelamos un hogar, un lugar de seguridad, comodidad y amor. Estamos hechos para un mundo sin muerte o separación de lo que amamos, un mundo en donde caminemos con Dios y le conozcamos cara a cara. Este mundo ha sido corrompido por el pecado y ya no puede ser nuestro hogar, lo que nos deja como exiliados permanentes desde nuestra expulsión del Edén. Así mismo, cuando el Hijo de Dios vino, no tenía dónde recostar Su cabeza (Lucas 9:58) y fue crucificado fuera de la ciudad. Él tomó el gran exilio que merecíamos para que pudiéramos ser adoptados en la familia de Dios (Efesios 2:17-19). Y algún día Él renovará la tierra y la hará nuestro hogar nuevamente (Apocalipsis 21:1-8).

Oración: Señor, dame la paz que viene al saber que nada en este mundo es mi verdadero hogar. Dame la fuerza que proviene de visitar mi futuro hogar cuando conozco Tu amor y Tu presencia a través de la oración. Te alabo porque Tú nos llevarás al verdadero hogar que hemos estado buscando siempre. Amén.

Septiembre 23

Salmo 105:12-15. [12]Aun cuando eran pocos en número, unos cuantos extranjeros en la tierra [13]que andaban siempre de nación en nación y de reino en reino, [14]a nadie permitió que los oprimiera, sino que por ellos reprendió a los reyes: [15]"No toquen a Mis ungidos; no hagan daño a Mis profetas".

SOLO POR GRACIA. Esta parte del salmo nos habla de los patriarcas Abraham, Isaac y Jacob, y de cómo Dios los mantuvo a salvo durante su peregrinaje. Pero el versículo 15 hace referencia a cuando Abraham le dijo a Abimélec que Sara era su hermana por miedo a que el rey lo matara para tomar a Sara por esposa. Dios le tuvo que advertir a Abimélec que no tocara a Sara y que Abraham era un profeta (Génesis 20:6-7). La historia de los patriarcas está llena de fracasos morales y tropiezos. ¿Acaso pueden ser ellos nuestros ejemplos de moral? Aquí la respuesta: la fe bíblica, a diferencia de las demás, no se trata de imitar ejemplos morales. La Biblia es una historia en la cual Dios ofrece Su gracia a personas que no la merecen, ni la buscan, ni la aprecian completamente después de haber sido salvados por ella.

Oración: Señor, te alabo porque eres un Dios de gracia. Te agradezco porque además de protegerme de las fuerzas que me rodean, me has rescatado de mí mismo. Permite que el conocimiento de Tu gracia me haga más devoto a obedecerte. Amén.

Septiembre 24

Salmo 105:16-22. [16]Dios provocó hambre en la tierra y destruyó todos sus trigales. [17]Pero envió delante de ellos a un hombre: a José, vendido como esclavo. [18]Le sujetaron los pies con grilletes, entre hierros le aprisionaron el cuello, [19]hasta que se cumplió lo que él predijo y la palabra del Señor probó que él era veraz. [20]El rey ordenó ponerlo en libertad, el gobernante de los pueblos lo dejó libre. [21]Le dio autoridad sobre toda su casa y lo puso a cargo de cuanto poseía, [22]con pleno poder para instruir a sus príncipes e impartir sabiduría a sus ancianos.

SALVACIÓN A TRAVÉS DE LA DEBILIDAD. José fue enviado "delante" de las personas, en Egipto, para salvarlos. Pero notemos cómo las salvó: "como esclavo" (versículo 17). Si José no hubiera sido traicionado, vendido y encarcelado por años, nunca habría escapado de sus fallas de carácter, nunca habría sido capaz de redimir a su propia familia de sus pecados, ni tampoco podría haber salvado a miles de personas del hambre (Génesis 37–50). José revela el patrón de la salvación de Dios. Sus libertadores, y Jesús principalmente, salvan a través del rechazo, la debilidad y el sacrificio. Es así también como nos conectamos con la salvación —a través de la debilidad del arrepentimiento. Después de esto, Dios usa nuestros problemas para rescatarnos de nuestras fallas y hacernos prosperar.

Oración: Señor, odio sentirme débil y fuera de control. Sin embargo, Tú le dijiste a Pablo que "Tu poder se perfecciona en la debilidad" (2 Corintios 12:9). Enséñame a acudir a Ti, a aferrarme a Ti, a arrepentirme y a depender de Ti en mis tiempos de debilidad, para que pueda llegar a ser realmente fuerte. Amén.

Septiembre 25

Salmo 105:23-25. [23]Entonces Israel vino a Egipto; Jacob fue extranjero en el país de Cam. [24]El Señor hizo que Su pueblo se multiplicara; lo hizo más numeroso que Sus adversarios, [25]a quienes trastornó para que odiaran a Su pueblo y se confabularan contra Sus siervos.

EL PLAN DE DIOS. Los egipcios llegaron a odiar a los israelitas (Éxodo 1:1-14). Sin embargo, esto era parte del plan de Dios (versículo 25). Dios utilizó a los asirios para castigar a Israel y, sin embargo, los hizo responsables por su violencia (Isaías 10:5-12). La muerte de Jesús fue el resultado de la predestinación, pero las personas que lo mataron fueron declaradas culpables (Hechos 2:23). Aquí hay dos verdades bíblicas cruciales que deben permanecer juntas: todo lo que hacemos es parte del plan de Dios, pero nunca somos obligados y, por tanto, somos completamente responsables de nuestras acciones. Sin la primera verdad, nos estresamos al creer que los resultados en esta vida dependen completamente de nosotros mismos. Sin la segunda verdad, pensaremos que nuestras decisiones realmente no importan. Adopta esta doctrina y escapa de la complacencia y de la ansiedad.

Oración: Señor, Tú eres soberano y yo soy responsable. Si no creyera la primera verdad, sería paralizado por el miedo de poder arruinar los planes que tienes para mí. Si no creyera la segunda, sería pasivo y cínico. Permite que esta maravillosa y paradójica doctrina me impulse tanto a esforzarme con valor como a recibir consuelo y seguridad. Amén.

Septiembre 26

Salmo 105:26-36. [26]Envió a Su siervo Moisés, y a Aarón, a quien había escogido, [27]y estos hicieron señales milagrosas entre ellos, ¡maravillas en el país de Cam! [28]Envió tinieblas, y la tierra se oscureció, pero ellos no atendieron a Sus palabras. [29]Convirtió en sangre sus aguas y causó la muerte de sus peces. [30]Todo Egipto se infestó de ranas, ¡hasta las habitaciones de sus reyes! [31]Habló Dios, e invadieron todo el país enjambres de moscas y mosquitos. [32]Convirtió la lluvia en granizo, y lanzó relámpagos sobre su tierra; [33]derribó sus vides y sus higueras, y en todo el país hizo astillas los árboles. [34]Dio una orden, y llegaron las langostas, ¡infinidad de saltamontes! [35]Arrasaron con toda la vegetación del país, devoraron los frutos de sus campos. [36]Hirió de muerte a todos los primogénitos del país, a las primicias de sus descendientes.

LA OSCURIDAD DE LA DESOBEDIENCIA. El salmista menciona la novena plaga egipcia de completa oscuridad y dice que ellos "no atendieron a Sus palabras" (versículo 28). El resultado universal de desobedecer a Dios es la oscuridad de la mente, en la que nuestros pensamientos vagan en círculos de necedad, y también es la oscuridad del corazón, en la que nuestras emociones están atrapadas en el miedo, la ira y la desesperación (Romanos 1:21; Efesios 4:18). Lo contrario también es cierto: debemos comenzar a obedecer antes de que la luz se desvanezca para poder comprender completamente. ("El que esté dispuesto a hacer la voluntad de Dios [comprenderá]", Juan 7:17). No intentes comprenderlo todo antes de obedecer. Recuerda a Aquel que te despojó de la oscuridad y del pecado (Mateo 27:45-46).

Oración: Padre, soy Tu hijo. Y como todos los hijos, no siempre comprendo por qué mi padre me pide hacer algo. Pero si los hijos no obedecieran hasta comprender completamente la mente de sus padres, habría caos. Así que escucho y obedezco simplemente porque eres mi Padre. Amén.

Salmo 105:37-42. ³⁷Sacó a los israelitas cargados de oro y plata, y no hubo entre sus tribus nadie que tropezara. ³⁸Los egipcios se alegraron de su partida, pues el miedo a los israelitas los dominaba. ³⁹El Señor les dio sombra con una nube, y con fuego los alumbró de noche. ⁴⁰Pidió el pueblo comida, y les envió codornices; los sació con pan del cielo. ⁴¹Abrió la roca, y brotó agua que corrió por el desierto como un río. ⁴²Ciertamente Dios se acordó de Su santa promesa, la que hizo a Su siervo Abraham.

LA PROVISIÓN DE DIOS. Mientras el pueblo de Israel vagó por el desierto, Dios proveyó protección y alimento (versículos del 37 al 40). Sin embargo, los israelitas acusaban a Moisés y a Dios de haberlos llevado al desierto para morir (Éxodo 17:1-7). Por tal calumnia, Dios le dijo a Moisés que tomara la vara que utilizó para traer juicio a Egipto. Pero en lugar de golpear a los israelitas con ella, a Moisés se le ordenó llevar esa vara de juicio a la roca, que al ser golpeada, produjo agua vivificante (versículo 41). Pablo dijo que la roca era Cristo (1 Corintios 10:4-6). Él fue golpeado y enjuiciado en nuestro lugar para que "el dolor y el amor entremezclados" nos proveyeran de vida eterna.[106]

Oración: Señor, *aquel dolor tan grande y cruel que así sufrió mi Salvador demanda que consagre a Él mi ser, mi vida y todo mi amor.*[107] Amén.

Septiembre 28

Salmo 105:43-45. **43**Sacó a Su pueblo, a Sus escogidos, en medio de gran alegría y de gritos jubilosos. **44**Les entregó las tierras que poseían las naciones; heredaron el fruto del trabajo de otros pueblos **45**para que ellos observaran Sus preceptos y pusieran en práctica Sus leyes. ¡Aleluya! ¡Alabado sea el Señor!

ALABADO SEA EL SEÑOR. A pesar de lo grandiosa que fue la salvación de Israel, esta fue temporal e incompleta, ya que Israel *no* guardó la ley ni los preceptos de Dios (comparar con versículo 45). Algo más era necesario. En Jesús tenemos a un mayor José, quien siendo asesinado fue resucitado y llevado a la diestra del trono para perdonar y salvar a quienes lo mataron. También tenemos a un mayor Moisés quien se para en la brecha entre el pueblo y Dios y quien nos provee con un nuevo pacto. Tenemos a la gran roca de Moisés, quien habiendo recibido la vara del juicio de Dios, nos da agua de vida eterna en el desierto del mundo. Detrás de todo lo que Dios hace existe algo grandioso. ¡Alabado sea el Señor!

Oración: Señor, te agradezco porque Tu Palabra revela que detrás de todo lo que haces hay algo que va más allá "de todo lo que podamos imaginarnos o pedir" (Efesios 3:20). Permíteme vivir la vida con la confianza que produce este conocimiento en vez de vivirla con la sensación de vacío que generalmente tengo. Amén.

Septiembre 29

Salmo 106:1-5. ¹¡Aleluya! ¡Alabado sea el Señor! Den gracias al Señor, porque Él es bueno; Su gran amor perdura para siempre. ²¿Quién puede proclamar las proezas del Señor o expresar toda Su alabanza? ³Dichosos los que practican la justicia y hacen siempre lo que es justo. ⁴Recuérdame, Señor, cuando te compadezcas de Tu pueblo; ven en mi ayuda el día de Tu salvación. ⁵Hazme disfrutar del bienestar de Tus escogidos, participar de la alegría de Tu pueblo y expresar mis alabanzas con Tu heredad.

SIEMPRE HAZ LO CORRECTO. Este salmo trata de la constante falta de gratitud de la humanidad, de la gracia inmerecida de Dios ("escogidos", versículo 5) y de Su paciencia. El mensaje de la gracia a pesar del pecado es introducido con esta bienaventuranza: "Dichosos los que hacen *siempre* lo que es justo" (versículo 3). El evangelio de la gracia nunca debe ser tomado como licencia para hacer lo incorrecto. Si bien (y no *porque*) Dios es compasivo y paciente, siempre debemos hacer lo correcto. Nunca habrá una excusa válida para ceder a la tentación (1 Corintios 10:13). Reservas interminables de compasión y demandas inflexibles de justicia casi nunca están presentes en un ser humano. Nuestro temperamento tiende a inclinarnos hacia una o hacia otra. Pero en Dios ambas cosas están perfectamente combinadas.

Oración: Señor, Tu infinita gracia no es más que un incentivo para la justicia total e ininterrumpida. ¿Cómo puedo rebelarme contra el que hizo todo esto por mí a un costo tan alto? Señor, permite que Tu gracia me deslumbre de tal manera que siempre haga lo que es correcto. Amén.

Septiembre 30

Salmo 106:6-12. ⁶Hemos pecado, lo mismo que nuestros padres; hemos hecho lo malo y actuado con iniquidad. ⁷Cuando nuestros padres estaban en Egipto, no tomaron en cuenta Tus maravillas; no tuvieron presente Tu bondad infinita y se rebelaron junto al mar, el Mar Rojo. ⁸Pero Dios los salvó, haciendo honor a Su nombre, para mostrar Su gran poder. ⁹Reprendió al Mar Rojo, y este quedó seco; los condujo por las profundidades del mar como si cruzaran el desierto. ¹⁰Los salvó del poder de sus enemigos, del poder de quienes los odiaban. ¹¹Las aguas envolvieron a sus adversarios, y ninguno de estos quedó con vida. ¹²Entonces ellos creyeron en Sus promesas y le entonaron alabanzas.

EL PECADO DE LA INGRATITUD. Este salmo trata sobre la ingratitud. "No tuvieron presente Tu bondad infinita" (versículo 7). Esta es la raíz de todo pecado humano: "No lo glorificaron como Dios ni le dieron gracias" (Romanos 1:21). Esto puede sonar como una broma, pero consideremos al pecado de la ingratitud como el crimen del plagio. El plagio es tanto una mentira como un robo. Les roba a otros lo que les pertenece y crea la ilusión de que eres más capaz de lo que realmente eres. Pues bien, el pecado es ingratitud *cósmica*. Te da la ilusión de creerte que eres capaz de sostener y manejar tu propia vida. Pero lo cierto es que cada día que tu corazón continúa latiendo, cada instante que gozas de libertad en tu país y cada momento en que tu cerebro sigue funcionando es un regalo inmerecido de Dios. Debemos vivir diariamente llenos de asombro y gratitud hacia Dios.

Oración: Señor, te agradezco por Tu misericordia diaria. Gracias por sostener mi vida, por ser infinitamente paciente conmigo, por protegerme de tantas consecuencias de mi mal comportamiento, por acompañarme de muchas maneras en medio de las pruebas y por contestar mis oraciones. Amén.

Octubre 1

Salmo 106:13-18. [13]Pero muy pronto olvidaron Sus acciones y no esperaron a conocer Sus planes. [14]En el desierto cedieron a sus propios deseos; en los páramos pusieron a prueba a Dios. [15]Y Él les dio lo que pidieron, pero les envió una enfermedad devastadora. [16]En el campamento tuvieron envidia de Moisés y de Aarón, el que estaba consagrado al Señor. [17]Se abrió la tierra y se tragó a Datán; sepultó a los seguidores de Abirán. [18]Un fuego devoró a esa pandilla; las llamas consumieron a los impíos.

PERO MUY PRONTO OLVIDARON. Cada párrafo de este salmo concluye con lo mismo: los humanos no viven como deberían vivir ante Dios ni ante sus vecinos. No importa cuántas cosas haga Dios por ellos, sus corazones no cambian —siguen siendo ingratos (versículo 13), quejumbrosos (versículo 14) envidiosos y egoístas (versículo 16). Necesitamos que algo suceda en nosotros, necesitamos ser salvados y transformados porque no podemos hacerlo por nosotros mismos. En la película *Superman Regresa*, Luisa Lane dice: "El mundo no necesita un salvador. Ni tampoco yo".[108] Esa frase expresa el profundo sentimiento del corazón humano, el cual está completa y fatalmente equivocado.

Oración: Señor, te alabo porque has abierto mi corazón a Ti, ya que yo no podría haberlo hecho por mí mismo. *Mi corazón no posee nada fuera de Ti, ya que solo anhelo Tu gracia. Sé esto: si te amo es porque Tú me amaste primero.*[109] Amén.

Octubre 2

Salmo 106:19-23. ¹⁹En Horeb hicieron un becerro; se postraron ante un ídolo de fundición. ²⁰Cambiaron al que era su motivo de orgullo por la imagen de un toro que come hierba. ²¹Se olvidaron del Dios que los salvó y que había hecho grandes cosas en Egipto: ²²milagros en la tierra de Cam y portentos junto al Mar Rojo. ²³Dios amenazó con destruirlos, pero no lo hizo por Moisés, Su escogido, que se puso ante Él en la brecha e impidió que Su ira los destruyera.

IMPIDIÓ SU IRA. Después de los milagros del éxodo los israelitas "se olvidaron del Dios que los salvó" (versículo 21). Nosotros no somos tan diferentes (ver el versículo 6). Nuestros corazones piensan: "Hace tiempo hiciste esto por mí, ¿pero últimamente qué has hecho?". No solo no escuches a tu corazón cuando hable de tal forma; contéstale. Moisés impidió la ira de Dios por medio de la oración (versículo 23). Pero en la cruz, Jesús tomó la ira de Dios (Hebreos 9:5; 1 Juan 2:2) para que, creyendo en Él, no caiga la ira de Dios sobre nosotros (Juan 3:36; Romanos 8:1). Cuando seas tentado a preguntarte si Dios te sigue amando, recuerda a Jesús. Aun si Dios no vuelve a hacer una cosa por nosotros por el resto de nuestra vida, *esto es* lo que Él ha hecho por nosotros recientemente.

Oración: Señor, en Cristo he sido perdonado, adoptado en Tu familia, hecho justo ante Tus ojos, recibido el Espíritu y la seguridad de resucitar a una gloria inimaginable. Recuérdame que si no haces alguna otra cosa por mí, aún debo servirte y alabarte con todo mi ser por el resto de mi vida. Amén.

Octubre 3

Salmo 106:24-31. [24]Menospreciaron esa bella tierra; no creyeron en la promesa de Dios. [25]Refunfuñaron en sus tiendas de campaña y no obedecieron al Señor. [26]Por tanto, Él levantó Su mano contra ellos para hacerlos caer en el desierto, [27]para hacer caer a sus descendientes entre las naciones y dispersarlos por todos los países. [28]Se sometieron al yugo de Baal Peor y comieron de las ofrendas a ídolos sin vida. [29]Provocaron al Señor con sus malvadas acciones, y les sobrevino una plaga. [30]Pero Finés se levantó e hizo justicia, y la plaga se detuvo. [31]Esto se le acreditó como un acto de justicia para siempre, por todas las generaciones.

ÉL LEVANTO SU MANO CONTRA ELLOS. Cuando Dios prometió castigo (versículos 26 y 27) no obligó a las personas a obedecer. Existen muchos programas correctivos que utilizan la intimidación. Algunos exponen a los jóvenes en riesgo a las duras realidades de la vida en prisión; otros les muestran las estadísticas y las horrendas consecuencias de la drogadicción. Los estudios muestran que quienes participan en estos programas tienen *más* probabilidades de incurrir en los hechos de los que son advertidos, no *menos*.[110] Prohibir cualquier comportamiento despierta un deseo en las personas de hacerlo e inspira un deseo egoísta y autojustificante que reclama por qué *ellos* son diferentes. Pablo dijo que cuanto más deseaba hacer lo correcto, tanto más el mal dentro de él despertaba (Romanos 7:14-24). Necesitamos a un Salvador.

Oración: Señor, te pido perdón por la impureza y la terquedad de mi corazón. Esto se debe tanto al pecado que heredé como a la complacencia que he mostrado hacia él a lo largo de mi vida. "¡Soy un pobre miserable! ¿Quién me librará de este cuerpo mortal? ¡Gracias a Dios por medio de Jesucristo nuestro Señor!" (Romanos 7:24-25). Amén.

Octubre 4

Salmo 106:32-39. [32]Junto a las aguas de Meribá hicieron enojar al Señor, y a Moisés le fue mal por culpa de ellos, [33]pues lo sacaron de quicio y él habló sin pensar lo que decía. [34]No destruyeron a los pueblos que el Señor les había señalado, [35]sino que se mezclaron con los paganos y adoptaron sus costumbres. [36]Rindieron culto a sus ídolos, y se les volvieron una trampa. [37]Ofrecieron a sus hijos y a sus hijas como sacrificio a esos demonios. [38]Derramaron sangre inocente, la sangre de sus hijos y sus hijas. Al ofrecerlos en sacrificio a los ídolos de Canaán, su sangre derramada profanó la tierra. [39]Tales hechos los contaminaron; tales acciones los corrompieron.

RINDIERON CULTO A SUS ÍDOLOS. El mandamiento de Dios de destruir a los habitantes de Canaán hace que a los lectores de nuestros tiempos les den escalofríos, pero esta instrucción debe ser vista en el contexto más amplio de los propósitos de Dios para salvar al mundo.[111] Por siglos, Dios había sido paciente con los canaanitas idólatras que sacrificaban humanos y demoró su juicio hasta que llegaron los israelitas (Génesis 15:16). En la actualidad, Dios llama a los cristianos no a destruir, sino a buscar el bien de las ciudades incrédulas en donde vivimos (Jeremías 29:7). Sin embargo, al vivir en ciudades pluralistas debemos ser mucho más cuidadosos de no adoptar los ídolos de sus culturas y de no abandonar la ley de Dios para conformarnos a este mundo (versículo 36). Esta combinación de amor y de diferencia marcada nos hará ver misteriosos y atractivos al mismo tiempo (1 Pedro 2:11-12).

Oración: Señor Jesús, confieso que en mi vida pública no soy tan diferente a mis prójimos como para producir hostilidad o interés en mi fe. No soy visiblemente más feliz, amable, humilde ni sabio que otros. Oh Señor, ayúdame a crecer en gracia para poder serte útil. Amén.

Octubre 5

Salmo 106:40-48. [40]La ira del Señor se encendió contra Su pueblo; Su heredad le resultó aborrecible. [41]Por eso los entregó a los paganos, y fueron dominados por quienes los odiaban. [42]Sus enemigos los oprimieron, los sometieron a su poder. [43]Muchas veces Dios los libró; pero ellos, empeñados en su rebeldía, se hundieron en la maldad. [44]Al verlos Dios angustiados, y al escuchar su clamor, [45]se acordó del pacto que había hecho con ellos y por Su gran amor les tuvo compasión. [46]Hizo que todos sus opresores también se apiadaran de ellos. [47]Sálvanos, Señor, Dios nuestro; vuelve a reunirnos de entre las naciones, para que demos gracias a Tu santo nombre y orgullosos te alabemos. [48]¡Bendito sea el Señor, el Dios de Israel, eternamente y para siempre! ¡Que todo el pueblo diga: "¡Amén! ¡Aleluya! ¡Alabado sea el Señor!".

PERO... ESCUCHÓ SU CLAMOR. En muchas ocasiones Dios buscaba a las personas, pero ellas no se volvían a Él. Sin embargo, Dios escuchó su clamor (versículos 43 y 44). ¿Por qué Dios no se rinde con nosotros? Porque recuerda Su pacto (versículo 45). Dios hizo un pacto con Abraham, caminando entre los pedazos de animales muertos, jurando salvar y bendecir a los descendientes de Abraham (Génesis 15:8-21). Nosotros que creemos en Cristo somos hijos de Abraham y recibimos la bendición a pesar de nuestro pecado porque Jesús fue hasta la muerte y tomó la maldición que merecíamos (Gálatas 3:10-14). Nuestra infidelidad, a la luz de Su fidelidad, es aún más atroz. Pero Su fidelidad, a la luz de nuestra infidelidad, es aún más maravillosa.

Oración: Señor Jesús, te alabo por Tu amor infinito. Estabas tan comprometido conmigo que estuviste dispuesto a perder Tu inmortalidad, poder y gloria, y a ser arrojado a profundidades inimaginables. No puedo más que maravillarme, amarte y alabarte. Amén.

Octubre 6

Salmo 107:1-9. ¹Den gracias al Señor, porque Él es bueno; Su gran amor perdura para siempre. ²Que lo digan los redimidos del Señor, a quienes redimió del poder del adversario, ³a quienes reunió de todos los países, de oriente y de occidente, del norte y del sur. ⁴Vagaban perdidos por parajes desiertos, sin dar con el camino a una ciudad habitable. ⁵Hambrientos y sedientos, la vida se les iba consumiendo. ⁶En su angustia clamaron al Señor, y Él los libró de su aflicción. ⁷Los llevó por el camino recto hasta llegar a una ciudad habitable. ⁸¡Que den gracias al Señor por Su gran amor, por Sus maravillas en favor de los hombres! ⁹¡Él apaga la sed del sediento, y sacia con lo mejor al hambriento!

SIN CIUDAD HABITABLE. Esta parte del salmo nos presenta a personas que estaban perdidas (versículo 4), hambrientas (versículo 5), exhaustas (versículo 5) y aisladas, porque no vivían en una ciudad (versículos 5 y 7). En un nivel básico, estos versículos muestran que las ciudades son buenos lugares para el desarrollo humano. Pero a un nivel más profundo, estos versículos nos enseñan que necesitamos de Jesús para sanar nuestra perdición espiritual, remover nuestra hambre espiritual, darle descanso a nuestro cansancio espiritual y, a través de Su cuerpo, terminar con nuestro aislamiento.[112] Los creyentes deben trabajar para hacer de las ciudades buenos lugares para vivir (Jeremías 29:7) y llamar a todos a convertirse en ciudadanos de la ciudad celestial (Apocalipsis 21-22; Hebreos 12:22-24) a través de la fe en Dios.

Oración: Señor, líbrame de ser atrapado por mis propias aspiraciones y de no ser un buen prójimo para los que habitan en mi ciudad. Pero también líbrame de ser seducido por la ciudad terrenal. Permite que mi corazón descanse en la ciudadanía celestial. Amén.

Octubre 7

Salmo 107:10-16. [10]Afligidos y encadenados, habitaban en las más densas tinieblas [11]por haberse rebelado contra las palabras de Dios, por menospreciar los designios del Altísimo. [12]Los sometió a trabajos forzados; tropezaban, y no había quien los ayudara. [13]En su angustia clamaron al Señor, y Él los salvó de su aflicción. [14]Los sacó de las sombras tenebrosas y rompió en pedazos sus cadenas. [15]¡Que den gracias al Señor por Su gran amor, por Sus maravillas en favor de los hombres! [16]¡Él hace añicos las puertas de bronce y rompe en mil pedazos las barras de hierro!

ENCADENADOS. Esta parte del salmo nos presenta a personas que son culpables (versículo 11). Ellas se rebelaron contra Dios y están encadenadas tras puertas de bronce y barras de hierro (versículo 16). Esto representa la oscuridad de una conciencia y un alma afligida por la culpa y la condenación, de las cuales no pueden librarse por sí mismas. En respuesta al clamor del pueblo, Dios rompe las cadenas y las barras (versículos 14 y 16). Pero Él había sido el que los había encadenado (versículos 11 y 12). Si ellos merecían el castigo, ¿cómo pudo hacer esto? Él rompió Sus propias cadenas porque cargó Su juicio en Jesús (Isaías 53:6; Gálatas 3:13; Romanos 3:25). Clama al Señor —no importa cuán grande sea tu pecado— y Él te escuchará.

Oración: Señor, *en vil prisión yo padecí, yo estaba en oscuridad; entonces me resplandeció la clara luz de Tu verdad y mis cadenas fueron rotas. Quedé ya libre, ¡gloria a Dios! Oh maravilla de Su amor, por mi murió el Salvador.*[113] Alabo Tu nombre por Tu perdón radical. Amén.

Octubre 8

Salmo 107:17-22. [17]Trastornados por su rebeldía, afligidos por su iniquidad, todo alimento les causaba asco. [18]¡Llegaron a las puertas mismas de la muerte! [19]En su angustia clamaron al Señor, y Él los salvó de su aflicción. [20]Envió Su palabra para sanarlos, y así los rescató del sepulcro. [21]¡Que den gracias al Señor por Su gran amor, por Sus maravillas en favor de los hombres! [22]¡Que ofrezcan sacrificios de gratitud, y jubilosos proclamen Sus obras!

DAÑO AUTOINFLIGIDO. Esta parte del salmo nos presenta a personas que se han arruinado a sí mismas. Están enfermas (versículo 18) debido a su rebeldía e iniquidad (versículo 17). Esto no se refiere solo a los pecadores regulares, sino a aquellos que son autodestructivos y se autoengañan. Habla de aquellos que han lastimado su salud tanto física como espiritual a través de una vida necia, llena de autolástima y de adicciones. "En tal contexto, el versículo 18 puede traer a la mente al drogadicto moderno, pero solo como un ejemplo de un hombre determinado a causarse daño a sí mismo".[114] Cuando Dios responde, ellos no solo son perdonados, sino sanados por Su Palabra (versículo 20), particularmente por Su amor infalible (versículo 21). Creer el evangelio no solo nos trae perdón por nuestros pecados, sino también nos renueva por completo —renueva nuestra mente, voluntad y emociones (Romanos 6:15-23).

Oración: Señor, me regocijo en el perdón de pecados, pero aún estoy discapacitado por los miedos, la ira y el desánimo. Todo podría ser sanado si me apropiara de las verdades del evangelio. Trae Tu Palabra a mí —permite que ella habite en mí abundantemente— para poder ser más libre de los efectos del pecado. Amén.

Octubre 9

Salmo 107:23-32. [23]Se hicieron a la mar en sus barcos; para comerciar surcaron las muchas aguas. [24]Allí, en las aguas profundas, vieron las obras del Señor y Sus maravillas. [25]Habló Dios, y se desató un fuerte viento que tanto encrespó las olas [26]que subían a los cielos y bajaban al abismo. Ante el peligro, ellos perdieron el coraje. [27]Como ebrios tropezaban, se tambaleaban; de nada les valía toda su pericia. [28]En su angustia clamaron al Señor, y Él los sacó de su aflicción. [29]Cambió la tempestad en suave brisa: se sosegaron las olas del mar. [30]Ante esa calma se alegraron, y Dios los llevó al puerto anhelado. [31]¡Que den gracias al Señor por Su gran amor, por Sus maravillas en favor de los hombres! [32]¡Que lo exalten en la asamblea del pueblo! ¡Que lo alaben en el consejo de los ancianos!

LA TORMENTA DISIPADA. Esta parte del salmo nos presenta a personas amenazadas por fuerzas que van más allá de ellos. Viajar por el mar puede ser una metáfora de la vida. Existen días claros en donde sentimos que tenemos el control, que nuestra nave puede conducirnos hacia donde queramos. Pero cuando sobrevienen las grandes tormentas, nos percatamos que estamos totalmente indefensos ante la enormidad de las olas (versículo 26). La ilusión de que podemos controlar nuestra vida (o el mar) es destruida (versículo 27). Los problemas de la vida nos hundirán si estamos solos, pero Dios es nuestro refugio en la tormenta (versículo 30). El Nuevo Testamento nos recuerda que Él nos ayuda de dos formas: quitando la tormenta (Marcos 4:45-41) o ayudándonos a caminar a través de ella si no quitamos de Él la vista (Mateo 14:29-31).

Oración: Señor, confieso que confío en mi habilidad para controlar mi vida a través de la planeación, del conocer a las personas indicadas o de leer los libros apropiados. Pero, de pronto, sobreviene una tormenta y me pierdo. Enséñame a depender de Ti momento a momento. Sin Ti no puedo hacer nada. Amén.

Octubre 10

Salmo 107:33-43. [33]Dios convirtió los ríos en desiertos, los manantiales en tierra seca, [34]los fértiles terrenos en tierra salitrosa, por la maldad de sus habitantes. [35]Convirtió el desierto en fuentes de agua, la tierra seca en manantiales; [36]hizo habitar allí a los hambrientos, y ellos fundaron una ciudad habitable. [37]Sembraron campos, plantaron viñedos, obtuvieron abundantes cosechas. [38]Dios los bendijo y se multiplicaron, y no dejó que menguaran sus rebaños. [39]Pero si merman y son humillados, es por la opresión, la maldad y la aflicción. [40]Dios desdeña a los nobles y los hace vagar por desiertos sin senderos. [41]Pero a los necesitados los saca de su miseria, y hace que sus familias crezcan como rebaños. [42]Los rectos lo verán y se alegrarán, pero todos los impíos serán acallados. [43]Quien sea sabio, que considere estas cosas y entienda bien el gran amor del Señor.

CONSIDERA EL GRAN AMOR. Cada párrafo de este salmo es un estudio del amor de Dios (versículo 43). Algunos trajeron sus problemas sobre sí mismos (los culpables y los que se autoinfligen daño), mientras que otros no (los desamparados y quienes son atrapados en medio de la tormenta). A pesar de las situaciones tan diferentes en las que se encuentran, existe un factor en común. Cada vez que estas personas clamaron al Señor (versículos 6, 13, 19 y 28) fueron escuchadas y se les proveyó lo que necesitaban —comunidad, perdón, sanidad y refugio. ¿Cuál es la lección? El amor de Dios no se gana; es un regalo de gracia. Lo obtienes no por tus méritos o la calidad de tu vida, sino a través de la oración que muestre dependencia. Todos los que clamaron al Señor fueron escuchados. ¡Cuánto nos ama!

Oración: Señor, solo existe una clave para entrar a Tus almacenes infinitos de gracia y amor: la justicia de Cristo, no la mía. Te alabo porque a través de Su obra en la cruz puedo acercarme con mi necesidad y Tú me escucharás. Amén.

Octubre 11

Salmo 108:1-4. ¹Firme está, oh Dios, mi corazón; ¡voy a cantarte salmos, gloria mía! ²¡Despierten, arpa y lira! ¡Haré despertar al nuevo día! ³Te alabaré, Señor, entre los pueblos; te cantaré salmos entre las naciones. ⁴Pues Tu amor es tan grande que rebasa los cielos; ¡Tu verdad llega hasta el firmamento!

VALOR A TRAVÉS DEL SUFRIMIENTO. El Salmo 108 combina las segundas partes de los Salmos 57 y 60, los cuales son lamentaciones. Pero cuando se combinan aquí, el efecto es muy diferente. Este salmo es un reflejo de un corazón firme (versículo 1). Existe un gozo agresivo aquí. Incluso si hay oscuridad, el canto del salmista hacia Dios *hará despertar* el nuevo día (versículo 2). Esto no es un optimismo ciego, sino una confianza en Dios que nació de experiencias pasadas de gran necesidad y vulnerabilidad. Por eso la Biblia nos habla de fortaleza que nace de la debilidad. Cuantos más problemas atravesemos y veamos cómo Dios nos saca adelante, más paz y valor obtendremos.

Oración: Señor, te alabo por fortalecerme no solo a pesar de mis debilidades, sino también a través de ellas. Como la enorme presión convierte el carbón en diamante y el fuego purifica el oro, permite que mi sufrimiento me asemeje más a Tu Hijo. Amén.

Octubre 12

Salmo 108:5-13. ⁵Tú, oh Dios, estás sobre los cielos, y Tu gloria cubre toda la tierra. ⁶Líbranos con Tu diestra, respóndeme para que Tu pueblo amado quede a salvo. ⁷Dios ha dicho en Su santuario: "Triunfante repartiré a Siquén, y dividiré el valle de Sucot. ⁸Mío es Galaad, Mío es Manasés; Efraín es Mi yelmo y Judá Mi cetro. ⁹En Moab me lavo las manos, sobre Edom arrojo Mi sandalia; sobre Filistea lanzo gritos de triunfo". ¹⁰¿Quién me llevará a la ciudad fortificada? ¿Quién me mostrará el camino a Edom? ¹¹¿No es Dios quien nos ha rechazado? ¡Ya no sales, oh Dios, con nuestros ejércitos! ¹²Bríndanos Tu ayuda contra el enemigo, pues de nada sirve la ayuda humana. ¹³Con Dios obtendremos la victoria; ¡Él pisoteará a nuestros enemigos!

EL SECRETO DEL VALOR. "Firmeza" (ver versículo 1) es valor — permanecer en una posición y hacer lo correcto a pesar de los miedos y las consecuencias. ¿De dónde viene el valor? Principalmente viene de querer algo más que la propia seguridad. David desea ver la gloria de Dios (versículo 5). El verdadero valor no es: "Yo puedo hacer esto"; eso es confianza en uno mismo. Valor más bien es: "Esto es más importante que todo lo que soy yo". En el mundo animal, la madre enfrenta a cualquier enemigo, sin importar su tamaño, no porque piense que puede ganar, sino por defender a sus crías. David enfrentaría cualquier enemigo por causa de su Señor, a quien ama por sobre todas las cosas. No está pensando en sí mismo. Este es el secreto del valor.

Oración: Señor, dame una percepción de tu realidad en mi vida para poder vivir sin miedo. El miedo es solo pensar en mí mismo y mis habilidades en lugar de tener mi mente enfocada en Ti. Dame mucho amor por Ti para poder ser valiente. Amén.

Octubre 13

Salmo 109:1-5. ¹Oh Dios, alabanza mía, no guardes silencio. ²Pues gente impía y mentirosa ha declarado en mi contra, y con lengua engañosa me difaman; ³con expresiones de odio me acosan, y sin razón alguna me atacan. ⁴Mi amor me lo pagan con calumnias, mientras yo me encomiendo a Dios. ⁵Mi bondad la pagan con maldad; en vez de amarme, me aborrecen.

ME ENCOMIENDO A DIOS. David les ha ofrecido su amistad a quienes lo atacan (versículos 4 y 5), pero a cambio ellos lo denuncian con palabras de odio y mentiras (versículos 2 y 3). ¿Cómo responde David? Simplemente dice: "Yo me encomiendo a Dios" (versículo 4). Esto quiere decir que David continúa orando por ellos a pesar de los ataques (Mateo 5:44). También quiere decir que en tiempos de gran estrés él acude al refugio de la oración. ¿Así es como respondes al estrés? ¿Oras fervientemente por los que te atacan (incluso si estás tratando de corregir sus errores o de confrontarlos)? Esto hará toda la diferencia.

Oración: Señor, oro por mi vida de oración. Ayúdame a cambiar mi corazón hacia aquellos que me causan problemas. A través de la oración sana mis malos deseos de verlos sufrir. Sé que esos sentimientos me endurecen y deshumanizan. Guárdame de esos sentimientos, por favor, Señor. Amén.

Octubre 14

Salmo 109:6-15. [6]Pon en su contra a un malvado; que a su derecha esté su acusador. [7]Que resulte culpable al ser juzgado, y que sus propias oraciones lo condenen. [8]Que se acorten sus días, y que otro se haga cargo de su oficio. [9]Que se queden huérfanos sus hijos; que se quede viuda su esposa. [10]Que anden sus hijos vagando y mendigando; que anden rebuscando entre las ruinas. [11]Que sus acreedores se apoderen de sus bienes; que gente extraña saquee sus posesiones. [12]Que nadie le extienda su bondad; que nadie se compadezca de sus huérfanos. [13]Que sea exterminada su descendencia; que desaparezca su nombre en la próxima generación. [14]Que recuerde el Señor la iniquidad de su padre, y no se olvide del pecado de su madre. [15]Que no les quite el Señor la vista de encima, y que borre de la tierra su memoria.

QUE SE BORRE DE LA TIERRA SU MEMORIA. Nos da escalofríos leer el clamor de David, pidiendo que sus enemigos paguen por sus pecados. Pero deberíamos estar agradecidos de que Dios escuche el clamor contra la injusticia (Santiago 5:4). Sin embargo, vemos cómo David le deja el juicio a Dios (Romanos 12:19). Él no dice que *él* hará a los hijos de sus enemigos vagabundos (versículo 10). No está mal enojarse por las injusticias si dejas que el Señor actúe. Pero simplemente ventilar nuestro enojo generalmente nos conduce a la amargura, al odio y a espíritus que no perdonan.[115] De este lado de la cruz, los cristianos no deberían maldecir sino bendecir a sus enemigos (Romanos 12:14) como lo hizo Jesús, quien también fue traicionado por un amigo cercano.

Oración: Dios de justicia, estoy agradecido porque Tú has escuchado incluso nuestro clamor airado. Pero necesito Tu ayuda cuando lo hago. Sálvame de permitir que mi preocupación por la justicia devore mi amor y deseo de ver que mis oponentes sean transformados. Permite que esto sea verdad tanto en mis opiniones como en mis relaciones personales. Amén.

Octubre 15

Salmo 109:16-20. ¹⁶Por cuanto se olvidó de hacer el bien, y persiguió hasta la muerte a pobres, afligidos y menesterosos, ¹⁷y porque le encantaba maldecir, ¡que caiga sobre él la maldición! Por cuanto no se complacía en bendecir, ¡que se aleje de él la bendición! ¹⁸Por cuanto se cubrió de maldición como quien se pone un vestido, ¡que esta se filtre en su cuerpo como el agua!, ¡que penetre en sus huesos como el aceite! ¹⁹¡Que lo envuelva como un manto! ¡Que lo apriete en todo tiempo como un cinto! ²⁰¡Que así les pague el Señor a mis acusadores, a los que me calumnian!

PECADOS DE OMISIÓN. Esta descripción hace que la ira de David hacia sus enemigos sea más comprensible. También muestra la justicia de su oración. David reconoce el efecto del pecado. El juicio de Dios frecuentemente obra a través de consecuencias naturales en las que, después de un tiempo, las personas reciben lo que habían deseado o planeado para otros (versículos del 17 al 19). Esto ayuda a David y nos ayuda a nosotros a dejar la venganza en las manos de Dios. La descripción también debería hacernos reflexionar y ayudarnos a que no nos creamos mejores que ellos. Cuando vemos a aquellos que cometen pecados como maldecir o abusar de las personas verbalmente (versículo 17), podemos sentirnos muy justos si no hacemos las mismas cosas. Pero el olvidarnos de hacer el bien (versículo 16) es un pecado de *omisión*, del cual todos somos culpables (Santiago 4:17).

Oración: Señor, confieso que muchos de mis pecados son por falta de servicio y amor por las personas, debido a que estoy demasiado envuelto en mí mismo y no me percato de sus necesidades. Oh Señor, sálvame de los pecados de omisión. Amén.

Salmo 109:21-29. [21]Pero Tú, Señor Soberano, trátame bien por causa de Tu nombre; líbrame por Tu bondad y gran amor. [22]Ciertamente soy pobre y estoy necesitado; profundamente herido está mi corazón. [23]Me voy desvaneciendo como sombra vespertina; se desprenden de mí como de una langosta. [24]De tanto ayunar me tiemblan las rodillas; la piel se me pega a los huesos. [25]Soy para ellos motivo de burla; me ven, y menean la cabeza. [26]Señor, mi Dios, ¡ayúdame!; por Tu gran amor, ¡sálvame! [27]Que sepan que esta es Tu mano; que Tú mismo, Señor, lo has hecho. [28]¿Qué importa que ellos me maldigan? ¡Bendíceme Tú! Pueden atacarme, pero quedarán avergonzados; en cambio, este siervo Tuyo se alegrará. [29]¡Queden mis acusadores cubiertos de deshonra, envueltos en un manto de vergüenza!

PERO TÚ, SEÑOR. La frase "pero Tú, Señor Soberano" marca aquí, como en todos los salmos, un momento crucial. Las oraciones agresivas se vuelven más suaves; las oraciones desesperadas ganan confianza; las oraciones tristes se llenan de gozo y las oraciones de culpa reciben compasión. Nuestra oración bien puede comenzar con nuestras heridas, pecados, enemigos y problemas. Pero es solo que lleves estas cosas delante de Dios y las contemples a la luz de lo que Él es para que digas: "*Pero* Tú...". Entonces recibes descanso, alivio, crecimiento, esperanza y fuerza. Ese "pero Tú..." en los salmos tiene su contraparte en el Nuevo Testamento con el "*pero* ahora..." que Pablo tanto utiliza. La raza humana está perdida en el pecado (Romanos 1:18-3:20), "pero ahora, aparte de la ley, se ha manifestado la justicia de Dios por medio de la fe en Jesucristo" (Romanos 3:21-22).

Oración: Señor, te agradezco porque Tu realidad cambia todas las cosas. Yo soy débil —oh, pero Tú... Yo no merezco nada —oh, pero Tú... Yo no veo salida de esto —oh, pero Tú... Mi vida parece estar descarrilada —oh, pero Tú... Yo no sé cómo orar. Ah, pero Tú me ayudarás. Amén.

Octubre 17

Salmo 109:30-31. [30]Por mi parte, daré muchas gracias al Señor; lo alabaré entre una gran muchedumbre. [31]Porque Él defiende al necesitado, para salvarlo de quienes lo condenan.

DEFENDIENDO A LOS NECESITADOS. En las cortes antiguas, tu acusador se pararía a tu derecha, presentando su caso en contra tuya. David declara que es la víctima de falsas acusaciones y espera que un fiscal sea puesto a la diestra de su enemigo (ver versículo 6). Ahora, repentinamente, la escena cambia y es Dios quien se para al lado derecho necesitado para defenderlo, no para acusarlo (versículo 31). En Jesucristo, Dios se convirtió en nuestro abogado (1 Juan 2:1-2). Él nos defiende cuando somos acusados (Hechos 7:56). Y cuando Jesús, el verdadero abogado, vino, perdonó a Sus enemigos y aun a quienes le traicionaron (Juan 13:18-30). Lo mismo deberíamos hacer nosotros.

Oración: Señor, confieso mis rencores. Los justifico porque no busco venganza, pero evito a algunas personas y deseo que fracasen. Ayúdame a perdonar completamente y a comenzar a orar por su arrepentimiento, deseando su bien. *Mi pecado, querido Salvador, te hizo sangrar; sin embargo, Tú oraste por mí.*[116] Amén.

Octubre 18

Salmo 110. ¹Así dijo el Señor a mi Señor: "Siéntate a Mi derecha hasta que ponga a Tus enemigos por estrado de Tus pies". ²¡Que el Señor extienda desde Sion el poder de Tu cetro! ¡Domina Tú en medio de Tus enemigos! ³Tus tropas estarán dispuestas el día de la batalla, ordenadas en santa majestad. De las entrañas de la aurora recibirás el rocío de Tu juventud. ⁴El Señor ha jurado y no cambiará de parecer: "Tú eres sacerdote para siempre, según el orden de Melquisedec". ⁵El Señor está a Tu mano derecha; aplastará a los reyes en el día de Su ira. ⁶Juzgará a las naciones y amontonará cadáveres; aplastará cabezas en toda la tierra. ⁷Beberá de un arroyo junto al camino, y por lo tanto cobrará nuevas fuerzas.

EL REY-SACERDOTE. David escucha unas palabras de Dios hacia su "Señor" (versículo 1). Pero, ya que él era el rey de Israel, ¿quién podría ser superior a él? Jesús dice que el versículo se refiere a Él (Marcos 12:35-37). Pero este rey poderoso también es un sacerdote comprensivo (versículo 4; Génesis 14:18-20; Hebreos 6:19-7:28) que representa al pueblo de Dios. Así Jesús es tanto humano como divino, es tanto león como cordero (Apocalipsis 5:5-6). Mientras que los reyes terrenales conquistan al mundo llenándolo de cadáveres (versículo 6), Jesús lo conquista convirtiéndolo y llenándolo con Su cuerpo, la iglesia (Efesios 1:22-23). Así que hay una batalla que pelear, pero con las armas del amor, el servicio y la verdad (2 Corintios 10:4-5; Romanos 12:9-21). ¿Te enlistarás (versículo 3)?

Oración: Señor, no es con el blandir de las espadas, ni con el sonar de los tambores, sino con actos de amor y misericordia que el reino de Dios viene.[117] Con Tu Espíritu vence mi falta de generosidad y mi obsesión por mis necesidades y seguridad, para que pueda verdaderamente ser parte de Tu obra en el mundo. Amén.

Octubre 19

Salmo 111. ¹¡Aleluya, alabado sea el Señor! Alabaré al Señor con todo el corazón en la asamblea, en compañía de los rectos. ²Grandes son las obras del Señor; estudiadas por los que en ellas se deleitan. ³Gloriosas y majestuosas son Sus obras; Su justicia permanece para siempre. ⁴Ha hecho memorables Sus maravillas. ¡El Señor es clemente y compasivo! ⁵Da de comer a quienes le temen; siempre recuerda Su pacto. ⁶Ha mostrado a Su pueblo el poder de Sus obras al darle la heredad de otras naciones. ⁷Las obras de Sus manos son fieles y justas; todos Sus preceptos son dignos de confianza, ⁸inmutables por los siglos de los siglos, establecidos con fidelidad y rectitud. ⁹Pagó el precio del rescate de Su pueblo y estableció Su pacto para siempre. ¡Su nombre es santo e imponente! ¹⁰El principio de la sabiduría es el temor del Señor; buen juicio demuestran quienes cumplen Sus preceptos. ¡Su alabanza permanece para siempre!

A QUIEN DEBEMOS ASEMEJARNOS. El Salmo 111 describe a Dios y el Salmo 112 nos relata cómo Su pueblo se asemeja a Su Dios. Fuimos hechos a Su "imagen" (Génesis 1:27). Eso significa que fuimos hechos para relacionarnos con Él y reflejar Su carácter. Entonces, ¿quién es este Dios a quien debemos parecernos? Dios es un obrero que hace cosas (versículo 2). Él es justo (versículo 3), compasivo (versículos 4 y 5) y honesto (versículos 7 y 8). Finalmente, Él es un Dios de integridad, quien cumple Sus promesas (versículo 9). Nos vamos pareciendo a Él no solo al obedecer Sus reglas (a pesar de que esto es muy importante), sino al temerle (versículo 10), adorándole con asombro. Nos convertimos en las cosas que más amamos.

Oración: Señor, puedo orar y seguir Tus mandamientos, pero es la verdadera adoración y alabanza la que realmente me transformará. No permitas que me conforme solamente con la religiosidad. Lléname del temor y de la alegría que surgen al buscar Tu rostro. Amén.

Octubre 20

Salmo 112. ¹¡Aleluya, alabado sea el Señor! Dichoso el que teme al Señor, el que halla gran deleite en Sus mandamientos. ²Sus hijos dominarán el país; la descendencia de los justos será bendecida. ³En Su casa habrá abundantes riquezas, y para siempre permanecerá Su justicia. ⁴Para los justos la luz brilla en las tinieblas. ¡Dios es clemente, compasivo y justo! ⁵Bien le va al que presta con generosidad, y maneja sus negocios con justicia. ⁶El justo será siempre recordado; ciertamente nunca fracasará. ⁷No temerá recibir malas noticias; su corazón estará firme, confiado en el Señor. ⁸Su corazón estará seguro, no tendrá temor, y al final verá derrotados a sus adversarios. ⁹Reparte sus bienes entre los pobres; su justicia permanece para siempre; su poder será gloriosamente exaltado. ¹⁰El malvado verá esto, y se irritará; rechinando los dientes se irá desvaneciendo. ¡La ambición de los impíos será destruida!

SU AMBICIÓN SERÁ DESTRUIDA. Aquellos que no solamente creen en Dios, sino que también le temen y le obedecen con deleite (ver el versículo 1), gozan de la transformación de su carácter a imagen de Dios (Efesios 4:22-24). Dios es compasivo (Salmo 111:4), así que ellos son generosos (versículos 4 y 5). La Palabra de Dios permanece (111:8), así que ellos están firmes incluso al recibir malas noticias (versículo 7). Dios es justo (Salmo 111:3) y también ellos lo son (versículo 3), pero recordemos que la justicia en la Biblia consiste no solo en los valores familiares (versículo 2), sino también en ayudar a los pobres (versículo 9). El salmo dice que sin Dios, tu ambición será destruida (versículo 10). Eso significa que con Dios, tus deseos más profundos se cumplirán (Salmo 16:11; Juan 6:25).

Oración: Señor, te agradezco por darnos el pan de vida. Alrededor de mí, todas las personas buscan significado, satisfacción y libertad. Pero esto es señal de profunda hambre espiritual que solo Tu gracia y Tu rostro pueden satisfacer. Guárdame de perseguir estas cosas. Permíteme probar y ver que eres bueno. Amén.

Octubre 21

Salmo 113. ¹¡Aleluya! ¡Alabado sea el Señor! Alaben, siervos del Señor, alaben el nombre del Señor. ²Bendito sea el nombre del Señor, desde ahora y para siempre. ³Desde la salida del sol hasta su ocaso, sea alabado el nombre del Señor. ⁴El Señor domina sobre todas las naciones; Su gloria está sobre los cielos. ⁵¿Quién como el Señor nuestro Dios, que tiene Su trono en las alturas ⁶y se digna contemplar los cielos y la tierra? ⁷Él levanta del polvo al pobre y saca del muladar al necesitado; ⁸los hace sentarse con príncipes, con los príncipes de Su pueblo. ⁹A la mujer estéril le da un hogar y le concede la dicha de ser madre. ¡Aleluya! ¡Alabado sea el Señor!

GRANDEZA Y PEQUEÑEZ. Alaba a Dios porque no hay nada grande para Él. Él está por encima del tiempo (versículo 2), en todo lugar (versículo 3) y sobre todo poder y autoridad (versículo 4). Pero también alábalo porque no hay nadie demasiado pequeño para Él (versículos 7 y 9). Él levanta al pobre (versículo 7). La situación del pobre, con frecuencia, es utilizada para abrirlos espiritualmente a su necesidad de la gracia y de las riquezas de la salvación (Lucas 6:20; Apocalipsis 1:6). Materialmente, Dios obra actos de justicia a través de la historia a favor de los oprimidos (Salmos 103:6; 140:12; 146:7). Él ama trabajar a través de las estériles (recuerda a Sara, Ana y Elizabeth) y proveerles de un hogar (versículo 9). La grandeza de Dios es vista en Su cuidado de los indefensos. En Jesús probó ser lo suficientemente grande como para humillarse a Sí mismo.

Oración: Señor Jesús, te alabo porque alguien infinitamente más grande que el universo y todas sus galaxias se convirtió en un pequeño niño que necesitaba ser alimentado y cuidado. Y lo hiciste por mí. Eso le da humildad a mi corazón y lo anima al mismo tiempo. Gracias, Señor. Amén.

Octubre 22

Salmo 114. ¹Cuando Israel, el pueblo de Jacob, salió de Egipto, de un pueblo extraño, ²Judá se convirtió en el santuario de Dios; Israel llegó a ser Su dominio. ³Al ver esto, el mar huyó; el Jordán se volvió atrás. ⁴Las montañas saltaron como carneros, los cerros saltaron como ovejas. ⁵¿Qué te pasó, mar, que huiste, y a ti, Jordán, que te volviste atrás? ⁶¿Y a ustedes montañas, que saltaron como carneros? ¿Y a ustedes cerros, que saltaron como ovejas? ⁷¡Tiembla, oh tierra, ante el Señor, tiembla ante el Dios de Jacob! ⁸¡Él convirtió la roca en un estanque, el pedernal en manantiales de agua!

¡TIEMBLA, OH TIERRA! Mientras Israel salía de Egipto, las cosas que parecían barreras impenetrables fueron removidas por el poder de Dios. El Mar Rojo fue dividido y las montañas temblaron (Éxodo 19:18; Hebreos 12:18-27). El salmista se burla de los poderes terrenales diciendo que las "montañas saltaron como carneros" (versículo 4). El amor de Dios por nosotros hace al mundo temblar, porque nada puede interponerse entre nosotros y Su amor (Romanos 8:38). Tanto en la muerte de Jesús (Mateo 27:51) como en Su resurrección (Mateo 28:2), la tierra tembló, indicando la venida del poder de Dios para salvar. Para llevarnos a nuestro verdadero hogar para vivir con Él, hará temblar y destruirá a la misma muerte (1 Corintios 15:56-57). ¡No permitas que nada te intimide! (1 Corintios 15:58).

Oración: Señor, cuán fácilmente me intimido. Las críticas, el fracaso, los cambios, las pérdidas… todo ello me hace temblar. Ayúdame a vivir en el reino que no puede ser conmovido (Hebreos 12:28). Enséñame a construir mi vida diaria con base en Tu Palabra y en Tu amor, los cuales perdurarán eternamente, mientras que las demás cosas pasarán. Amén.

Octubre 23

Salmo 115:1-8. ¹La gloria, Señor, no es para nosotros; no es para nosotros sino para Tu nombre, por causa de Tu amor y Tu verdad. ²¿Por qué tienen que decirnos las naciones: "¿Dónde está su Dios?". ³Nuestro Dios está en los cielos y puede hacer lo que le parezca. ⁴Pero sus ídolos son de oro y plata, producto de manos humanas. ⁵Tienen boca, pero no pueden hablar; ojos, pero no pueden ver; ⁶tienen oídos, pero no pueden oír; nariz, pero no pueden oler; ⁷tienen manos, pero no pueden palpar; pies, pero no pueden andar; ⁸¡ni un solo sonido emite su garganta! Semejantes a ellos son sus hacedores, y todos los que confían en ellos.

EL PODER DE LOS ÍDOLOS. En la historia *La feria de las tinieblas* cada personaje tiene un deseo secreto que piensa que les traerá satisfacción —juventud, relaciones sexuales con la mujer de sus sueños, poderes atléticos, grandes cantidades de dinero.[118] Pero cuando obtienen todo lo deseado, ellos son esclavizados en lugar de estar satisfechos. Esto encaja con la enseñanza bíblica sobre la idolatría. Cualquier cosa más importante para ti que el Dios verdadero es un dios alterno. Los ídolos no tienen poder (versículos del 5 al 7) para proveerte del amor, el perdón y la guía que necesitas. Pero, paradójicamente, sí tienen el poder de hacerte como ellos (versículo 8) y mantenerte espiritualmente ciego e imposibilitado para cambiar.

Oración: Señor, confieso que he convertido la aprobación de la gente en un ídolo. Permíteme estar tan satisfecho por Tu amor que ya no responda a las personas con miedo a desagradarles, sino en amor, buscando lo que es mejor para ellas. Remueve mis ídolos de aprobación, que nunca podrán darme la aprobación que necesito. Amén.

Salmo 115:9-18. [9]Pueblo de Israel, confía en el Señor; Él es tu ayuda y tu escudo. [10]Descendientes de Aarón, confíen en el Señor; Él es su ayuda y su escudo. [11]Los que temen al Señor, confíen en Él; Él es su ayuda y su escudo. [12]El Señor nos recuerda y nos bendice: bendice al pueblo de Israel, bendice a los descendientes de Aarón, [13]bendice a los que temen al Señor, bendice a grandes y pequeños. [14]Que el Señor multiplique la descendencia de ustedes y de sus hijos. [15]Que reciban bendiciones del Señor, creador del cielo y de la tierra. [16]Los cielos le pertenecen al Señor, pero a la humanidad le ha dado la tierra. [17]Los muertos no alaban al Señor, ninguno de los que bajan al silencio. [18]Somos nosotros los que alabamos al Señor desde ahora y para siempre. ¡Aleluya! ¡Alabado sea el Señor!

BENDICIÓN. La palabra "bendecir" o "bendito" se repite cinco veces en este salmo. La palabra significa riqueza, plenitud, prosperidad en varias esferas de la vida y satisfacción. Los ídolos no pueden proporcionar esto. Cuando el salmista habla sobre bendición para Israel (versículo 12), nos recuerda a Jacob (llamado Israel) quien luchó toda su vida para recibir la bendición de su padre Isaac (Génesis 28:1-41). Una noche solitaria, en medio de la oscuridad, una figura misteriosa comenzó a luchar con él. Cuando Jacob se percató de que era una manifestación del Señor mismo, dijo: "No te soltaré hasta que me bendigas". No sabemos exactamente lo que Dios respondió, pero leemos: "Y en ese mismo lugar lo bendijo" (Génesis 32:26-29). Nada ni nadie más en esta vida pueden darte la bendición que tanto anhela tu corazón como solo el Señor puede dártela.

Oración: Padre, Tu hijo Jesucristo nos da el significado, valor y seguridad que busco, en otras cosas. Pido que me ayudes a regocijarme en Él más de lo que ya lo hago. *Rompe las cadenas del gozo terrenal para poder encontrar mi todo en Ti.*[119] Amén.

Octubre 25

Salmo 116:1-11. ¹Yo amo al Señor porque Él escucha mi voz suplicante. ²Por cuanto Él inclina a mí Su oído, lo invocaré toda mi vida. ³Los lazos de la muerte me enredaron; me sorprendió la angustia del sepulcro, y caí en la ansiedad y la aflicción. ⁴Entonces clamé al Señor: "¡Te ruego, Señor, que me salves la vida!". ⁵El Señor es compasivo y justo; nuestro Dios es todo ternura. ⁶El Señor protege a la gente sencilla; estaba yo muy débil, y Él me salvó. ⁷¡Ya puedes, alma mía, estar tranquila, que el Señor ha sido bueno contigo! ⁸Tú me has librado de la muerte, has enjugado mis lágrimas, no me has dejado tropezar. ⁹Por eso andaré siempre delante del Señor en esta tierra de los vivientes. ¹⁰Aunque digo: "Me encuentro muy afligido", sigo creyendo en Dios. ¹¹En mi desesperación he exclamado: "Todos son unos mentirosos".

UNA VIDA DE GRATITUD. El salmista casi muere (versículos 3 y 8). En su temor, llamó a todos mentirosos (versículo 11), pero confió en Dios incluso cuando sus emociones estaban fuera de control (versículo 10). Ahora ha reestructurado su vida con base en un amor centrado en la gratitud. La primera marca de una vida agradecida es esta: "Lo invocaré toda mi vida" (versículo 2). Invocar a Dios significa dos cosas en la Biblia: confiar solo en Él para tu salvación (Romanos 10:12-13) y orientar toda tu vida hacia la oración y la alabanza (Génesis 12:8). Las personas agradecidas también deberían *caminar* delante de Dios (versículo 9). Esto significa vivir siendo consciente de Su presencia todo el tiempo, estar "totalmente expuestos [y ser responsables], pero en completa amistad [y sabiéndose amados]".[120] Ama al Señor, pues Él escucha.

Oración: Señor, cuando me encuentro en dificultades, mi corazón instintivamente dice: "Puedo solucionar esto. Puedo manejarlo". Pienso en gente a quien puedo pedir ayuda, pero todo es inútil. La verdad es que *no puedo* manejar mi vida y cuanto antes lo admita, más pronto conoceré la paz que siempre viene al invocarte. Amén.

Octubre 26

Salmo 116:12-19. [12]¿Cómo puedo pagarle al Señor por tanta bondad que me ha mostrado? [13]¡Tan solo brindando con la copa de salvación e invocando el nombre del Señor! [14]¡Tan solo cumpliendo mis promesas al Señor en presencia de todo Su pueblo! [15]Mucho valor tiene a los ojos del Señor la muerte de Sus fieles. [16]Yo, Señor, soy Tu siervo; soy siervo Tuyo, Tu hijo fiel; ¡Tú has roto mis cadenas! [17]Te ofreceré un sacrificio de gratitud e invocaré, Señor, Tu nombre. [18]Cumpliré mis votos al Señor en presencia de todo Su pueblo, [19]en los atrios de la casa del Señor, en medio de Ti, oh Jerusalén. ¡Aleluya! ¡Alabado sea el Señor!

LIBRADO DE LA MUERTE. Dios salvó al salmista de la muerte (versículo 8) porque las muertes de Sus siervos son costosas ("de mucho valor") y dolorosas (versículo 15). El salmista cree que ha sido virtualmente resucitado al mundo de los vivos (versículo 9). Dios, por supuesto, permite que Su pueblo muera, pero son tan preciosos para Él que un día Su Hijo pagaría el precio en la cruz para que nuestra muerte física sea solo la entrada a una vida mucho mejor (2 Corintios 5:1-10). Por tanto, podemos beber de la copa de la salvación (versículo 13), celebrando esta salvación con alabanza. Pero recordemos que esto es posible solo porque Jesús tomó la copa de la ira de Dios por nosotros (Lucas 22:42).

Oración: Señor, Tú moriste para que yo no tuviera que morir por siempre, y resucitaste para que yo pudiera vivir por la eternidad. Por ello puedo *cantar Tus alabanzas.*[121] Ayúdame a vivir mis días llenos de esperanza y alegría, ayudando a mi alma a recordar que como el pecado *me condenó a la muerte, Su vida puede purificarme y, más allá de eso, justificarme.*[122] Amén.

Octubre 27

Salmo 117. ¹¡Alaben al Señor, naciones todas! ¡Pueblos todos, cántenle alabanzas! ²¡Grande es Su amor por nosotros! ¡La fidelidad del Señor es eterna! ¡Aleluya! ¡Alabado sea el Señor!

CANTANDO A LAS NACIONES. Todos los pueblos deben alabar a Dios (versículo 1) por "Su amor por nosotros" (versículo 2). El evangelio proclama que Dios ha entrado en la historia para salvar a Su pueblo, y lo ha hecho en Jesús. Esto desafía la necedad de aquellos que creen que "todas las buenas personas irán al cielo", ya sea que crean en Jesús o no. ¡No! Esta salvación está abierta para todos, incluso para aquellos que no han tenido vidas buenas y morales. No es para aquellos que creen que son buenos, sino para aquellos que saben que solamente pueden ser salvos a través de la gracia de Dios (versículo 2) y quienes creen en la obra salvadora de Jesús. Si oras o cantas este salmo en privado, solo te afecta a ti. Debes salir y cantar las alabanzas de Dios a las naciones también.

Oración: Señor, te alabo porque te importan tanto todas las razas, naciones y pueblos que quieres arroparlos con Tu amor de salvación. Confieso que no soy tan generoso y que algunas personas me desagradan. Ayúdame a verlos a todos como pecadores y al vez como recipientes de Tu amor. Amén.

Octubre 28

Salmo 118:1-9. ¹Den gracias al Señor, porque Él es bueno; Su gran amor perdura para siempre. ²Que proclame el pueblo de Israel: "Su gran amor perdura para siempre". ³Que proclamen los descendientes de Aarón: "Su gran amor perdura para siempre". ⁴Que proclamen los que temen al Señor: "Su gran amor perdura para siempre". ⁵Desde mi angustia clamé al Señor, y Él respondió dándome libertad. ⁶El Señor está conmigo, y no tengo miedo; ¿qué me puede hacer un simple mortal? ⁷El Señor está conmigo, Él es mi ayuda; ¡ya veré por los suelos a los que me odian! ⁸Es mejor refugiarse en el Señor que confiar en el hombre. ⁹Es mejor refugiarse en el Señor que fiarse de los poderosos.

NO CONFÍES EN LOS HOMBRES. ¿Qué significa "confiar en el hombre" (versículo 8)? Es construir tu vida bajo la aprobación de los demás. Solo puedes sentirte bien respecto a ti mismo si alguien está enamorado de ti o si eres alabado por tu apariencia, intelecto o talentos. Pero esto hará que necesites *demasiado* tanto de la aprobación de los demás como de tu intimidad sexual, que quedes *demasiado* golpeado por la crítica o que sueñes *demasiado* con alcanzar la fama. ¿Qué significa "fiarse de los poderosos" (versículo 9)? Es hacer del poder un ídolo, querer tener amigos influyentes y estar siempre a cargo de las cosas. Esto tarde o temprano te dejará completamente solo, ya que la esencia del amor es el servicio (Romanos 15:3). Refúgiate en Dios.

Oración: Señor, cuando olvido el evangelio me vuelvo dependiente de las sonrisas y evaluaciones de los demás. Escucho toda crítica como una condenación contra mi ser. Pero Tú has dicho que ya no hay condenación para mí (Romanos 8:1), que te deleitas y cantas sobre mí (Sofonías 3:14, 17) y que me ves como algo hermoso (Colosenses 1:22). Ayúdame a siempre recordar esto. Amén.

Salmo 118:10-18. [10]Todas las naciones me rodearon, pero en el nombre del Señor las aniquilé. [11]Me rodearon por completo, pero en el nombre del Señor las aniquilé. [12]Me rodearon como avispas, pero se consumieron como zarzas en el fuego. ¡En el nombre del Señor las aniquilé! [13]Me empujaron con violencia para que cayera, pero el Señor me ayudó. [14]El Señor es mi fuerza y mi canto; ¡Él es mi salvación! [15]Gritos de júbilo y victoria resuenan en las casas de los justos: "¡La diestra del Señor realiza proezas! [16]¡La diestra del Señor es exaltada! ¡La diestra del Señor realiza proezas!". [17]No he de morir; he de vivir para proclamar las maravillas del Señor. [18]El Señor me ha castigado con dureza, pero no me ha entregado a la muerte.

CASTIGO. Estos versículos describen un ataque de los enemigos, quien el salmista, con la ayuda de Dios, aniquila. Pero él entiende que detrás de la hostilidad de sus enemigos, y a pesar de la ayuda de Dios para escapar de ellos (versículo 17), Dios mismo está utilizando a sus enemigos para castigarlo (versículo 18). La palabra original que aquí se traduce como "castigado" significa "instruido con los dientes", lo cual denota moldear a alguien a través de un régimen estricto. Hebreos 12:4-12 utiliza la palabra griega *gymnazdo* para decir que Dios "disciplina" a quienes ama. Durante el ejercicio, tus músculos sienten que se están debilitando, pero cuando les exiges a tus músculos, te haces más fuerte. Es por eso que Dios, como un entrenador, permite que pasemos por presión y estrés en nuestras vidas: para hacernos crecer en la fe, en el amor y en la esperanza. ¿Puedes ver ese entrenamiento en tu vida?

Oración: Señor, te alabo por amarme lo suficiente como para no dejarme como estoy. Te agradezco por el régimen de entrenamiento que has puesto en mi vida. Como todo entrenamiento, es exhaustivo —así es como funciona. Cuando me vuelvo impaciente con este régimen, ayúdame a recordar a Jesús, quien fue castigado voluntariamente, no por Sus pecados, sino por los míos (Hebreos 12:1-3). Amén.

Octubre 30

Salmo 118:19-29. [19]Ábranme las puertas de la justicia para que entre yo a dar gracias al Señor. [20]Son las puertas del Señor, por las que entran los justos. [21]¡Te daré gracias porque me respondiste, porque eres mi salvación! [22]La piedra que desecharon los constructores ha llegado a ser la piedra angular. [23]Esto ha sido obra del Señor, y nos deja maravillados. [24]Este es el día en que el Señor actuó; regocijémonos y alegrémonos en Él. [25]Señor, ¡danos la salvación! Señor, ¡concédenos la victoria! [26]Bendito el que viene en el nombre del Señor. Desde la casa del Señor los bendecimos. [27]El Señor es Dios y nos ilumina. Únanse a la procesión portando ramas en la mano hasta los cuernos del altar. [28]Tú eres mi Dios, por eso te doy gracias; Tú eres mi Dios, por eso te exalto. [29]Den gracias al Señor, porque Él es bueno; Su gran amor perdura para siempre.

PUERTAS ABIERTAS. Los líderes de la nación rechazaban al salmista como los constructores rechazaban a una piedra inútil. Pero Dios lo hizo una piedra angular (versículo 22). Cuando él fue a las puertas del templo, por donde solo los justos podían pasar (versículos 19 y 20), le fue dada la bienvenida hasta los cuernos del altar (versículo 27).[123] Después de eso, Jesús entró en Jerusalén, siendo recibido con los gritos del Salmo 118:26: "Bendito el que viene en el nombre del Señor". Él también fue rechazado por los líderes y fue al altar, pero como sacrificio por el pecado (Isaías 53:10; Hebreos 9:12), haciéndonos justos para que podamos acudir a Dios (Hebreos 10:22). Cuando oramos, "las puertas de la justicia" se abren. A través de Su sacrificio tenemos acceso al Padre por medio del Espíritu (Efesios 2:18).

Oración: Señor, te alabo porque Tu Hijo, voluntariamente, pagó un precio terrible para que yo pudiera tener acceso a Ti por medio de la oración. Si Él estuvo dispuesto a dejar el cielo y venir a la tierra para hacer esto, ¿acaso no voy a ser capaz de despertarme un poco más temprano para utilizar este regalo comprado con sangre? Señor, hazme una persona de oración. Amén.

Octubre 31

Salmo 119:1-8. [1]Dichosos los que van por caminos perfectos, los que andan conforme a la ley del Señor. [2]Dichosos los que guardan Sus estatutos y de todo corazón lo buscan. [3]Jamás hacen nada malo, sino que siguen los caminos de Dios. [4]Tú has establecido Tus preceptos, para que se cumplan fielmente. [5]¡Cuánto deseo afirmar mis caminos para cumplir Tus decretos! [6]No tendré que pasar vergüenzas cuando considere todos Tus mandamientos. [7]Te alabaré con integridad de corazón, cuando aprenda Tus justos juicios. [8]Tus decretos cumpliré; no me abandones del todo.

LA PALABRA: LO QUE ES. El Salmo 1 nos dice que la clave para conocer a Dios es deleitarse en Su Palabra. ¿Qué es Su Palabra? Así como Su ley, decretos y mandamientos, Su Palabra tiene la autoridad absoluta y debe ser obedecida (versículos 1, 5 y 6). Sus estatutos son permanentes y aplicables a todo tiempo y lugar, por lo que debemos confiar en ellos (versículo 2). Sus preceptos son sabiduría consumada, por lo que Sus requerimientos encajan perfectamente con nuestras necesidades y naturaleza (versículo 4). Sus caminos no son un conjunto de reglas abstractas, sino una expresión de Su carácter y naturaleza (versículo 3). Así que conocer la Biblia no es un fin en sí mismo. Si conoces la Biblia, lo haces para *buscar a Dios con todo el corazón* —para tener comunión con Dios (versículo 2).

Oración: Señor, por años pensé que podías estar activo en mi vida a través del Espíritu y que la Biblia era solo un libro de reglas e historias inspiradoras. Gracias por mostrarme que la Biblia es el medio por el que, a través del Espíritu, actúas en mi vida. Permíteme conocerte a través de Tu Palabra. Amén.

Noviembre 1

Salmo 119:9-16. [9]¿Cómo puede el joven llevar una vida íntegra? Viviendo conforme a Tu palabra. [10]Yo te busco con todo el corazón; no dejes que me desvíe de Tus mandamientos. [11]En mi corazón atesoro Tus dichos para no pecar contra Ti. [12]¡Bendito seas, Señor! ¡Enséñame Tus decretos! [13]Con mis labios he proclamado todos los juicios que has emitido. [14]Me regocijo en el camino de Tus estatutos más que en todas las riquezas. [15]En Tus preceptos medito, y pongo mis ojos en Tus sendas. [16]En Tus decretos hallo mi deleite, y jamás olvidaré Tu palabra.

LA PALABRA: LO QUE DEBEMOS HACER. ¿Cómo debemos usar la Palabra? Debemos ver riquezas asombrosas en la Palabra (versículo 14) y meditar en ella prolongada y exhaustivamente (versículos 15 y 16). Debemos guardar la Palabra de Dios en nuestros corazones al leerla detenidamente y al memorizarla. Debemos llevar a cabo las verdades de la Escritura en aquello que deseamos hasta que ellas moldeen nuestras pasiones, esperanzas e imaginación. Jesús fue el ejemplo supremo de esto. En los momentos más oscuros, cuando fue abandonado (Mateo 26:31), traicionado (Mateo 26:53-56) y dejado a Su muerte (Mateo 27:46); Él cita la Escritura. Su corazón estaba tan moldeado por la Escritura que ella vino a Su mente cuando se encontraba en necesidad o dificultad. La Palabra de Dios debe también "habitar en nosotros con toda Su riqueza" (Colosenses 3:16) ¿Habita la Palabra en Tu vida?

Oración: Señor, no existe cosa valiosa en el mundo que no requiera un gran esfuerzo; ¿por qué debería ser diferente conocerte a través de Tu Palabra? Confieso que he sido negligente para leer Tu Palabra. Aun cuando la leo soy negligente para digerirla y aplicarla. ¡Ayúdame! Amén.

Noviembre 2

Salmo 119:17-24. [17]Trata con bondad a este siervo Tuyo; así viviré y obedeceré Tu palabra. [18]Ábreme los ojos, para que contemple las maravillas de Tu ley. [19]En esta tierra soy un extranjero; no escondas de mí Tus mandamientos. [20]A toda hora siento un nudo en la garganta por el deseo de conocer Tus juicios. [21]Tú reprendes a los insolentes; ¡malditos los que se apartan de Tus mandamientos! [22]Aleja de mí el menosprecio y el desdén, pues yo cumplo Tus estatutos. [23]Aun los poderosos se confabulan contra mí, pero este siervo Tuyo medita en Tus decretos. [24]Tus estatutos son mi deleite; son también mis consejeros.

LA PALABRA ES NUESTRO CONSEJERO. Una manera de enfrentar la soledad (versículo 19), la burla, el menosprecio y la calumnia (versículos 22 y 23) es buscando consejeros. La Biblia misma puede ser un consejero maravilloso (versículo 24), pero solamente si eres capaz de ver sus "maravillas" (versículo 18). Pablo habla de un velo espiritual que se posiciona sobre las mentes (2 Corintios 3:14-18). Podremos ver varios hechos en la Biblia, pero sin la ayuda del Espíritu no podremos ver la gloria ni la maravilla de la enseñanza bíblica y de Cristo mismo. El Espíritu puede retirar el velo (2 Corintios 3:18). Pide a Dios que abra tus ojos a la belleza y la gloria de la Escritura (versículo 18). Así ella será el médico de tu alma.

Oración: Señor Jesús, Tú eres llamado el Consejero admirable, y ¡por supuesto que lo eres! Sin embargo, es por medio de las páginas de Tu Palabra que yo he encontrado Tu consejo invaluable y Tu consuelo. Abre mis ojos para entender las Escrituras y poder así recibir más y más Tu consejo. Amén.

Noviembre 3

Salmo 119:25-32. [25]Postrado estoy en el polvo; dame vida conforme a Tu palabra. [26]Tú me respondiste cuando te hablé de mis caminos. ¡Enséñame Tus decretos! [27]Hazme entender el camino de Tus preceptos, y meditaré en Tus maravillas. [28]De angustia se me derrite el alma: susténtame conforme a Tu palabra. [29]Mantenme alejado de caminos torcidos; concédeme las bondades de Tu ley. [30]He optado por el camino de la fidelidad, he escogido Tus juicios. [31]Yo, Señor, me apego a Tus estatutos; no me hagas pasar vergüenza. [32]Corro por el camino de Tus mandamientos, porque has ampliado mi modo de pensar.

LA PALABRA ES NUESTRO EXAMINADOR. El salmista investiga su vida (versículo 26) utilizando la Palabra para examinarse a sí mismo. El versículo 29: "Mantenme alejado de caminos torcidos", nos enseña que la Palabra de Dios nos guarda de engañarnos sobre quiénes somos y nos guarda de engañar a otros. La gente de nuestros tiempos tiende a examinar la Biblia buscando cosas que no puede aceptar, pero nosotros los cristianos debemos hacer lo contrario, permitiendo que la Biblia sea quien *nos* examine y *nos* ayude a buscar las cosas que Dios no puede aceptar. El versículo 30 dice que el salmista ha escogido de corazón ser fiel a los juicios de Dios. No podemos realmente comprender la Escritura a menos que hagamos un compromiso básico diciendo: "Lo que Tu Palabra diga, eso haré". Esto parece ser restrictivo, pero realmente conduce a la libertad (mira el versículo 45).

Oración: Señor, realmente necesito profundizar en las Escrituras. Pero una vez que aprendo lo que la Escritura quiere decir, debo dejar que ella examine *mi* corazón, aun lo más profundo que hay dentro de él. Dame suficiente humildad y amor para hacer esto. Amén.

Salmo 119:33-40. [33]Enséñame, Señor, a seguir Tus decretos, y los cumpliré hasta el fin. [34]Dame entendimiento para seguir Tu ley, y la cumpliré de todo corazón. [35]Dirígeme por la senda de Tus mandamientos, porque en ella encuentro mi solaz. [36]Inclina mi corazón hacia Tus estatutos y no hacia las ganancias desmedidas. [37]Aparta mi vista de cosas vanas, dame vida conforme a Tu palabra. [38]Confirma Tu promesa a este siervo, como lo has hecho con los que te temen. [39]Líbrame del oprobio que me aterra, porque Tus juicios son buenos. [40]¡Yo amo Tus preceptos! ¡Dame vida conforme a Tu justicia!

LA PALABRA Y LAS DOS NATURALEZAS. El salmista quiere guardar la ley de Dios (versículo 34), pero se da cuenta de que el corazón es fácilmente desviado hacia sus propios intereses (versículo 36) y hacia los ídolos ("las cosas vanas", versículo 37). Efesios 4:22-24 nos dice que nosotros los creyentes tenemos tanto una "vieja naturaleza" como una "nueva". Sabemos que el viejo yo lucha constantemente con el "oprobio que nos aterra" (versículo 39), un sentimiento de que no somos lo suficientemente buenos. ¡Esto es verdad! Pero nuestros esfuerzos morales no van a resolver el problema. Solo en Cristo, Dios elimina esta deshonra y nos otorga una nueva identidad (Romanos 8:1, Hebreos 10:22). Cada día es una batalla. ¿Lucharás en las fuerzas de tu vieja naturaleza, o en las fuerzas de tu nueva naturaleza?

Oración: Señor, confieso que mi vieja naturaleza, la de ganar mi aceptación y mi seguridad, aún está muy presente. Esa es la razón por la que aún siento este temor enfermizo y confuso a ser descubierto, a ser hallado como un impostor o un fraude. Señor, moldea profundamente en mi conciencia y en mi corazón la siguiente verdad: la sangre de Jesucristo nos limpia de todo pecado. Amén.

Noviembre 5

Salmo 119:41-48. [41]Envíame, Señor, Tu gran amor y Tu salvación, conforme a Tu promesa. [42]Así responderé a quien me desprecie, porque Yo confío en Tu palabra. [43]No me quites de la boca la palabra de verdad, pues en Tus juicios he puesto mi esperanza. [44]Por toda la eternidad obedeceré fielmente Tu ley. [45]Viviré con toda libertad, porque he buscado Tus preceptos. [46]Hablaré de Tus estatutos a los reyes y no seré avergonzado, [47]pues amo Tus mandamientos, y en ellos me regocijo. [48]Yo amo Tus mandamientos, y hacia ellos elevo mis manos; ¡quiero meditar en Tus decretos!

LA PALABRA Y LA LIBERTAD. Entre más busca el salmista obedecer a Dios, más "[vive] con toda libertad" (versículo 45). Si Dios no nos gobierna, algo más lo hará: un pecado o un mal hábito (versículo 133), la necesidad de ser amado y ser aceptado (versículo 42), la ansiedad o el deseo de generar ganancias y de lograr el éxito (versículo 36). Sin embargo, cuando Dios está al mando, estas cosas pierden su inmenso poder sobre nosotros. Ni siquiera tendremos temor del poder de los reyes (versículo 46). Juntamente con Dios viene la libertad de "un encuentro estimulante con una sabiduría y una visión superior a la de uno mismo. El versículo 45 literalmente significa 'a mis anchas'... La paráfrasis de Moffatt en este versículo dice: 'Tú haces abrir mi vida'".[124] El convivir cerca de personas creativas te hace libre para pensar nuevas ideas. ¿Cuánto más un encuentro con un Dios viviente y con Su Palabra?

Oración: Señor, Tú en realidad "abres mi vida". Yo solía pensar que lo más importante era subir la escalera social de este mundo, pero ahora me doy cuenta que existen realidades espirituales inimaginables, y de que hay una eternidad y una gloria que debo buscar. Te alabo por la extraordinaria visión de la vida que Tú me has dado a través de Tu Palabra. Amén.

Noviembre 6

Salmo 119:49-56. [49]Acuérdate de la palabra que diste a este siervo Tuyo, palabra con la que me infundiste esperanza. [50]Este es mi consuelo en medio del dolor: que Tu promesa me da vida. [51]Los insolentes me ofenden hasta el colmo, pero yo no me aparto de Tu ley. [52]Me acuerdo, Señor, de tus juicios de antaño, y encuentro consuelo en ellos. [53]Me llenan de indignación los impíos, que han abandonado Tu ley. [54]Tus decretos han sido mis cánticos en el lugar de mi destierro. [55]Señor, por la noche evoco Tu nombre; ¡quiero cumplir Tu ley! [56]Lo que a mí me corresponde es obedecer Tus preceptos.

LA PALABRA Y LA CULTURA. Es difícil creer en una cultura en donde la gente se burla de ti por creer en la verdad de Dios (versículo 51). ¿Por qué debería preocuparse alguien por observar leyes anticuadas ("de antaño"), que están claramente obsoletas (versículo 52)? A pesar de esta burla cultural, el salmista se sostiene en la Palabra decididamente (versículos 51 y 52). El resultado es que las promesas de la Palabra le "dan" vida (versículo 50). En otro lugar se nos dice que la Palabra de Dios *preserva* la vida, y aunque en otras partes esto puede significar literalmente "sobrevivir", en este versículo significa más que eso. La Biblia produce perseverancia. Sus promesas elevan el corazón y sus amplias verdades fortalecen la voluntad. Ella es verdaderamente el maná espiritual que nos mantiene de pie y nos capacita para seguir adelante.

Oración: Señor Jesús, ellos se burlaron de Ti despiadadamente. "A ver, Cristo, ¡adivina quién te pegó!" (Mateo 26:68). Si Tú sobrellevaste la burla y el escarnio tan pacientemente por mí, de verdad yo puedo sobrellevarla por Ti. Recuérdame de qué manera sufriste la burla por mí. Ayúdame a ser valiente cuando abra mi boca en cuanto a mis creencias. Amén.

Noviembre 7

Salmo 119:57-64. [57]¡Mi herencia eres Tú, Señor! Prometo obedecer Tus palabras. [58]De todo corazón busco Tu rostro; compadécete de mí conforme a Tu promesa. [59]Me he puesto a pensar en mis caminos, y he orientado mis pasos hacia Tus estatutos. [60]Me doy prisa, no tardo nada para cumplir Tus mandamientos. [61]Aunque los lazos de los impíos me aprisionan, yo no me olvido de Tu ley. [62]A medianoche me levanto a darte gracias por Tus rectos juicios. [63]Soy amigo de todos los que te honran, de todos los que observan Tus preceptos. [64]Enséñame, Señor, Tus decretos; ¡la tierra está llena de Tu gran amor!

EL AMOR DE DIOS LLENA LA TIERRA. Toda "la tierra está llena de [Su] gran amor" (versículo 64). Dios creó el mundo y cuida de él en amor. Jesús dijo que podemos confiar en Dios porque Él cuida aún a las aves del cielo (Mateo 6:26) y ama a Su creación (Salmo 145:9). Porque ama a todas las personas que ha creado, Dios también desea que reciban Su amor redentor. "Yo no quiero la muerte de nadie. ¡Conviértanse, y vivirán!" (Ezequiel 18:32). Es importante descartar tanto la idea de que Dios ama solamente a los creyentes como la de que ama a todo el mundo de la misma manera. ¿Cómo debemos responder a un Dios tan amoroso? Debemos alinear cada ámbito de nuestra vida conforme con la Palabra de Dios (versículos 59 y 60).

Oración: Señor, te alabo porque siempre me has amado, pero también te alabo porque has abierto mi corazón para recibir Tu amor salvífico también. *Tu amor soberano me llamó, y a mi mente ya abierta enseñó; el mundo me había cautivado, a las glorias eternas me había cegado.*[125] Gracias por Tu gracia. Amén.

Salmo 119:65-72. [65]Tú, Señor, tratas bien a Tu siervo, conforme a Tu palabra. [66]Impárteme conocimiento y buen juicio, pues yo creo en Tus mandamientos. [67]Antes de sufrir anduve descarriado, pero ahora obedezco Tu palabra. [68]Tú eres bueno, y haces el bien; enséñame Tus decretos. [69]Aunque los insolentes me difaman, yo cumplo Tus preceptos con todo el corazón. [70]El corazón de ellos es torpe e insensible, pero yo me regocijo en Tu ley. [71]Me hizo bien haber sido afligido, porque así llegué a conocer Tus decretos. [72]Para mí es más valiosa Tu enseñanza que millares de monedas de oro y plata.

LA ESCUELA DEL SUFRIMIENTO. El sufrimiento es una escuela donde los estudiantes aprenden cosas sobre sí mismos, sobre Dios y sobre la vida que no podrían aprender de otro modo (versículo 66 y 67). Cuando mira atrás, a las lecciones invaluables que ha aprendido, el que sufre es capaz de decir al que las designó: "Tú eres bueno, y haces el bien" (versículo 68, comparar con los versículos 65 y 71). Si pasamos por esta escuela profundizando en la Palabra de Dios, desarrollaremos una sensibilidad real en nuestro corazón (versículo 70) y abriremos nuestros ojos para ver los tesoros impensables que se encuentran en la Biblia (versículo 72). ¡Qué increíble es que con la Palabra de Dios el que sufre puede atravesarlo todo y salir más completo, sabio, rico, amoroso y aun más feliz!

Oración: Señor, Tú tienes el título de "Maestro" y "Señor", pero ¡yo soy un aprendiz muy lento! Aprieto los dientes al pasar dificultades mientras espero que se terminen. De ahora en adelante, cada vez que algo malo ocurra, ayúdame a preguntar: "¿Hay algo que deba aprender en esta situación?". Muéstrame el camino. Amén.

Noviembre 9

Salmo 119:73-80. [73]Con Tus manos me creaste, me diste forma. Dame entendimiento para aprender Tus mandamientos. [74]Los que te honran se regocijan al verme, porque he puesto mi esperanza en Tu palabra. [75]Señor, yo sé que Tus juicios son justos, y que con justa razón me afliges. [76]Que sea Tu gran amor mi consuelo, conforme a la promesa que hiciste a Tu siervo. [77]Que venga Tu compasión a darme vida, porque en Tu ley me regocijo. [78]Sean avergonzados los insolentes que sin motivo me maltratan; yo, por mi parte, meditaré en Tus preceptos. [79]Que se reconcilien conmigo los que te temen, los que conocen tus estatutos. [80]Sea mi corazón íntegro hacia Tus decretos, para que yo no sea avergonzado.

EL TESTIGO DEL SUFRIMIENTO. El salmista considera aquí cómo es que sus sufrimientos afectan a otros creyentes ("los que te honran" y "los que te temen", versículos 74 y 79). Él confía en que su aflicción ha sido impuesta por Dios "con justa razón", es decir, en amor y sabiduría (versículo 75, comparar con Génesis 50:20 y Romanos 8:28). Cuando otros les observan esperando en Dios de esta manera, ellos reciben alegría a través de su aguerrida confianza (versículo 74). Durante su sufrimiento el salmista medita en la Palabra detenidamente para encontrar consuelo (versículo 76), regocijo (versículo 77) e integridad de corazón (versículo 80), que es "una decisión interior por la que cada acto está perfectamente integrado con base en la Palabra".[126] Cuando otros creyentes observan el poder de la Palabra en su vida, ella les atrae y les hace profundizar en su amistad con amor sincero. El sufrimiento, cuando se enfrenta de la manera indicada, genera una comunidad y una amistad invaluables.

Oración: Señor, cuando siento autolástima por mi sufrimiento, no suelo pensar en nadie más y quiero estar solo. Pero ayúdame en esos momentos a estar abierto a la ayuda de los demás, y muéstrame maneras de animar a otros en mis tiempos de dificultad. Señor, Tú pensabas en mí durante Tus sufrimientos, así que permíteme pensar en mi comunidad durante los míos. Amén.

Noviembre 10

Salmo 119:81-88. [81]Esperando Tu salvación se me va la vida. En Tu palabra he puesto mi esperanza. [82]Mis ojos se consumen esperando Tu promesa, y digo: "¿Cuándo vendrás a consolarme?". [83]Parezco un odre ennegrecido por el humo, pero no me olvido de Tus decretos. [84]¿Cuánto más vivirá este siervo Tuyo? ¿Cuándo juzgarás a mis perseguidores? [85]Me han cavado trampas los insolentes, los que no viven conforme a Tu ley. [86]Todos Tus mandamientos son fidedignos; ¡ayúdame!, pues falsos son mis perseguidores. [87]Por poco me borran de la tierra, pero yo no abandono Tus preceptos. [88]Por Tu gran amor, dame vida y cumpliré Tus estatutos.

LOS DOS SALVAVIDAS. El salmista está cayendo y se encuentra al final de la cuerda; se encuentra al final de su capacidad para resistir (versículos 81 y 82). Su sufrimiento es inmerecido (versículo 86) y aun así no encuentra descanso. En esos momentos extremos, ¿qué más se puede hacer? Haz lo que has estado haciendo: permanece en la Palabra y ora con sinceridad y con ánimo, como lo vemos en esta parte del salmo. Cuando viene el sufrimiento, la oración y la lectura bíblica son las actividades más importantes que debes realizar. En realidad, estas actividades son tus únicos salvavidas. "Las maneras primordiales para obtener sabiduría [...] son las Sagradas Escrituras y la oración. La primera es la fuente de agua viva, y la segunda es el recipiente con el que debemos sacarla".[127]

Oración: Señor, cuando he llegado al final de mi esperanza, de mi sabiduría y de mi fuerza, eso no significa que se me ha terminado *Tu* cuerda. Ella siempre está allí junto a mí para darme acceso a Ti a través de la oración y de Tu Palabra. ¡No permitas que descuide mis dos salvavidas! Amén.

Noviembre 11

Salmo 119:89-96. [89]Tu palabra, Señor, es eterna, y está firme en los cielos. [90]Tu fidelidad permanece para siempre; estableciste la tierra, y quedó firme. [91]Todo subsiste hoy, conforme a Tus decretos, porque todo está a Tu servicio. [92]Si Tu ley no fuera mi regocijo, la aflicción habría acabado conmigo. [93]Jamás me olvidaré de Tus preceptos, pues con ellos me has dado vida. [94]¡Sálvame, pues te pertenezco y escudriño Tus preceptos! [95]Los impíos me acechan para destruirme, pero yo me esfuerzo por entender Tus estatutos. [96]He visto que aun la perfección tiene sus límites; ¡solo Tus mandamientos son infinitos!

LA PALABRA ETERNA. El salmista habla de la eterna Palabra del Señor que está "en los cielos" (versículo 89), sosteniendo y dirigiendo el mundo (versículo 91, Hebreos 1:3). Pero de ahí enseguida identifica a la Palabra eterna de Dios con la Palabra escrita de la Biblia (versículos 91 y 92). La misma Mente que gobierna el universo se comunica a través de la Escritura. No hay límite para la credibilidad ni para la perfecta verdad de la Biblia (versículo 96). Por lo tanto, ella es el único fundamento sólido en el que se puede construir una vida. Nuevas culturas humanas, filosofías y modas de "progreso" se levantan, pero luego de que pasan una o dos generaciones se vuelven obsoletas, la gente se olvida de ellas. Sin embargo, "Tu palabra, Señor, es eterna" (versículo 89).

Oración: Señor, algunas cosas que mis abuelos creyeron en su juventud al igual que el resto de la sociedad ahora provocan risa o son ofensivas. Existen ideas en auge dentro de nuestra cultura que acusan a la Biblia de ser "retrógrada", pero esas mismas ideas serán lanzadas tarde o temprano dentro del cajón del olvido de la historia. Ayúdame a recordar que Tu Palabra es perfecta y eterna. Amén.

Noviembre 12

Salmo 119:97-104. [97]¡Cuánto amo yo Tu ley! Todo el día medito en ella. [98]Tus mandamientos me hacen más sabio que mis enemigos porque me pertenecen para siempre. [99]Tengo más discernimiento que todos mis maestros porque medito en Tus estatutos. [100]Tengo más entendimiento que los ancianos porque obedezco Tus preceptos. [101]Aparto mis pies de toda mala senda para cumplir con Tu palabra. [102]No me desvío de Tus juicios porque Tú mismo me instruyes. [103]¡Cuán dulces son a mi paladar Tus palabras! ¡Son más dulces que la miel a mi boca! [104]De Tus preceptos adquiero entendimiento; por eso aborrezco toda senda de mentira.

LA PALABRA DE SABIDURÍA. La sabiduría es saber qué camino tomar en cada situación (versículo 101). Nada puede otorgar la sabiduría como lo hace la Palabra de Dios. No la consigues en la escuela ni en la universidad (versículo 99). Ni siquiera los avances y los logros modernos (versículo 100) pueden hablarte tanto sobre el corazón humano, la naturaleza humana y las formas en que el mundo opera. Cristo y Pablo señalan que el evangelio tiende a ser rechazado por los entendidos y por la clase alta de este mundo, pero que es acogido por los necesitados y los humildes (Lucas 10:21; 1 Corintios 1:18-25). Por lo tanto, la sabiduría no llega a personas que solamente conocen los datos que hay en la Biblia, sino que se da a conocer a aquellos que la reciben en amor (versículo 97), obediencia (versículo 101) y deleite (versículo 103).

Oración: Señor, Tu Palabra está llena de *¡dulzura interminable! Deja que mi corazón [saboree] cada una de sus letras.*[128] Ella tiene un remedio para cada herida. Enséñame no solamente a aprender de Tu Palabra, sino a saborear y degustar las enseñanzas que ella contiene. Amén.

Noviembre 13

Salmo 119:105-112. [105]Tu palabra es una lámpara a mis pies; es una luz en mi sendero. [106]Hice un juramento, y lo he confirmado: que acataré Tus rectos juicios. [107]Señor, es mucho lo que he sufrido; dame vida conforme a Tu palabra. [108]Señor, acepta la ofrenda que brota de mis labios; enséñame Tus juicios. [109]Mi vida pende de un hilo, pero no me olvido de Tu ley. [110]Los impíos me han tendido una trampa, pero no me aparto de Tus preceptos. [111]Tus estatutos son mi herencia permanente; son el regocijo de mi corazón. [112]Inclino mi corazón a cumplir Tus decretos para siempre y hasta el fin.

LA PALABRA ES MI LÁMPARA. Necesitas una lámpara si el lugar es muy oscuro como para caminar. De la misma manera, la vida en sí misma es muy oscura para nuestra simple sabiduría. Andaríamos descarriados sin la iluminación de la Palabra de Dios (versículo 105). La Palabra será tu lámpara solamente si la sigues con fidelidad aun cuando no te agrade lo que te está diciendo. "Inclino mi corazón a cumplir Tus decretos para siempre y hasta el fin" (versículo 112). "Alegría sin obediencia es igual a libertinaje; obediencia sin alegría es igual a moralismo".[129] Recuerda a Jesús en la hora oscura de Su tentación (Lucas 4:1-13). Cada vez que Satanás intentó encerrar a Cristo en la oscuridad, Él utilizó pasaje tras pasaje de la Escritura para disiparla.

Oración: Señor, permite que esté tan lleno de Tu Escritura que Tus palabras vengan a mi mente como lo hicieron con Jesús: explicando mis situaciones, guiando mis elecciones y fortaleciendo mis emociones. Amén.

Noviembre 14

Salmo 119:113-120. [113]Aborrezco a los hipócritas, pero amo Tu ley. [114]Tú eres mi escondite y mi escudo; en Tu palabra he puesto mi esperanza. [115]¡Malhechores, apártense de mí, que quiero cumplir los mandamientos de mi Dios! [116]Sostenme conforme a Tu promesa, y viviré; no defraudes mis esperanzas. [117]Defiéndeme, y estaré a salvo; siempre optaré por Tus decretos. [118]Tú rechazas a los que se desvían de Tus decretos, porque solo maquinan falsedades. [119]Tú desechas como escoria a los impíos de la tierra; por eso amo Tus estatutos. [120]Mi cuerpo se estremece por el temor que me inspiras; siento reverencia por Tus leyes.

CONOCIENDO A DIOS. El versículo 120 une perfectamente el temor de Dios con la reverencia por Su Palabra. Existe una reverencia por la Palabra que debemos cultivar (versículo 120) a medida que vemos Su esplendor, coherencia y sabiduría. Esto lleva directamente al temor de Dios, que es la profunda alegría y el increíble asombro que aumenta a medida que nos relacionamos con Él; no con el Dios que imaginamos que Él es, sino con el que realmente es. ¿Cómo podemos estar seguros de que estamos encontrando al verdadero Dios y no al Dios que queremos que sea? Solamente a través de la Palabra. La Biblia es "la vía principal por la que Dios se revela a Sí mismo hacia nosotros, de tal manera que le podemos conocer y mantener fielmente una relación con Él".[130]

Oración: Señor, llévame a las inmensidades de Tu Palabra. Dame un entendimiento inquebrantable sobre su origen divino. Permite que me deje maravillado como lo hace el amanecer o el atardecer. Permite que quebrante mi corazón con su belleza como lo hacen las montañas y el mar. Porque solo así estaré a un paso de ver tu faz. Amén.

Noviembre 15

Salmo 119:121-128. [121]Yo practico la justicia y el derecho; no me dejes en manos de mis opresores. [122]Garantiza el bienestar de Tu siervo; que no me opriman los arrogantes. [123]Mis ojos se consumen esperando Tu salvación, esperando que se cumpla Tu justicia. [124]Trata a Tu siervo conforme a Tu gran amor; enséñame Tus decretos. [125]Tu siervo soy: dame entendimiento y llegaré a conocer Tus estatutos. [126]Señor, ya es tiempo de que actúes, pues Tu ley está siendo quebrantada. [127]Sobre todas las cosas amo Tus mandamientos, más que el oro, más que el oro refinado. [128]Por eso tomo en cuenta todos Tus preceptos y aborrezco toda senda falsa.

SEÑOR, YA ES TIEMPO DE QUE ACTÚES. En la cultura del salmista las leyes de Dios estaban siendo despreciadas (versículo 126) y los creyentes eran oprimidos (versículos 121 y 122). Nadie escuchaba la Palabra de Dios (versículo 123). Tú puedes encontrar gente así cuando hablas de tu fe, cuando eres ignorado constantemente y aun cuando te ordenan guardar silencio. ¿Qué es lo que hace el salmista? Pide a Dios que "actúe" (versículo 126). Lo que quiere decir con esa petición es: "¡Se me han acabado las ideas y la energía! Lo dejo todo en Tus manos". Hay momentos en los que lo único que hay que hacer es orar, preocuparte por tu propio corazón y por tu vida, y esperar que Dios abra una puerta (Apocalipsis 3:8).

Oración: Señor, confieso que muchas veces intento ser el Espíritu Santo. Cuando la gente que amo no escucha la verdad, en ocasiones golpeo el exterior de los corazones que solo pueden ser abiertos desde adentro. Solamente Tu Espíritu puede llegar a los corazones. Yo no puedo. Señor, esperaré a que Tú actúes. Amén.

Salmo 119:129-136. [129]Tus estatutos son maravillosos; por eso los obedezco. [130]La exposición de Tus palabras nos da luz, y da entendimiento al sencillo. [131]Jadeante abro la boca porque ansío Tus mandamientos. [132]Vuélvete a mí, y tenme compasión como haces siempre con los que aman Tu nombre. [133]Guía mis pasos conforme a Tu promesa; no dejes que me domine la iniquidad. [134]Líbrame de la opresión humana, pues quiero obedecer Tus preceptos. [135]Haz brillar Tu rostro sobre Tu siervo; enséñame Tus decretos. [136]Ríos de lágrimas brotan de mis ojos, porque Tu ley no se obedece.

LA PALABRA QUE SE DESPLIEGA. Cuando el salmista llama a la Palabra de Dios "maravillosa", está utilizando un término que significa "sobrenatural" (versículo 129). No se trata de un libro humano. Eso explica por qué la Biblia *despliega* sus profundidades a aquellos que son lo suficientemente pacientes para bucear por ellas. Aunque la Escritura es muy clara en su mensaje básico, tanto que hasta un niño la puede entender, ella no dará sus extraordinarias riquezas a cualquiera; solo las dará a los que andan por fe (versículo 133) y son diligentes en estudiar y reflexionar constantemente en sus palabras (versículos 131 y 136). Si este es el precio que se paga, de cualquier forma, la ganancia es infinitamente más grande que la inversión.

Oración: Señor, reconozco que tomo tiempo solo para un estudio superficial de la Biblia. Pero todo el mundo dedica tiempo a las cosas que piensan que son más importantes para ellos. Te confieso que mi corazón tiene poco deseo de conocer Tu Palabra. Haz que el Salmo 119 quebrante la indiferencia de mi corazón. Amén.

Noviembre 17

Salmo 119:137-144. [137]Señor, Tú eres justo, y Tus juicios son rectos. [138]Justos son los estatutos que has ordenado, y muy dignos de confianza. [139]Mi celo me consume, porque mis adversarios pasan por alto Tus palabras. [140]Tus promesas han superado muchas pruebas, por eso Tu siervo las ama. [141]Insignificante y menospreciable como soy, no me olvido de Tus preceptos. [142]Tu justicia es siempre justa; Tu ley es la verdad. [143]He caído en la angustia y la aflicción, pero Tus mandamientos son mi regocijo. [144]Tus estatutos son siempre justos; dame entendimiento para poder vivir.

LA PALABRA JUSTA. Cuando la Biblia dice que Dios es justo (versículos 137 y 142), quiere decir que Él es completamente recto e íntegro, y nunca manipula ni abusa de otros. La Palabra de Dios refleja esa misma justicia (versículos 138 y 144). Esto es difícil de entender para la gente moderna que vive en la cultura más adversa a la autoridad de toda la historia. La Palabra nos enseña muchas cosas que aparentemente parecen injustas e incluso manipuladoras. Sin embargo, aquí te presento el testimonio de millones de personas y de la Palabra misma: si crees en la Palabra de Dios, "superando" pruebas en tu vida a lo largo de los años (versículo 140), encontrarás que ella no solamente "es la verdad" (versículo 142), sino también de gran regocijo (versículo 143). Y así llegarás a amarla (versículo 140).

Oración: Señor, en ocasiones he encontrado cosas en Tu Palabra que me han parecido demasiado duras y estrictas para mí, pero a medida que pasa el tiempo, cada vez son menos rigurosas. Tu Palabra ha probado ser verdadera. Abre puertas para que yo pueda proclamar a otros, en medio de esta cultura tan desconfiada, que se puede confiar en Tu Palabra. Amén.

Noviembre 18

Salmo 119:145-152. [145]Con todo el corazón clamo a Ti, Señor; respóndeme, y obedeceré Tus decretos. [146]A ti clamo: "¡Sálvame!" Quiero cumplir Tus estatutos. [147]Muy de mañana me levanto a pedir ayuda; en Tus palabras he puesto mi esperanza. [148]En toda la noche no pego los ojos, para meditar en Tu promesa. [149]Conforme a Tu gran amor, escucha mi voz; conforme a Tus juicios, Señor, dame vida. [150]Ya se acercan mis crueles perseguidores, pero andan muy lejos de Tu ley. [151]Tú, Señor, también estás cerca, y todos Tus mandamientos son verdad. [152]Desde hace mucho conozco Tus estatutos, los cuales estableciste para siempre.

UTILIZA LA PALABRA. Estos versículos nos ofrecen una mirada a un día cotidiano en la vida de una personas que vive la Palabra. Él se levanta antes del amanecer para orar y esperar en la Palabra de Dios (versículo 147); tarde por la noche medita en Sus promesas (versículo 148). El versículo 164 dice que alaba a Dios siete veces al día por Su Palabra. Muchas órdenes monásticas siguen esto literalmente y tienen siete momentos diarios de oración y de lectura. Pero ya que el número siete significa "completo" o "totalidad", aprendemos que debemos hacer del estudio de la Palabra en oración la máxima prioridad de nuestro tiempo, y que no sea restringido por otras actividades.

Oración: Señor, cuando termine esta oración voy a hacer un plan y voy a tomar la iniciativa de leer Tu Palabra más y más. Ayúdame a que mi plan no sea imposible de cumplir, ni tan sencillo que no haga una diferencia en mí. Amén.

Noviembre 19

Salmo 119:153-160. [153]Considera mi aflicción, y líbrame, pues no me he olvidado de Tu ley. [154]Defiende mi causa, rescátame; dame vida conforme a Tu promesa. [155]La salvación está lejos de los impíos, porque ellos no buscan Tus decretos. [156]Grande es, Señor, Tu compasión; dame vida conforme a Tus juicios. [157]Muchos son mis adversarios y mis perseguidores, pero yo no me aparto de Tus estatutos. [158]Miro a esos renegados y me dan náuseas, porque no cumplen Tus palabras. [159]Mira, Señor, cuánto amo Tus preceptos; conforme a Tu gran amor, dame vida. [160]La suma de Tus palabras es la verdad; Tus rectos juicios permanecen para siempre.

LA DOCTRINA DE LA PALABRA. El salmista dice que la suma de palabras de la ley de Dios es la verdad (versículo 160; ver también el versículo 151). Todo lo que la Biblia afirma es verdad. La Palabra se debe seguir sin importar nuestros gustos emocionales, costumbres culturales u opiniones populares. La Palabra de Dios es "eterna" (versículo 160; ver también el versículo 152); nada de lo que dice puede llegar a ser anticuado. No necesitamos modernizarla, corregirla ni complementarla. Ella es, sin duda alguna, más que un simple libro de declaraciones verdaderas. Es el camino para conocer a Dios y para encontrarnos con Su amor revitalizante (versículo 159). Pero este encuentro se fundamenta en aquellos compromisos doctrinales que nos hablan de la inspiración total y de la autoridad de la Biblia. Si no podemos confiar en lo que la Biblia nos dice sobre Dios, no podemos conocer al Dios del que nos habla.

Oración: Señor, mis abuelos vivieron en un tiempo en que Tu Palabra era respetada pero ignorada. Yo vivo en un tiempo en el que es atacada y mutilada. Dame las fuerzas para defender la verdad de Tu Palabra frente a mi propia mente, y después, cuando sea oportuno, frente a los demás. Amén.

Noviembre 20

Salmo 119:161-168. [161]Gente poderosa me persigue sin motivo, pero mi corazón se asombra ante Tu palabra. [162]Yo me regocijo en Tu promesa como quien halla un gran botín. [163]Aborrezco y repudio la falsedad, pero amo Tu ley. [164]Siete veces al día te alabo por Tus rectos juicios. [165]Los que aman Tu ley disfrutan de gran bienestar, y nada los hace tropezar. [166]Yo, Señor, espero Tu salvación y practico Tus mandamientos. [167]Con todo mi ser cumplo Tus estatutos. ¡Cuánto los amo! [168]Obedezco Tus preceptos y Tus estatutos, porque conoces todos mis caminos.

LA PALABRA ATESORADA. El salmista "se asombra ante [la] Palabra" de Dios (versículo 161). Apasionadamente se compromete con la Escritura porque la identifica correctamente con su digno Autor. Si Dios es la fuente de la vida, entonces Su Palabra dará vida; si Dios es totalmente íntegro, entonces Su Palabra no puede estar equivocada. Y si Dios es glorioso, entonces Su Palabra es un gran tesoro. "Yo me regocijo en Tu promesa como quien halla un gran botín" (versículo 162). El "botín" era lo que los soldados recibían después de que terminaban una batalla con mucho sacrificio. Aprender de la Palabra de Dios y meditar en ella requiere una batalla así. Debemos luchar contra nuestras agendas apretadas, contra nuestras mentes distraídas, contra nuestros tercos corazones y contra la opinión y el menosprecio de este mundo. Pero si salimos vencedores, nuestro botín será oro puro.

Oración: Señor, en verdad Tu Palabra *es como una mina muy, muy profunda donde valiosas y excelentes joyas están escondidas en lo profundo, aguardando a cada explorador.*[131] Dame la energía para el estudio de Tu Palabra que proviene de un sentido profundo del valor de lo que encontraré allí. Amén.

Noviembre 21

Salmo 119:169-176. [169]Que llegue mi clamor a Tu presencia; dame entendimiento, Señor, conforme a Tu palabra. [170]Que llegue a Tu presencia mi súplica; líbrame, conforme a Tu promesa. [171]Que rebosen mis labios de alabanza, porque Tú me enseñas Tus decretos. [172]Que entone mi lengua un cántico a Tu palabra, pues todos Tus mandamientos son justos. [173]Que acuda Tu mano en mi ayuda, porque he escogido Tus preceptos. [174]Yo, Señor, ansío Tu salvación. Tu ley es mi regocijo. [175]Déjame vivir para alabarte; que vengan Tus juicios a ayudarme. [176]Cual oveja perdida me he extraviado; ven en busca de Tu siervo, porque no he olvidado Tus mandamientos.

LA PALABRA PODEROSA. El Salmo 119 nos ha dado mucha instrucción sobre lo que debemos hacer con la Escritura. Debemos leerla, entenderla y aprender de ella; es decir, meditar en ella, memorizarla y seguirla. Debemos tomar el tiempo para hacerlo sin falta tanto por la mañana como por la noche. Pero todo esto no sirve de nada si Dios no te busca mientras tú lees Su Palabra (versículo 176). La Palabra de Dios es viva y activa, penetrante y curativa como el bisturí de un cirujano (Hebreos 4:12-13). Si no estás seguro en cuanto a la integridad de la Biblia, o tienes amigos que no creen en la Palabra, solamente dedícate a leerla. Aunque no creas que un cuchillo está filoso, si lo está, terminará cortándote.

Oración: Señor, Tu Palabra es el maravilloso espejo *que sana los ojos del que se observa en él; es la fuente que limpia a aquel que se refleja en ella. ¿Quién podrá ensalzarla lo suficiente?*[132] ¡Qué poder posee para sanar y moldear vidas! Deseo entregarme fervientemente a Tu Palabra. Amén.

Salmo 120. ¹En mi angustia invoqué al Señor, y Él me respondió. ²Señor, líbrame de los labios mentirosos y de las lenguas embusteras. ³¡Ah, lengua embustera! ¿Qué se te habrá de dar? ¿Qué se te habrá de añadir? ⁴¡Puntiagudas flechas de guerrero, con ardientes brasas de retama! ⁵¡Ay de mí, que soy extranjero en Mésec, que he acampado entre las tiendas de Cedar! ⁶¡Ya es mucho el tiempo que he acampado entre los que aborrecen la paz! ⁷Yo amo la paz, pero si hablo de paz, ellos hablan de guerra.

EL EXILIO. Este es el primero de quince "cánticos de ascenso" entonados por aquellos que ascendían al Monte de Sion para las fiestas anuales.[133] El salmista busca paz, pero los de su alrededor solo quieren la guerra contra él y contra su fe (versículo 7). Esta es "la enemistad de un estilo de vida contra otro [...] donde no hay buena voluntad que pueda resolverla, salvo la rendición o la conversión".[134] En esta situación la Biblia prohíbe tanto la unión (2 Corintios 6:14) como las represalias (Romanos 12:14-21). El salmista deja la venganza a Dios (versículos 3 y 4), pero aún cuando los creyentes sirven a sus vecinos pacíficamente pueden atraer hostilidad (1 Pedro 2:12). Así seguimos el ejemplo de nuestro Señor que también fue un hombre de paz en una cultura de enemistad (1 Pedro 2:21-25).

Oración: Señor, me duele el corazón y muchas veces se me acaba la paciencia cuando a pesar de mis propuestas pacíficas esta persona persiste en ser mi cruel adversario. Además, vivo en una cultura donde muchos piensan que estar en indignación y furia constante es una virtud moral. Señor, te pido ayuda para poder continuar amando y ofreciendo respeto a aquellos que están en mi contra y en contra de lo que creo. Amén.

Noviembre 23

Salmo 121. [1]A las montañas levanto mis ojos; ¿de dónde ha de venir mi ayuda? [2]Mi ayuda proviene del Señor, creador del cielo y de la tierra. [3]No permitirá que tu pie resbale; jamás duerme el que te cuida. [4]Jamás duerme ni se adormece el que cuida de Israel. [5]El Señor es quien te cuida, el Señor es tu sombra protectora. [6]De día el sol no te hará daño, ni la luna de noche. [7]El Señor te protegerá; de todo mal protegerá tu vida. [8]El Señor te cuidará en el hogar y en el camino, desde ahora y para siempre.

AYUDA. El salmista mira hacia las montañas buscando ayuda (versículo 1), que bien podrían ser o un lugar para esconderse de los enemigos, o un escondite que ellos habitaban. Sin embargo, las montañas no son nada (sean amenaza o sean ayuda) comparadas con la ayuda del Señor, quien hizo las montañas (versículo 2). ¿Qué es la ayuda de Dios? Es un refresco espiritual ("una sombra", versículo 5) que nos da por medio de Su presencia; es la capacidad divina que nos libra de caer en pecado (versículo 3; Salmo 73:2). Unos pocos gramos de pecado tienen el potencial de dañarnos más que una tonelada de sufrimiento. El pecado puede endurecer nuestros corazones hasta que lo perdamos todo, pero el sufrimiento, si se recibe apropiadamente, nos puede hacer más sabios, felices y maduros.

Oración: Señor, mi vida está llena de presiones que son como el sol que me cansa y absorbe todas mis fuerzas. Pero he vivido momentos cuando Tu sonrisa, que sentía en oración, era como una sombra refrescante o como una brisa apacible en mi corazón. Dame la gracia para conocerte más como mi sombra y mi ayuda. Amén.

Salmo 122. ¹Yo me alegro cuando me dicen: "Vamos a la casa del Señor". ²¡Jerusalén, ya nuestros pies se han plantado ante tus portones! ³¡Jerusalén, ciudad edificada para que en ella todos se congreguen! ⁴A ella suben las tribus, las tribus del Señor, para alabar Su nombre conforme a la ordenanza que recibió Israel. ⁵Allí están los tribunales de justicia, los tribunales de la dinastía de David. ⁶Pidamos por la paz de Jerusalén: "Que vivan en paz los que te aman. ⁷Que haya paz dentro de tus murallas, seguridad en tus fortalezas". ⁸Y ahora, por mis hermanos y amigos te digo: "¡Deseo que tengas paz!". ⁹Por la casa del Señor nuestro Dios procuraré tu bienestar.

LA IGLESIA. Aquellos que iban a las fiestas anuales se acercaban a Jerusalén con alegría (versículo 1). Ellos amaban la ciudad y oraban por su crecimiento (versículos 6 y 7). Lo que para los judíos era Jerusalén hoy es la iglesia para los creyentes en Cristo. Cuando venimos a la fe de Cristo nos convertimos en ciudadanos de la Jerusalén celestial (Hebreos 12:22-24; Filipenses 3:20). La manifestación de esta ciudad celestial (y futura) es la contracultura de la iglesia cristiana, una sociedad donde el mundo puede ver cómo se vive la vida humana de acuerdo con la voluntad de Dios. A través del evangelio, las distintas razas y naciones "se congregan" (versículo 3; Efesios 2:11-22). Las personas que jamás se podrían llevar bien fuera de la iglesia ahora se aman las unas a las otras dentro de ella. Debemos asistir a la iglesia con alegría; la Biblia nunca menciona una religión solitaria.

Oración: Señor, te alabo por lo que la iglesia *puede* ser: una sociedad alternativa de personas que muestran al mundo Tu gloria. Pero confieso que soy parte de lo que la iglesia *es*: una comunidad imperfecta que se encuentra lejos de poder reflejar Tu carácter. Dame el entendimiento y el amor que necesito para ser parte de la solución y no del problema. Amén.

Noviembre 25

Salmo 123. ¹Hacia Ti dirijo la mirada, hacia Ti, cuyo trono está en el cielo. ²Como dirigen los esclavos la mirada hacia la mano de su amo, como dirige la esclava la mirada hacia la mano de su ama, así dirigimos la mirada al Señor nuestro Dios, hasta que nos muestre compasión. ³Compadécenos, Señor, compadécenos, ¡ya estamos hartos de que nos desprecien! ⁴Ya son muchas las burlas que hemos sufrido; muchos son los insultos de los altivos, y mucho el menosprecio de los orgullosos.

ENFOQUE. Los creyentes sienten el dolor del menosprecio del mundo (versículos 3 y 4). ¿Cómo nos guardamos de adoptar sus puntos de vista o de caer en el resentimiento y el alejamiento? Debemos levantar nuestros ojos a Dios (versículo 1). Eso significa más que "una simple mirada"; denota una contemplación constante, reflexiva y en adoración (versículos 1 y 2), una mirada llena de esperanza y de deseo (Mateo 6:23; comparar con Josué 7:21). El salmista enfoca su atención y los anhelos de su corazón en Dios por medio de la oración (versículo 2). Él se hace como el esclavo que está entrenado para responder a cualquier cosa que su amo le pida (versículo 2). En conclusión, el salmista conquista todas sus distracciones y logra que tanto el conocimiento práctico de Dios como el servicio obediente a Él sean el asunto más importante de su vida. Lee este salmo en oración hasta que Dios te muestre Su compasión.

Oración: Señor, vivo en una sociedad que sufre de "trastorno de déficit de atención". Muchas cosas suceden ante mis ojos y yo ni les pongo cuidado. Oh, enséñame a enfocarme en Ti. Permite que siempre piense en Ti durante el día. Y ayúdame a contemplarte constante y amorosamente a través de la oración. Amén.

Noviembre 26

Salmo 124. ¹Si el Señor no hubiera estado de nuestra parte —que lo repita ahora Israel—, ²si el Señor no hubiera estado de nuestra parte cuando todo el mundo se levantó contra nosotros, ³nos habrían tragado vivos al encenderse su furor contra nosotros; ⁴nos habrían inundado las aguas, el torrente nos habría arrastrado, ⁵¡nos habrían arrastrado las aguas turbulentas! ⁶Bendito sea el Señor, que no dejó que nos despedazaran con sus dientes. ⁷Como las aves, hemos escapado de la trampa del cazador; ¡la trampa se rompió, y nosotros escapamos! ⁸Nuestra ayuda está en el nombre del Señor, creador del cielo y de la tierra.

PACTO. Cuatro veces se le llama Señor a Dios (versículo 1, 2, 6 y 8), el Dios que entra en un pacto con nosotros por pura gracia. Esta palabra poco común significa que Su amor está "atado a nosotros" en un compromiso sin fin. De modo que Él está siempre de nuestra parte (versículos 1y 2). Pero el salmista no podía ver lo que ahora nosotros vemos. Dios está siempre a nuestro lado porque en Cristo nuestros pecados no pueden traernos ninguna condenación (Romanos 8:1, 34-35). Así que ni la "tribulación, ni la angustia, ni la persecución, ni el hambre, ni la indigencia, ni el peligro, ni la violencia [...] podrá apartarnos del amor que Dios nos ha manifestado en Cristo Jesús nuestro Señor" (Romanos 8:35, 39). Ya que el Hacedor del cielo y de la tierra es (a través de Cristo) nuestra ayuda, no temeremos (versículo 8). ¿Quién puede estar en contra nuestra? (Romanos 8:31).

Oración: Señor, Tú eres un Dios que guarda los pactos. Tu Hijo prometió salvarnos, y ni siquiera el infierno mismo golpeándole con toda su fuerza pudo frenarle de mantener dicha promesa. Ahora, hazme como Él es. *Toma ¡oh Dios!, mi voluntad, y hazla Tuya nada más; Toma, sí, mi corazón, y Tu trono en él tendrás.*[135] Amén.

Noviembre 27

Salmo 125. [1]Los que confían en el Señor son como el monte Sion, que jamás será conmovido, que permanecerá para siempre. [2]Como rodean las colinas a Jerusalén, así rodea el Señor a Su pueblo, desde ahora y para siempre. [3]No prevalecerá el cetro de los impíos sobre la heredad asignada a los justos, para que nunca los justos extiendan sus manos hacia la maldad. [4]Haz bien, Señor, a los que son buenos, a los de recto corazón. [5]Pero a los que van por caminos torcidos deséchalos, Señor, junto con los malhechores. ¡Que haya paz en Israel!

PERSEVERANCIA. En tiempos antiguos no existía mayor posición de seguridad ante un ataque militar para una ciudad que el estar rodeada por montañas. Confiar en el Señor es como estar en medio de una fortaleza de montañas (versículo 2). ¿Cómo? La confianza en Dios provee una torre de vigilancia ubicado en lo más alto. Nos ayuda a ver nuestro propio pecado y ver que la maldad únicamente paga a corto plazo. Confiar en Dios también es la manera en la que podemos obtener vistas impresionantes de Dios mismo. Cuando Isaías vio al Santo, excelso y sublime, cambió de manera permanente su punto de vista en cuanto a todo lo demás (Isaías 6:1-8). Más allá de eso, la confianza en Dios significa conectarse con la Persona que vivirá por siempre. Y eso significa que tú también vivirás por siempre (versículo 1). En un mundo en donde aparentemente todo cambia y nada permanece firme, pon tus pensamientos en esto.

Oración: Señor, veo que los cambios constantes de esta vida son agotadores. Pero Tú no cambias, y Tú eres mi morada. Ayúdame a apaciguar mi corazón a través de esta verdad. *Sus misericordias por siempre son; siempre fieles, hermoso don.*[136] Amén.

Salmo 126. ¹Cuando el Señor hizo volver a Sion a los cautivos, nos parecía estar soñando. ²Nuestra boca se llenó de risas; nuestra lengua, de canciones jubilosas. Hasta los otros pueblos decían: "El Señor ha hecho grandes cosas por ellos". ³Sí, el Señor ha hecho grandes cosas por nosotros, y eso nos llena de alegría. ⁴Ahora, Señor, haz volver a nuestros cautivos como haces volver los arroyos del desierto. ⁵El que con lágrimas siembra, con regocijo cosecha. ⁶El que llorando esparce la semilla, cantando recoge sus gavillas.

RESTAURACIÓN. Israel tuvo épocas de gran fruto y vitalidad espiritual (versículos del 1 al 3) marcados por una alegría incontrolable (versículo 2). Pero las comunidades de fe suelen tener tiempos "Néguev" de gran sequía espiritual. (El Néguev era una tierra desértica). En ocasiones una lluvia abundante por parte del Espíritu de Dios desciende poderosa y rápidamente cual corriente de agua que nace de una tormenta y baja desde una montaña; gracias a esa lluvia la comunidad se restaura casi de inmediato (versículo 4). Sin embargo, también existe un camino más lento para la restauración. El que "con lágrimas siembra" (versículos 5 y 6) es aquel que ha orado y llorado exhaustivamente por sus propios pecados y también por los de aquellos que no tienen fe. Como sucede con la agricultura, la siembra no produce fruto inmediato, pero la oración y el servicio fiel darán su fruto a su tiempo. El desierto se convertirá en un jardín (Isaías 35:1-2).

Oración: Señor, estoy orando por mi iglesia, mi país y por mucha gente a la que amo para que ellos puedan ser capacitados y renovados espiritualmente. Ayúdame a descansar en Tu tiempo, sabiendo que mis lágrimas invertidas en oración son como semillas que darán su fruto en las vidas de aquellos a los que más aprecio. Amén.

Noviembre 29

Salmo 127. [1]Si el Señor no edifica la casa, en vano se esfuerzan los albañiles. Si el Señor no cuida la ciudad, en vano hacen guardia los vigilantes. [2]En vano madrugan ustedes, y se acuestan muy tarde, para comer un pan de fatigas, porque Dios concede el sueño a Sus amados. [3]Los hijos son una herencia del Señor, los frutos del vientre son una recompensa. [4]Como flechas en las manos del guerrero son los hijos de la juventud. [5]Dichosos los que llenan su aljaba con esta clase de flechas. No serán avergonzados por sus enemigos cuando litiguen con ellos en los tribunales.

DESCANSO. La prosperidad y la seguridad en última instancia no son tus logros, sino los regalos de Dios (versículo 1). Así que el trabajar de más, la preocupación y el estrés son tontería y vanidad (versículo 2). Igualmente el tener hijos felices es una obra de Dios (versículos del 3 al 5). La crianza "satelital", es decir, el exceso de control sobre las vidas de nuestros hijos no puede asegurar su salud ni felicidad. A menos que el Señor entre en sus vidas, toda nuestra vigilancia es en vano. Entregar a nuestros hijos a Dios es la única manera de retenerlos. Si tú sabes que el Único que te ama fielmente está a cargo completamente de la historia, serás capaz de dormir bien (versículo 2). Y si *estás* sobrecargado y sobreestresado, estás olvidando quién es Dios. Jesús lo dijo más enfáticamente: "Separados de mí, no pueden ustedes hacer nada" (Juan 15:5).

Oración: Señor, admitir que mis logros son Tus regalos tiene un sabor agridulce para mí. Me hiere al principio porque me humilla. Pero en seguida se vuelve muy dulce y me trae mucha paz. No me corresponde a mí controlar esto, y nunca me ha correspondido hacerlo. Permite que trabaje duro con esta nueva perspectiva liberadora, quitando la presión que había puesto sobre mí de manera equivocada. Amén.

Noviembre 30

Salmo 128. ¹Dichosos todos los que temen al Señor, los que van por Sus caminos. ²Lo que ganes con tus manos, eso comerás; gozarás de dicha y prosperidad. ³En el seno de tu hogar, tu esposa será como vid llena de uvas; alrededor de tu mesa, tus hijos serán como vástagos de olivo. ⁴Tales son las bendiciones de los que temen al Señor. ⁵Que el Señor te bendiga desde Sion, y veas la prosperidad de Jerusalén todos los días de tu vida. ⁶Que vivas para ver a los hijos de tus hijos. ¡Que haya paz en Israel!

FAMILIA. Un cónyuge amoroso y unos hijos en crecimiento son una gran bendición (versículos 3 y 4). Sin embargo, el pecado que habita en el corazón y el mal que hay en el mundo han distorsionado el seno familiar. Muchos que no tienen una familia desearían tenerla, y muchos que sí tienen desearían tener una muy diferente a la que tienen. También hay personas que han sufrido abusos terribles dentro de sus familias. Jesús dijo que Su familia no estaba conformada por parientes biológicos: "Cualquiera que hace la voluntad de Dios es mi hermano, mi hermana y mi madre" (Marcos 3:35). La iglesia no solamente está para apoyar y reparar familias, sino también para encontrar una manera de ser la familia de Dios donde todos sus miembros, casados y solteros, con hijos o sin hijos, puedan florecer en amor.

Oración: Señor, muchos de nosotros hoy en día nos relacionamos con los demás dentro de la iglesia como nos relacionamos con los clientes en una tienda, en lugar de ser verdaderos hermanos y hermanas. Acudimos para adquirir servicios religiosos y no para vivir nuestras vidas como una comunidad, juntos como una familia. Cambia mi forma de pensar; ayúdame a ayudar a mi iglesia a llegar a ser una familia. Amén.

Diciembre 1

Salmo 129. ¹Mucho me han angustiado desde mi juventud —que lo repita ahora Israel—, ²mucho me han angustiado desde mi juventud, pero no han logrado vencerme. ³Sobre la espalda me pasaron el arado, abriéndome en ella profundos surcos. ⁴Pero el Señor, que es justo, me libró de las ataduras de los impíos. ⁵Que retrocedan avergonzados todos los que odian a Sion. ⁶Que sean como la hierba en el techo, que antes de crecer se marchita; ⁷que no llena las manos del segador ni el regazo del que cosecha. ⁸Que al pasar nadie les diga: "La bendición del Señor sea con ustedes; los bendecimos en el nombre del Señor".

OPRESIÓN. El salmista habla de esclavos con espaldas laceradas (versículo 3) que han sido liberados por Dios (versículo 4). Dios "el Señor hace justicia y defiende a todos los oprimidos" (Salmo 103:6) y odia a los gobernantes tiranos del mundo (Lucas 22:25-27), así que Su poder siempre es temporal (versículo 5). Debemos entonces trabajar por la justicia social de este mundo, pero podemos leer este pasaje desde otra perspectiva. Hubo Alguien que voluntariamente cedió Su espalda a los golpeadores (Isaías 50:6) y que por cuyas heridas somos sanados (Isaías 53:5). Cuando conocemos a personas que se oponen al evangelio ("que odian a Sion", versículo 5), debemos seguir el ejemplo de Jesús cuando derrotó la maldad por medio del perdón y del amor (Romanos 12:14-21; 1 Pedro 2:22-24) y cuando llamó a las personas al arrepentimiento (Ezequiel 18:30-32).

Oración: Señor, ellos vinieron con "espadas y palos" (Mateo 26:47) y te azotaron. *Con palos y peldaños te golpearon, como un ladrón, a Ti que eres el camino, el verdadero descanso; cuánto más para aquellos que son Tu más grande dolor.*[137] Gracias por serme fiel en ese momento y sanarme con tus heridas. Amén.

Diciembre 2

Salmo 130. [1]A Ti, Señor, elevo mi clamor desde las profundidades del abismo. [2]Escucha, Señor, mi voz. Estén atentos Tus oídos a mi voz suplicante. [3]Si Tú, Señor, tomaras en cuenta los pecados, ¿quién, Señor, sería declarado inocente? [4]Pero en Ti se halla perdón, y por eso debes ser temido. [5]Espero al Señor, lo espero con toda el alma; en Su palabra he puesto mi esperanza. [6]Espero al Señor con toda el alma, más que los centinelas la mañana. Como esperan los centinelas la mañana, [7]así tú, Israel, espera al Señor. Porque en Él hay amor inagotable; en Él hay plena redención. [8]Él mismo redimirá a Israel de todos sus pecados.

PERDÓN. ¿Qué le debemos a un Dios que nos dio todo lo que tenemos y nos mantiene vivos a cada segundo? Le debemos amor y servicio incondicional. Pero nadie hace esto, así que nadie "sería declarado inocente" en el Día del Juicio dependiendo de su propio registro (versículo 3; Romanos 3:10). Esperar en la compasión de Dios nos puede parecer un caso perdido, como cuando una persona con insomnio espera la mañana que parece nunca llegar (versículo 6). Pero he aquí el evangelio: "El Señor *mismo* redimirá a Israel de todos sus pecados" (versículo 8). Jesús es Dios mismo, y murió para salvar a Su pueblo de sus pecados. El perdón y la compasión de Dios generan un temor lleno de alegría y asombro que da poder a nuestras vidas (versículo 4). ¡Ha llegado la mañana!

Oración: Señor, te doy gracias por la alegría que produce el perdón. Recuerdo lo sorprendente que fue. Mi culpa era como un sutil dolor crónico. Cuando me fue quitada, me di cuenta de que había absorbido mi vida de alegría y confianza. Permíteme recordar que me perdonaste para poder tener un corazón deseoso de disfrutar tanto de la vida como de otras personas. Amén.

Diciembre 3

Salmo 131. ¹Señor, mi corazón no es orgulloso, ni son altivos mis ojos; no busco grandezas desmedidas, ni proezas que excedan a mis fuerzas. ²Todo lo contrario: he calmado y aquietado mis ansias. Soy como un niño recién amamantado en el regazo de su madre. ¡Mi alma es como un niño recién amamantado! ³Israel, pon tu esperanza en el Señor desde ahora y para siempre.

CONTENTAMIENTO. Puede existir un deseo desordenado de grandeza y logros (versículo 1). "¿Buscas grandes cosas para ti? No las pidas" (Jeremías 45:5). Esta búsqueda propia crea gran inquietud y una falta de contentamiento, pero el salmista ha dejado todo eso atrás. Un niño recién nacido en los brazos de su mamá es muy consciente de la leche que ella le puede ofrecer y se retuerce y grita si se la niegan. Sin embargo, un niño que ha sido "destetado" (versículo 2) y quien ya no necesita de leche, está contento solo con *estar* con su madre, disfrutando de su cercanía y amor sin desear nada más. Muy a menudo nos acercamos a Dios solo por lo que nos puede dar en vez de simplemente acercarnos a Él para descansar en Su presencia. Acércate a Su presencia ahora, a través de la Palabra y de la oración, en el nombre de Jesús.

Oración: Señor, Tú me dices que te presente mis necesidades. Pero ayúdame a también descansar en Tu presencia, alegremente satisfecho con solo estar contigo. Dame ese nivel de cercanía y amor. Lo necesito mucho. Amén.

Diciembre 4

Salmo 132:1-10. ¹Señor, acuérdate de David y de todas sus penurias. ²Acuérdate de sus juramentos al Señor, de sus votos al Poderoso de Jacob: ³"No gozaré del calor del hogar, ni me daré un momento de descanso; ⁴no me permitiré cerrar los ojos, y ni siquiera el menor pestañeo, ⁵antes de hallar un lugar para el Señor, una morada para el Poderoso de Jacob". ⁶En Efrata oímos hablar del arca; dimos con ella en los campos de Yagar: ⁷"Vayamos hasta su morada; postrémonos ante el estrado de sus pies". ⁸Levántate, Señor; ven a Tu lugar de reposo, Tú y Tu arca poderosa. ⁹¡Que se revistan de justicia Tus sacerdotes! ¡Que Tus fieles canten jubilosos! ¹⁰Por amor a David, Tu siervo, no le des la espalda a Tu ungido.

CERCANÍA. David prometió traer el arca del pacto (el "estrado de los pies de Dios", versículo 7, comparar con 1 Crónicas 28:2) a Jerusalén y construir una morada para Dios (versículo 7; comparar con 2 Samuel 7:1-17). Este no era solo un movimiento político. En el versículo 5 David recuerda al Señor como el Dios "de Jacob" que luchó con el patriarca, pero que otorgó la profunda bendición que Jacob había buscado toda su vida (Génesis 32:29). David quiere escuchar de cerca a Dios, a cualquier precio, para poder intimar con la bendición de Dios en su corazón. Y después el salmo nos dice que establecer la casa de Dios en Jerusalén le costó a David mucho sufrimiento ("penurias", versículo 1). Nosotros también debemos pagar cualquier precio para acercarnos a Dios, recordando a Aquel que hizo un juramento como el de David y cargó el precio infinito para acercarse a nosotros (Hebreos 10:5-10).

Oración: Señor, en tiempos antiguos las personas tenían que viajar a Jerusalén para conocer Tu presencia en el templo. Te alabo porque hoy, a través de Jesús, nosotros nos podemos acercarnos a Ti en cualquier momento y lugar. Confieso que descuido este regalo comprado con precio infinito. Ayúdame a acercarme a Ti, Señor, y entonces, por favor, acércate a mí. Amén.

Diciembre 5

Salmo 132:11-18. [11]El Señor le ha hecho a David un firme juramento que no revocará: "A uno de tus propios descendientes lo pondré en tu trono. [12]Si tus hijos cumplen con Mi pacto y con los estatutos que les enseñaré, también sus descendientes te sucederán en el trono para siempre". [13]El Señor ha escogido a Sion; Su deseo es hacer de este monte Su morada: [14]"Este será para siempre Mi lugar de reposo; aquí pondré Mi trono, porque así lo deseo. [15]Bendeciré con creces sus provisiones, y saciaré de pan a sus pobres. [16]Revestiré de salvación a sus sacerdotes, y jubilosos cantarán sus fieles. [17]Aquí haré renacer el poder de David, y encenderé la lámpara de Mi ungido. [18]A sus enemigos los cubriré de vergüenza, pero él lucirá su corona esplendorosa".

CERTEZA. El énfasis de este salmo es el juramento de Dios, el cual se cumplirá cueste lo que cueste. Dios prometió que un descendiente de David traería la presencia de Dios al mundo de una forma que el mismo David difícilmente podría imaginar (versículo 11; comparar con 2 Samuel 7:11-16). Jesús, aquel quien es mayor que David, ha venido y ha traído la presencia de Dios a nuestras vidas, haciéndonos Su morada (1 Pedro 2:4-10). Somos Su morada no por nuestro propio esfuerzo ni mérito, sino porque fuimos escogidos por gracia (versículo 13). No podemos obtener consuelo de nuestra salvación si no estamos seguros de tenerla. La promesa de Dios nos asegura que Él nunca nos dejará.

Oración: Señor, *alma que reposa en Jesús, Tú no te rendirás —no te rendirás— frente a sus enemigos. A pesar de que el infierno a esa alma tratará de hacer caer, Tú nunca, nunca, nunca la abandonarás.*[138] Te pido que Tu Espíritu hable esta verdad a mi corazón (Romanos 8:16). Amén.

Diciembre 6

Salmo 133. ¹¡Cuán bueno y cuán agradable es que los hermanos convivan en armonía! ²Es como el buen aceite que, desde la cabeza, va descendiendo por la barba, por la barba de Aarón, hasta el borde de sus vestiduras. ³Es como el rocío de Hermón que va descendiendo sobre los montes de Sion. Donde se da esta armonía, el Señor concede bendición y vida eterna.

UNIDAD. La unidad del pueblo de Dios une pueblos enemigos que en este salmo están simbolizados por el alto Hermón, ubicado en el norte rural, y la pequeña colina de Sion, situada en el sur de la ciudad (versículo 3). Para que el rocío de Hermón cayera en Sion se necesitaba de un milagro —y esa es la unión sobrenatural que une, en el Señor, a personas muy distantes respecto a sus propias culturas, razas y clases. La unidad y el amor que Dios nos da son como el aceite precioso de tiempos antiguos (versículo 2); este amor hace que las personas sean atractivas a nosotros cuando, de otra manera, las desecharíamos y rechazaríamos. Así que seamos "pacientes, tolerantes unos con otros *en amor*. [Esforcémonos] por mantener la unidad del Espíritu mediante el vínculo de la paz" (Efesios 4:2-3).

Oración: Señor, el mundo nos conoce por nuestro amor entre hermanos más allá de las barreras raciales y culturales que dividen al resto de la raza humana. Aun así, con mucha frecuencia la iglesia es igual al mundo en esto. Enséñame a ayudar a la iglesia para que sea ese cuerpo unificado y diverso que está destinado a ser. Y permíteme hacer esto de forma humilde y servicial. Amén.

Diciembre 7

Salmo 134. ¹Bendigan al Señor todos ustedes Sus siervos, que de noche permanecen en la casa del Señor. ²Eleven sus manos hacia el santuario y bendigan al Señor. ³Que desde Sion los bendiga el Señor, creador del cielo y de la tierra.

ADORACIÓN. Los peregrinos finalmente llegan a Jerusalén y entran al tempo. Ellos ven a los sacerdotes y al coro de los levitas cantando en la noche (versículo 1; comparar con 1 Crónicas 23:30). Tal vez los que trabajaban el "turno nocturno" recibían poca atención pública o reconocimiento. Sin embargo, al ser capaces de orar y adorar en Su presencia, ellos tenían "la única cosa necesaria" (Lucas 10:42). Aun cuando estaban llorando en relativa oscuridad, Dios los bendecía tal y como bendice a todos los que son fieles a Su llamado. Por eso lo mejor para nosotros es vivir en Su presencia, siempre cantando con gratitud en nuestros corazones (Efesios 5:19-20), pero recordando que solo podemos hacer esto "desde Sion", desde el lugar del sacrificio de sangre por nuestros pecados. En la actualidad eso quiere decir que debemos recordar la sangre de Jesús derramada por nosotros (Hebreos 10:1-22).

Oración: Señor, quiero que mi mente piense en adorarte todo el día. Quiero poder ver cada buena cosa como un regalo de Tu corazón y cada cosa mala como una prueba de Tu mano. Por favor, haz que cada momento de mi vida esté centrado en Ti. Amén.

Diciembre 8

Salmo 135:1-12. [1]¡Aleluya! ¡Alabado sea el Señor! ¡Alaben el nombre del Señor! ¡Siervos del Señor, alábenlo! [2]Ustedes, que permanecen en la casa del Señor, en los atrios de la casa del Dios nuestro. [3]Alaben al Señor, porque el Señor es bueno; canten salmos a Su nombre, porque eso es agradable. [4]El Señor escogió a Jacob como Su propiedad, a Israel como Su posesión. [5]Yo sé que el Señor, nuestro Soberano, es más grande que todos los dioses. [6]El Señor hace todo lo que quiere en los cielos y en la tierra, en los mares y en todos sus abismos. [7]Levanta las nubes desde los confines de la tierra; envía relámpagos con la lluvia y saca de sus depósitos a los vientos. [8]A los primogénitos de Egipto hirió de muerte, tanto a hombres como a animales. [9]En tu corazón mismo, oh Egipto, Dios envió señales y maravillas contra el faraón y todos sus siervos. [10]A muchas naciones las hirió de muerte; a reyes poderosos les quitó la vida: [11]a Sijón, el rey amorreo; a Og, el rey de Basán, y a todos los reyes de Canaán. [12]Entregó sus tierras como herencia, ¡como herencia para Su pueblo Israel!

EL DIOS DIGNO DE ADORACIÓN. ¿Por qué debemos adorar a Dios? Debemos adorarlo porque *Él* es bueno (versículo 3). Pero también debemos *adorarlo* porque adorarlo es bueno en sí mismo, porque nos trae verdadera alegría (versículo 3), porque satisface nuestros anhelos más fundamentales y nuestra naturaleza creada. También debemos adorarlo porque asombrosamente, en Su gracia, Él *nos ve* como personas buenas. Nos considera como Su tesoro (versículo 4), una afirmación profundamente reconfortante. Finalmente, debemos adorarlo porque Él hace que todas las cosas ayuden para nuestro bien (versículo 6; comparar con Romanos 8:28). ¡Te encuentras rodeado por Su amor!

Oración: Señor, te alabo porque sé que Tu voluntad es buena, porque Tú eres bueno. Te alabo porque esto no es una afrenta a mi libertad, sino que más bien le da seguridad. No puedo, en última instancia, arruinar mi vida, porque Tú estás a cargo y me amas. Amén.

Diciembre 9

Salmo 135:13-21. [13]Tu nombre, Señor, es eterno; Tu renombre, por todas las generaciones. [14]Ciertamente el Señor juzgará a Su pueblo, y de Sus siervos tendrá compasión. [15]Los ídolos de los paganos son de oro y plata, producto de manos humanas. [16]Tienen boca, pero no pueden hablar; ojos, pero no pueden ver; [17]tienen oídos, pero no pueden oír; ¡ni siquiera hay aliento en su boca! [18]Semejantes a ellos son sus hacedores y todos los que confían en ellos. [19]Pueblo de Israel, bendice al Señor; descendientes de Aarón, bendigan al Señor; [20]descendientes de Leví, bendigan al Señor; los que temen al Señor, bendíganlo. [21]Desde Sion sea bendito el Señor, el que habita en Jerusalén. ¡Aleluya! ¡Alabado sea el Señor!

LOS DIOSES QUE NO DEBEMOS ADORAR. Estos versículos sobre la idolatría reproducen una enseñanza del Salmo 115 (vea el devocional de Octubre 23). Los ídolos, por lo general, son cosas buenas que se convierten en algo indispensable para nosotros ya que nos centramos en ellas para que nos den el significado y la seguridad que solo pueden venir de Dios. ¿Cómo podemos "deshacernos" de nuestros ídolos? Cuando veas que tu corazón se encuentra en las garras de algún tipo de tentación, ansiedad o ataque de ira, pregúntate: "¿Cómo están siendo afectados mis sentimientos por esperar que algo me dé lo que solo Jesús me puede dar? ¿Cómo Cristo me da de una manera mucho más completa, amorosa y adecuada las mismas cosas que estoy buscando en otro lugar?".

Oración: Señor, nunca podré amarte como debo hasta que descarte otros amores que compiten contra Ti. Purifica mi corazón para que se alegre en Ti por sobre todas las cosas. ¡Sí, amaré a las demás cosas y a las demás personas en mi vida mucho mejor y más sabiamente si te amo a Ti por sobre todas ellas! Amén.

Diciembre 10

Salmo 136:1-9. [1]Den gracias al Señor, porque Él es bueno; *Su gran amor perdura para siempre.* [2]Den gracias al Dios de dioses; *Su gran amor perdura para siempre.* [3]Den gracias al Señor omnipotente; *Su gran amor perdura para siempre.* [4]Al único que hace grandes maravillas; *Su gran amor perdura para siempre.* [5]Al que con inteligencia hizo los cielos; *Su gran amor perdura para siempre.* [6]Al que expandió la tierra sobre las aguas; *Su gran amor perdura para siempre.* [7]Al que hizo las grandes luminarias; *Su gran amor perdura para siempre.* [8]El sol, para iluminar el día; *Su gran amor perdura para siempre.* [9]La luna y las estrellas, para iluminar la noche; *Su gran amor perdura para siempre.*

TEOLOGÍA EN FORMA DE ALABANZA. Cada versículo en este salmo apunta a verdades en otros lugares de la Biblia. Sin embargo, la teología sana no es un fin en sí misma, sino que debe ser transformada en alabanza. Incluso la obediencia en sí misma no es suficiente. El cumplimiento ético sin adoración ferviente significa que le has dado tu voluntad a Dios, pero no tu corazón. Observa también que esta alabanza no es solitaria. Este salmo da una luz de cómo muchos de los salmos eran cantados como respuestas en los cultos de adoración. Así que no debes estar conforme solo porque conoces bien la Biblia y tienes una sana doctrina, sino que debes convertir todo eso en una adoración que rodee tu vida y tu corazón. Además, no debes detenerte en la espiritualidad individual y privada, sino que debes conocer a Dios en la congregación y obedecerlo siendo parte de una comunidad.

Oración: Señor, en Tu presencia me llenarás de alegría y dicha eterna (Salmo 16:11) y, sin embargo, me esfuerzo más en mi profesión e incluso en mis pasatiempos que en aprender a orar. Esforzarme por mi profesión o mis pasatiempos es como jugar en un charco de lodo cuando Tú has puesto una mesa para mí llena de Tu amor, paz y alegría. Señor, enséñame a orar y muéstrame una iglesia donde pueda aprender a hacerlo. Amén.

Diciembre 11

Salmo 136:10-16. ¹⁰Al que hirió a los primogénitos de Egipto; *Su gran amor perdura para siempre.* ¹¹Al que sacó de Egipto a Israel; *Su gran amor perdura para siempre.* ¹²Con mano poderosa y con brazo extendido; *Su gran amor perdura para siempre.* ¹³Al que partió en dos el Mar Rojo; *Su gran amor perdura para siempre.* ¹⁴Y por en medio hizo cruzar a Israel; *Su gran amor perdura para siempre.* ¹⁵Pero hundió en el Mar Rojo al faraón y a su ejército; *Su gran amor perdura para siempre.* ¹⁶Al que guio a Su pueblo por el desierto; *Su gran amor perdura para siempre.*

LAS MARAVILLAS DE SU AMOR. *Su gran amor perdura para siempre* es un verso muy repetido. Pero ¿por qué Su "amor"? ¿No perdura también Su justicia y poder? Ninguno de los atributos de Dios puede ser comprendido por sí solo. Aun así, Pablo dice que mientras la grandeza de Dios puede ser deducida lógicamente del mundo creado (Romanos 1:20), *el amor de Dios* es una completa sorpresa y maravilla. Observando el corazón y la historia humana, nunca podrías concluir que Dios nos ama. ¡Pero sí lo hace! Pablo pide ayuda para comprender no la justicia de Dios, sino "cuán ancho y largo, alto y profundo es el amor de Cristo" (Efesios 3:18). El amor de Dios es Su característica más sorprendente y, de igual forma, el amor debe ser la marca más evidente de Sus seguidores (Juan 13:35). ¿Es la tuya?

Oración: Señor, la marca del cristiano es el amor, y así yo debo ser conocido como una persona amorosa, no solo entre mis amigos, sino también entre conocidos. Confieso que esto no siempre es verdad en mí. Que Tu Espíritu quite todas mis excusas —mis muchas ocupaciones, mi orgullo y mi temor a ser demasiado vulnerable. Amén.

Diciembre 12

Salmo 136:17-26. [17]Al que hirió de muerte a grandes reyes; *Su gran amor perdura para siempre.* [18]Al que a reyes poderosos les quitó la vida; *Su gran amor perdura para siempre.* [19]A Sijón, el rey amorreo; *Su gran amor perdura para siempre.* [20]A Og, el rey de Basán; *Su gran amor perdura para siempre.* [21]Cuyas tierras entregó como herencia; *Su gran amor perdura para siempre.* [22]Como herencia para Su siervo Israel; *Su gran amor perdura para siempre.* [23]Al que nunca nos olvida, aunque estemos humillados; *Su gran amor perdura para siempre.* [24]Al que nos libra de nuestros adversarios; *Su gran amor perdura para siempre.* [25]Al que alimenta a todo ser viviente; *Su gran amor perdura para siempre.* [26]¡Den gracias al Dios de los cielos! *¡Su gran amor perdura para siempre!*

NUESTRA HUMILLACIÓN. Su amor fue tan grande que Él mismo vino y se humilló (versículo 23) en Cristo Jesús. Medita en este amor en la imaginación de un poeta de Jesús hablando desde la cruz:

Todos ustedes que pasan, deténganse y vean;
El hombre robó el fruto, pero yo debo escalar el árbol;
El árbol de vida para todos, pero solo yo lo hago:
¿Alguna vez hubo dolor como el mío?

"Sánate a Ti mismo, doctor; baja ahora".
Eso hice, cuando deje mi corona.
Y el ceño fruncido del Padre cambié a sonrisa:
¿Alguna vez hubo dolor como el mío?

Al no salvarme, tienes salvación, que resistes;
Tu seguridad en Mi enfermedad subsiste:
¿Alguna vez hubo dolor como el mío?[139]

Oración: Señor, Tu amor permanece, pero yo varío entre caliente y frío, más frío que caliente. Oh, Espíritu Santo, hazme lo que este salmo está intentando hacerme. No te contengas; inculca la verdad de Tu amor profundamente en mi corazón hasta que encienda mi amor – el amor que debo y quiero sentir. Amén.

Salmo 137. ¹Junto a los ríos de Babilonia nos sentábamos, y llorábamos al acordarnos de Sion. ²En los álamos que había en la ciudad colgábamos nuestras arpas. ³Allí, los que nos tenían cautivos nos pedían que entonáramos canciones; nuestros opresores nos pedían estar alegres; nos decían: "¡Cántennos un cántico de Sion!" ⁴¿Cómo cantar las canciones del Señor en una tierra extraña? ⁵Ah, Jerusalén, Jerusalén, si llegara yo a olvidarte, ¡que la mano derecha se me seque! ⁶Si de ti no me acordara, ni te pusiera por encima de mi propia alegría, ¡que la lengua se me pegue al paladar! ⁷Señor, acuérdate de los edomitas el día en que cayó Jerusalén. "¡Arrásenla —gritaban—, arrásenla hasta sus cimientos!". ⁸Hija de Babilonia, que has de ser destruida, ¡dichoso el que te haga pagar por todo lo que nos has hecho! ⁹¡Dichoso el que agarre a tus pequeños y los estrelle contra las rocas!

EL CANTO DE SION. En Babilonia, los exiliados buscaban la paz de la ciudad (Jeremías 29:4-7), pero cuando los que los tenían cautivos les pidieron que les cantaran salmos como entretenimiento, se negaron (versículos del 2 al 4). Ellos no iban a relativizar las afirmaciones de su fe. Los cantos de Sion no son artefactos culturales, sino *la* historia del plan de salvación de Dios. Su clamor pidiendo que sus opresores (versículo 7) sufrieran las mismas cosas con las que ellos habían hecho sufrir a otros (versículos 8 y 9) nos sorprende. Pero no debemos cerrar nuestros oídos al dolor de los oprimidos en el mundo. Observa, de nuevo, que incluso estos cantantes dejan el juicio a Dios (versículo 7). Los cristianos también saben que el *Hijo de Dios,* Jesús, se encarnó y finalmente fue aplastado por Sus opresores (versículos 8 y 9). Él recibió el castigo que la injusticia merece. Así, los cristianos pueden perdonar y orar por reconciliación.

Oración: Señor, te pido con urgencia ayuda para Tu iglesia hoy. Creemos una verdad absoluta en un mundo relativista. La sociedad nos invita a "ser religiosos" pero solo en los términos de la cultura, solo si concedemos que nuestra fe no es *la* verdad revelada por Dios. ¿Cómo servimos a nuestros vecinos y en amor insistimos en la verdad única del evangelio? Ayúdanos, oh Señor. Amén.

Diciembre 14

Salmo 138. ¹Señor, quiero alabarte de todo corazón, y cantarte salmos delante de los dioses. ²Quiero inclinarme hacia Tu santo templo y alabar Tu nombre por Tu gran amor y fidelidad. Porque has exaltado Tu nombre y Tu palabra por sobre todas las cosas. ³Cuando te llamé, me respondiste; me infundiste ánimo y renovaste mis fuerzas. ⁴Oh Señor, todos los reyes de la tierra te alabarán al escuchar Tus palabras. ⁵Celebrarán con cánticos Tus caminos, porque Tu gloria, Señor, es grande. ⁶El Señor es excelso, pero toma en cuenta a los humildes y mira de lejos a los orgullosos. ⁷Aunque pase yo por grandes angustias, Tú me darás vida; contra el furor de mis enemigos extenderás la mano: ¡Tu mano derecha me pondrá a salvo! ⁸El Señor cumplirá en mí Su propósito. Tu gran amor, Señor, perdura para siempre; ¡no abandones la obra de Tus manos!

ÉL MIRA A LOS HUMILDES. David se aparta de los "dioses", que en este salmo se refiere a personas grandes y poderosas (versículo 1). David percibe que aun cuando él mismo es exaltado, Dios siempre está cerca de los humildes (versículo 6) —en dos sentidos. Él ama al pobre y a la viuda (Salmo 113:7-8). Y Él solo viene a los corazones y vidas de aquellos que son lo suficientemente humildes como para conocer que necesitan de un salvador (Isaías 57:15; 1 Pedro 5:6; Mateo 5:3). Son las personas sin recursos las que conocen mejor el generoso amor de Dios. Las personas autosuficientes no acuden a Dios con desesperación, y así nunca descubren Su amor y Su poder actuando en favor de ellos.

Oración: Señor, vivo en una cultura que busca el poder. Sin embargo, si quitaras de mí la fuerza que me sostiene, dejaría de existir en un abrir y cerrar de ojos. Confieso que olvido eso, pensando que yo sostengo mi vida y mi mundo. Te pido que me sanes de mi detestable autosuficiencia. Amén.

Diciembre 15

Salmo 139:1-12. ¹Señor, Tú me examinas, Tú me conoces. ²Sabes cuándo me siento y cuándo me levanto; aun a la distancia me lees el pensamiento. ³Mis trajines y descansos los conoces; todos mis caminos te son familiares. ⁴No me llega aún la palabra a la lengua cuando Tú, Señor, ya la sabes toda. ⁵Tu protección me envuelve por completo; me cubres con la palma de Tu mano. ⁶Conocimiento tan maravilloso rebasa mi comprensión; tan sublime es que no puedo entenderlo. ⁷¿A dónde podría alejarme de Tu Espíritu? ¿A dónde podría huir de Tu presencia? ⁸Si subiera al cielo, allí estás Tú; si tendiera mi lecho en el fondo del abismo, también estás allí. ⁹Si me elevara sobre las alas del alba, o me estableciera en los extremos del mar, ¹⁰aun allí Tu mano me guiaría, ¡me sostendría Tu mano derecha! ¹¹Y si dijera: "Que me oculten las tinieblas; que la luz se haga noche en torno mío", ¹²ni las tinieblas serían oscuras para Ti, y aun la noche sería clara como el día. ¡Lo mismo son para Ti las tinieblas que la luz!

TÚ DISCIERNES. Dios lo sabe todo (versículos del 1 al 6) y existe completamente en todo lugar al mismo tiempo —Él es *omnipresente* (versículos del 7 al 12). Esto debe ser un alivio (versículo 10), pero a veces se siente más como una amenaza ("Tu protección me envuelve", versículo 5) porque sentimos la necesidad de escondernos de Dios (Génesis 3:7). En Cristo, sin embargo, estamos vestidos con la justicia de Jesús (Filipenses 3:9). Cuando sabemos eso podemos soportar que Dios nos descubra y podemos vencer nuestra distorsionada forma de vernos a nosotros mismos, la cual es confusa e imperfecta. Cuando una persona señala nuestras faltas, podemos escuchar aun cuando sea difícil hacerlo. El Amor que nos sostiene nos permite aceptar la desagradable verdad y, entonces, las posibilidades para el crecimiento llegan a ser ilimitadas. Así es con Dios.

Oración: Señor, confieso que cuando las cosas van mal en mi vida, rara vez me detengo a considerar si estás intentando mostrarme amorosamente mostrarme algo que necesito cambiar. Los amigos les dicen la verdad a sus amigos, aun cuando duela. Ayúdame a estar abierto a Tu amistad y crítica. Amén.

Diciembre 16

Salmo 139:13-24. [13]Tú creaste mis entrañas; me formaste en el vientre de mi madre. [14]¡Te alabo porque soy una creación admirable! ¡Tus obras son maravillosas, y esto lo sé muy bien! [15]Mis huesos no te fueron desconocidos cuando en lo más recóndito era yo formado, cuando en lo más profundo de la tierra era yo entretejido. [16]Tus ojos vieron mi cuerpo en gestación: todo estaba ya escrito en Tu libro; todos mis días se estaban diseñando, aunque no existía uno solo de ellos. [17]¡Cuán preciosos, oh Dios, me son Tus pensamientos! ¡Cuán inmensa es la suma de ellos! [18]Si me propusiera contarlos, sumarían más que los granos de arena. Y si terminara de hacerlo, aún estaría a Tu lado. [19]Oh Dios, ¡si les quitaras la vida a los impíos! ¡Si de mí se apartara la gente sanguinaria, [20]esos que con malicia te difaman y que en vano se rebelan contra Ti! [21]¿Acaso no aborrezco, Señor, a los que te odian, y abomino a los que te rechazan? [22]El odio que les tengo es un odio implacable; ¡los cuento entre mis enemigos! [23]Examíname, oh Dios, y sondea mi corazón; Ponme a prueba y sondea mis pensamientos. [24]Fíjate si voy por mal camino, y guíame por el camino eterno.

CUANDO DESPIERTO. Dios también es *omnipotente* (versículos del 13 al 18). Esto debería ser un gran consuelo para nosotros. Sin importar lo que nos depare el futuro, Dios está en control con un poder mayor que la muerte. El salmista dice que Dios nunca lo soltará de Su mano sin importar lo oscuro que sea el camino (ver versículos 11 y 12), y al despertar "aún estaría a Tu lado" (versículo 18). Como dice el Salmo 17:15, Dios está *tan* amorosamente comprometido con estar siempre con nosotros que no permitirá que ni siquiera la muerte nos separe de Él (Romanos 8:38-39). Estaremos con Él para siempre.

Oración: Señor, confieso que había un tiempo en el que la idea de que mis días estaban "ordenados" en "Tu libro" se sentía esclavizante. Pero al pasar el tiempo puedo ver cuán limitada es *mi* sabiduría, y que mi única esperanza es depender de la Tuya. ¡Te alabo porque soy una creación admirable! Amén.

Diciembre 17

Salmo 140. ¹Oh Señor, líbrame de los impíos; protégeme de los violentos, ²de los que urden en su corazón planes malvados y todos los días fomentan la guerra. ³Afilan su lengua cual lengua de serpiente; ¡veneno de víbora hay en sus labios! ⁴Señor, protégeme del poder de los impíos; protégeme de los violentos, de los que piensan hacerme caer. ⁵Esos engreídos me han tendido una trampa; han puesto los lazos de su red, han tendido trampas a mi paso. ⁶Yo le digo al Señor: "Tú eres mi Dios. Atiende, Señor, a mi voz suplicante". ⁷Señor Soberano, mi salvador poderoso que me protege en el día de la batalla: ⁸No satisfagas, Señor, los caprichos de los impíos; no permitas que sus planes prosperen, para que no se enorgullezcan. ⁹Que sobre la cabeza de mis perseguidores recaiga el mal que sus labios proclaman. ¹⁰Que lluevan brasas sobre ellos; que sean echados en el fuego, en ciénagas profundas, de donde no vuelvan a salir. ¹¹Que no eche raíces en la tierra la gente de lengua viperina; que la calamidad persiga y destruya a la gente que practica la violencia. ¹²Yo sé que el Señor hace justicia a los pobres y defiende el derecho de los necesitados. ¹³Ciertamente los justos alabarán Tu nombre y los íntegros vivirán en Tu presencia.

CAMBIA EL MUNDO. David ora por protección (versículos del 1 al 5). Mientras toma medidas prácticas para guardarse a sí mismo, reconoce que solo Dios puede protegerlo (versículos del 6 al 8). Él le pide a Dios que obre y establezca justicia en la sociedad (versículos 11 y 12), que destruya a aquellos se aprovechan y oprimen a otros. Al final de su oración, la confianza de David ha aumentado (versículo 13). David ora para cambiar el mundo. Él ora para que los planes de los hombres violentos y abusivos no tengan éxito y para que los pobres y necesitados sean levantados. Nosotros debemos orar de la misma manera. Afectar los eventos mundiales a través de la oración no quiere decir solamente desear algo; la oración tiene el poder de cambiar el curso de los eventos actuales cada vez que le pedimos a nuestro Padre celestial que intervenga.

Oración: Señor, ayúdame a recordar que has prometido que "no tienen, porque no piden" (Santiago 4:2). Perdóname por pecar contra muchos de mis amigos al fallar en orar por ellos. Utiliza mis oraciones para hacer cosas buenas en el mundo. Amén.

Diciembre 18

Salmo 141. ¹A Ti clamo, Señor; ven pronto a mí. ¡Atiende a mi voz cuando a Ti clamo! ²Que suba a Tu presencia mi plegaria como una ofrenda de incienso; que hacia Ti se eleven mis manos como un sacrificio vespertino. ³Señor, ponme en la boca un centinela; un guardia a la puerta de mis labios. ⁴No permitas que mi corazón se incline a la maldad, ni que sea yo cómplice de iniquidades; no me dejes participar de banquetes en compañía de malhechores. ⁵Que la justicia me golpee, que el amor me reprenda; pero que el ungüento de los malvados no perfume mi cabeza, pues mi oración está siempre en contra de sus malas obras. ⁶Cuando sus gobernantes sean lanzados desde los despeñaderos, sabrán que mis palabras eran bien intencionadas. ⁷Y dirán: "Así como se dispersa la tierra cuando en ella se abren surcos con el arado, así se han dispersado nuestros huesos a la orilla del sepulcro". ⁸En Ti, Señor Soberano, tengo puestos los ojos; en Ti busco refugio; no dejes que me maten. ⁹Protégeme de las trampas que me tienden, de las trampas que me tienden los malhechores. ¹⁰Que caigan los impíos en sus propias redes, mientras yo salgo bien librado.

HABLAR Y ESCUCHAR. David pide ayuda otra vez, pero en esta ocasión la pide porque busca protección de la vulnerabilidad de su corazón frente a la maldad (versículo 4). David pide que buenas personas le pidan cuentas, que lo "reprendan" (versículo 5); invitar a la crítica y escucharla es un componente irremplazable de la sabiduría (Proverbios 27:5, 6, 27; 28:23; 29:5). David también pide que Dios ponga en su "boca un centinela" (versículo 3). Las palabras descuidadas no solo dañan a otros; también fortalecen las peores partes de nuestra propia naturaleza (Santiago 3:1-12). Nuestras palabras deben ser honestas, pocas, sabias, aptas y bondadosas. "Hablar la verdad en amor" (Efesios 4:15) resume todo esto; necesitamos hablar correctamente y necesitamos de amigos que estén dispuestos a confrontarnos.

Oración: Señor, te pido dos cosas. Hazme un amigo que pueda hablar la verdad en amor y dame amigos que estén dispuestos a hacer esto por mí, que me reprendan con amor pero con sinceridad, para que no me endurezca por el engaño del pecado (Hebreos 3:13). Amén.

Diciembre 19

Salmo 142. ¹A voz en cuello, al Señor le pido ayuda; a voz en cuello, al Señor le pido compasión. ²Ante Él expongo mis quejas; ante Él expreso mis angustias. ³Cuando ya no me queda aliento, Tú me muestras el camino. Por la senda que transito algunos me han tendido una trampa. ⁴Mira a mi derecha, y ve: nadie me tiende la mano. No tengo dónde refugiarme; por mí nadie se preocupa. ⁵A Ti, Señor, te pido ayuda; a Ti te digo: "Tú eres mi refugio, mi porción en la tierra de los vivientes". ⁶Atiende a mi clamor, porque me siento muy débil; líbrame de mis perseguidores, porque son más fuertes que yo. ⁷Sácame de la prisión, para que alabe yo Tu nombre. Los justos se reunirán en torno mío por la bondad que me has mostrado.

LAS EMOCIONES Y LA ORACIÓN. Este salmo y el salmo 57 provienen de la misma circunstancia —cuando David estaba escondido del rey Saúl en una cueva. Los dos salmos nos muestran cómo nuestras emociones pueden cambiar en medio de las mismas circunstancias y del mismo marco de referencia de la fe en Dios. En el salmo 57 David ve la cueva como un lugar de protección que Dios le brinda, pero ahora la ve como una trampa de muerte (versículos 3 y 4). No se avergüenza de usar la palabra "clamor" tres veces. Está rogando a Dios para que lo escuche, para que cuide de él, para que vea su necesidad desesperada y lo rescate. La oración decorosa tiene su lugar, pero la oración desesperada, que viene del corazón, es algo que Dios honra. Sin embargo, la esperanza se enciende en el versículo 7.

Oración: Padre, Tu Hijo no era insensible. Él era un hombre de dolores, experimentado en quebranto. A menudo lo encontramos llorando, suspirando y alegrándose con todo el corazón. Confieso que niego mis emociones, intentando mostrar una buena fachada, o me dejo llevar por ellas. Muéstrame cómo te puedo presentar mis emociones de forma honesta y obediente. Amén.

Diciembre 20

Salmo 143. ¹Escucha, Señor, mi oración; atiende a mi súplica. Por Tu fidelidad y Tu justicia, respóndeme. ²No lleves a juicio a Tu siervo, pues ante Ti nadie puede alegar inocencia. ³El enemigo atenta contra mi vida: quiere hacerme morder el polvo. Me obliga a vivir en las tinieblas, como los que murieron hace tiempo. ⁴Ya no me queda aliento; dentro de mí siento paralizado el corazón. ⁵Traigo a la memoria los tiempos de antaño: medito en todas Tus proezas, considero las obras de Tus manos. ⁶Hacia Ti extiendo las manos; me haces falta, como el agua a la tierra seca. ⁷Respóndeme pronto, Señor, que el aliento se me escapa. No escondas de mí Tu rostro, o seré como los que bajan a la fosa. ⁸Por la mañana hazme saber de Tu gran amor, porque en Ti he puesto mi confianza. Señálame el camino que debo seguir, porque a Ti elevo mi alma. ⁹Señor, líbrame de mis enemigos, porque en Ti busco refugio. ¹⁰Enséñame a hacer Tu voluntad, porque Tú eres mi Dios. Que Tu buen Espíritu me guíe por un terreno sin obstáculos. ¹¹Por Tu nombre, Señor, dame vida; por Tu justicia, sácame de este aprieto. ¹²Por Tu gran amor, destruye a mis enemigos; acaba con todos mis adversarios. ¡Yo soy Tu siervo!

NADIE ES JUSTO. En los salmos, David con frecuencia es una persona "intachable". La primera impresión que se nos viene a la mente con esta palabra es que él pensaba que era libre de pecado. Pero no es así. David profesaba inocencia en las acusaciones particulares que se hacían contra él. Pero él sabía que si Dios fuera a probarlo por toda su vida, no pasaría la prueba. En este salmo David confiesa que ningún ser humano es justo delante de Dios, ni siquiera los mejores (versículo 2; Romanos 3:10-18). Él no solo está diciendo que todos pecan, sino que todos están perdidos. Pero ¡espera! ¿Cómo puede David pedir que Dios *no* lo lleve a juicio (versículo 2), cuando un juez que justifica a los malhechores es una abominación (Proverbios 17:15)? Solo la cruz sería capaz de revelar la respuesta a esa pregunta (1 Juan 1:9 – 2:2).

Oración: Padre, te alabo por la belleza de la salvación —que la justicia fue satisfecha y los pecadores fueron redimidos; que Tú puedes ser justo y justificar a aquellos que creen (Romanos 3:26). Ayúdame a adorarte por esto. Amén.

Diciembre 21

Salmo 144:1-8. [1]Bendito sea el Señor, mi Roca, que adiestra mis manos para la guerra, mis dedos para la batalla. [2]Él es mi Dios amoroso, mi amparo, mi más alto escondite, mi libertador, mi escudo, en quien me refugio. Él es quien pone los pueblos a mis pies. [3]Señor, ¿qué es el mortal para que lo cuides? ¿Qué es el ser humano para que en él pienses? [4]Todo mortal es como un suspiro; sus días son fugaces como una sombra. [5]Abre Tus cielos, Señor, y desciende; toca los montes y haz que echen humo. [6]Lanza relámpagos y dispersa al enemigo; dispara Tus flechas y ponlo en retirada. [7]Extiende Tu mano desde las alturas y sálvame de las aguas tumultuosas; líbrame del poder de gente extraña. [8]Cuando abren la boca, dicen mentiras; cuando levantan su diestra, juran en falso.

¿POR QUÉ LE IMPORTA? "El ser humano [...] es como un suspiro; sus días son fugaces como una sombra" (versículo 3 y 4). La vida es desagradable, brutal y corta. Así que ¿por qué Dios se fijaría en nosotros, y más aún, nos amaría? (versículo 3). Esta pregunta puede hacerse con escepticismo o con asombro. ¿Acaso el escéptico pregunta por qué cualquier fuerza capaz de generar este vasto universo tendría consideración de pequeños y pasajeros seres como nosotros, que vivimos en una *mota de polvo* llamada Tierra? ¡No! Pero para aquellos que conocen a "mi Dios amoroso" (versículo 2) ese es precisamente el punto. No *existe* alguna buena razón para que Dios se preocupe por nosotros, pero de manera sorprendente Él se preocupa. Él no nos ama porque le beneficiamos de alguna manera. ¿Cómo podríamos? Él nos ama simplemente porque nos ama (Deuteronomio 7:7). Es por eso que le adoramos.

Oración: Señor, te adoro porque alguien de Tu grandeza inmensurable no solo ha puesto Su amor sobre mí, sino que también se ha hecho infinitamente pequeño para entrar al universo que creó y ser aplastado como un insecto —y todo esto por mí. *Sublime amor. ¿Cómo puede ser que Tú, mi Dios, murieras por mí?*[140] Amén.

Diciembre 22

Salmo 144:9-15. ⁹Te cantaré, oh Dios, un cántico nuevo; con el arpa de diez cuerdas te cantaré salmos. ¹⁰Tú das la victoria a los reyes; a Tu siervo David lo libras de la cruenta espada. ¹¹Ponme a salvo, líbrame del poder de gente extraña. Cuando abren la boca, dicen mentiras; cuando levantan su diestra, juran en falso. ¹²Que nuestros hijos, en su juventud, crezcan como plantas frondosas; que sean nuestras hijas como columnas esculpidas para adornar un palacio. ¹³Que nuestros graneros se llenen con provisiones de toda especie. Que nuestros rebaños aumenten por millares, por decenas de millares en nuestros campos. ¹⁴Que nuestros bueyes arrastren cargas pesadas; que no haya brechas ni salidas, ni gritos de angustia en nuestras calles. ¹⁵¡Dichoso el pueblo que recibe todo esto! ¡Dichoso el pueblo cuyo Dios es el Señor!

GRATITUD. Este himno relata la liberación de David del Rey Saúl y tal vez relata su coronación. También muestra cómo responder cuando Dios da una gran respuesta a una oración: con gratitud. Un espíritu agradecido es una combinación de humildad (porque ve que la respuesta de Dios ha sido un regalo) y confianza (porque sabe que un Dios amoroso siempre escucha las oraciones). Aquí vemos este singular y humilde atrevimiento empapando la mente y el corazón de David. La primera reacción de David a la respuesta de Dios fue preguntar sorprendido cómo Dios siquiera se percata de nosotros (versículos 3 y 4). Pero su alegría no se convierte en complacencia; él ora fervientemente por una sociedad próspera (versículos 12 y 13) y justa (versículo 14). Su petición no se vuelve ansiosa. Hay una alegría abundante expresada en este salmo. Así es el carácter rico y bien formado de una vida marcada por una alegría agradecida.

Oración: Señor, agradezco que haya un número infinito de cosas por las cuales agradecerte si reflexionara tan solo por un momento. Ahora ayúdame a tomar ese tiempo y darte gracias por Tus muchos regalos que doy por sentado. Y después permite que la gratitud comience a transformar todas mis actitudes hacia Ti, hacia mí, hacia los demás y hacia la vida. Amén.

Diciembre 23

Salmo 145:1-9. ¹Te exaltaré, mi Dios y Rey; por siempre bendeciré Tu nombre. ²Todos los días te bendeciré; por siempre alabaré Tu nombre. ³Grande es el Señor, y digno de toda alabanza; Su grandeza es insondable. ⁴Cada generación celebrará Tus obras y proclamará Tus proezas. ⁵Se hablará del esplendor de Tu gloria y majestad, y yo meditaré en Tus obras maravillosas. ⁶Se hablará del poder de Tus portentos, y yo anunciaré la grandeza de Tus obras. ⁷Se proclamará la memoria de Tu inmensa bondad, y se cantará con júbilo Tu victoria. ⁸El Señor es clemente y compasivo, lento para la ira y grande en amor. ⁹El Señor es bueno con todos; Él se compadece de toda Su creación.

LA GLORIA DE SU AMOR. Cuando Moisés le pidió a Dios: "Déjame verte en todo Tu esplendor" (Éxodo 33:18), el Señor respondió que Él es "Dios clemente y compasivo, lento para la ira y grande en amor" (versículo 8; ver también Éxodo 34:5-6). Sí, Dios es absoluto en poder; sin embargo, no hay mayor manifestación de Su gloria que Su compasión por todos los hombres. Jonás le citó el versículo 8 a Dios enojado porque Él había mostrado compasión a una raza que el mismo Jonás despreciaba (Jonás 4:2). Dios le reprendió diciéndole que no solo se preocupaba por los malvados ninivitas, sino también por sus animales (Jonás 4:11), mostrando así la verdad del versículo 9. ¡Celebra Su abundante bondad! (versículo 6).

Oración: Señor, confieso que me parezco a Jonás. Quiero que seas amoroso solo hacia ciertas personas. Con mis labios digo que "amo a todos", pero en realidad no es así. Enséñame a ser compasivo hacia todo lo que has creado. Ayúdame a ser paciente con esa persona en mi vida con quien lucho para amar. Amén.

Diciembre 24

Salmo 145:10-21. [10]Que te alaben, Señor, todas Tus obras; que te bendigan Tus fieles. [11]Que hablen de la gloria de Tu reino; que proclamen Tus proezas, [12]para que todo el mundo conozca Tus proezas y la gloria y esplendor de Tu reino. [13]Tu reino es un reino eterno; Tu dominio permanece por todas las edades. Fiel es el Señor a Su palabra y bondadoso en todas Sus obras. [14]El Señor levanta a los caídos y sostiene a los agobiados. [15]Los ojos de todos se posan en Ti, y a su tiempo les das su alimento. [16]Abres la mano y sacias con Tus favores a todo ser viviente. [17]El Señor es justo en todos Sus caminos y bondadoso en todas Sus obras. [18]El Señor está cerca de quienes lo invocan, de quienes lo invocan en verdad. [19]Cumple los deseos de quienes le temen; atiende a su clamor y los salva. [20]El Señor cuida a todos los que lo aman, pero aniquilará a todos los impíos. [21]¡Prorrumpa mi boca en alabanzas al Señor! ¡Alabe todo el mundo Su santo nombre, por siempre y para siempre!

AMOR BRILLANTE. El amor de Dios es más rico de lo que podemos imaginar. Existe el amor universal de Dios hacia *todo* lo que ha creado (versículo 8). Dios también tiene un amor redentor para todos aquellos a quienes Él salva. Él está cerca, de una forma diferente, mayor, hacia todos aquellos que "lo invocan" y "le temen" (versículos 18 y 19). Sin esta fe salvadora estaríamos eternamente perdidos (versículo 20). Finalmente, existe el amor de Dios por *todos* los quebrantados y caídos. "El Señor levanta a los caídos y sostiene a los agobiados" (versículo 14). Es un error decir que Él ama a todos uniformemente o que hay alguien en la tierra a quien Él no ama. El amor de Dios es tan hermoso y brillantemente elaborado como un diamante.

Oración: Señor, ya que eres Tú quien nos alimenta y satisface nuestras necesidades, los trabajos ordinarios del ser humano como arar, cocinar y tejer tienen gran dignidad. Son medios por los cuales amas a Tu creación. Ayúdame a ver esa dignidad para que pueda hacer las tareas más simples para Tu gloria. Amén.

Diciembre 25

Salmo 146. ¹¡Aleluya! ¡Alabado sea el Señor! Alaba, alma mía, al Señor. ²Alabaré al Señor toda mi vida; mientras haya aliento en mí, cantaré salmos a mi Dios. ³No pongan la confianza en gente poderosa, en simples mortales, que no pueden salvar. ⁴Exhalan el espíritu y vuelven al polvo, y ese mismo día se desbaratan sus planes. ⁵Dichoso aquel cuya ayuda es el Dios de Jacob, cuya esperanza está en el Señor su Dios, ⁶creador del cielo y de la tierra, del mar y de todo cuanto hay en ellos, y que siempre mantiene la verdad. ⁷El Señor hace justicia a los oprimidos, da de comer a los hambrientos y pone en libertad a los cautivos. ⁸El Señor da vista a los ciegos, el Señor sostiene a los agobiados, el Señor ama a los justos. ⁹El Señor protege al extranjero y sostiene al huérfano y a la viuda, pero frustra los planes de los impíos. ¹⁰¡Oh Sion, que el Señor reine para siempre! ¡Que tu Dios reine por todas las generaciones! ¡Aleluya! ¡Alabado sea el Señor!

ALABANZA POR LA JUSTICIA. Los últimos cinco salmos son todos de alabanza y de alegría. Esto nos enseña que "los salmos son una miniatura de nuestra historia en su totalidad, lo que resulta en bendición y placer ininterrumpido".[141] También nos enseña que toda oración verdadera, "cuando es buscada con fervor, se convierte en alabanza".[142] Podría tomar mucho tiempo o toda una vida, pero toda oración que toma a Dios y al mundo como lo que en verdad son con el tiempo finalizará con adoración. Él tiene cuidado del pobre, del hambriento, del prisionero, del lisiado, del alma cansada y de la madre soltera (versículos del 7 al 9). A Él le importó tanto nuestra condición que llegó a ser un indefenso bebé, nacido de padres pobres. ¡Alabado sea el Señor!

Oración: Señor, te agradezco que hayas cuidado tanto de nosotros que llegaste a ser un mortal vulnerable y moriste para satisfacer las demandas de la justicia contra el pecado. Te alabo por Tu indescriptible regalo esta Navidad. Amén.

Diciembre 26

Salmo 147:1-11. ¹¡Aleluya! ¡Alabado sea el Señor! ¡Cuán bueno es cantar salmos a nuestro Dios, cuán agradable y justo es alabarlo! ²El Señor reconstruye a Jerusalén y reúne a los exiliados de Israel; ³restaura a los abatidos y cubre con vendas sus heridas. ⁴Él determina el número de las estrellas y a todas ellas les pone nombre. ⁵Excelso es nuestro Señor, y grande Su poder; Su entendimiento es infinito; ⁶El Señor sostiene a los pobres, pero hace morder el polvo a los impíos. ⁷Canten al Señor con gratitud; canten salmos a nuestro Dios al son del arpa. ⁸Él cubre de nubes el cielo, envía la lluvia sobre la tierra y hace crecer la hierba en los montes. ⁹Él alimenta a los ganados y a las crías de los cuervos cuando graznan. ¹⁰El Señor no se deleita en los bríos del caballo, ni se complace en la agilidad del hombre, ¹¹sino que se complace en los que le temen, en los que confían en Su gran amor.

ÉL NOMBRA A LAS ESTRELLAS. El número de las estrellas aún es incontable por la ciencia humana, y, aun así, Dios las conoce por nombre (versículo 4; comparar con Isaías 40:26). El Señor le dice a Job que Él lo creaba todo "mientras cantaban a coro las estrellas matutinas y todos los ángeles gritaban de alegría" (Job 38:7). El Salmo 19 nos dice que podemos escuchar a las estrellas cantarle a su Hacedor, pero que nosotros suprimimos su sonido. *Oyen la razón y se alegran, con voz gloriosa proclaman. Por siempre en su esplendor cantan: "La Mano que nos creó es divina".*[143] Sin embargo, este inimaginable e inmenso Dios *se complace*, tiene una alegría y un placer reales cuando los seres humanos ponen la esperanza de su vida en Su compasivo amor (versículo 11). ¡Grande es nuestro Señor!

Oración: Señor, es asombroso que yo pueda *generarte* placer. Y este placer no crece ni mengua dependiendo de mi comportamiento; Tu placer no varía porque yo estoy en Cristo Jesús (Efesios 1:3-4). Permíteme comenzar cada día desde este fundamento, el cual me dice que "los únicos ojos en el universo que importan se deleitan en mí". Amén.

Salmo 147:12-20. [12]Alaba al Señor, Jerusalén; alaba a tu Dios, oh Sion. [13]Él refuerza los cerrojos de tus puertas y bendice a los que en ti habitan. [14]Él trae la paz a tus fronteras y te sacia con lo mejor del trigo. [15]Envía Su palabra a la tierra; Su palabra corre a toda prisa. [16]Extiende la nieve cual blanco manto, esparce la escarcha cual ceniza. [17]Deja caer el granizo como grava; ¿quién puede resistir sus ventiscas? [18]Pero envía Su palabra y lo derrite; hace que el viento sople, y las aguas fluyen. [19]A Jacob le ha revelado Su palabra; Sus leyes y decretos a Israel. [20]Esto no lo ha hecho con ninguna otra nación; jamás han conocido ellas Sus decretos. ¡Aleluya! ¡Alabado sea el Señor!

ALABANZA Y OBEDIENCIA. Un pequeño niño dejó sus juguetes afuera y entró a casa a practicar el piano, tocando himnos para su lección. Cuando su mamá le pidió que recogiera sus juguetes, él dijo: "No puedo ir, estoy cantando alabanzas a Jesús". Su mamá respondió: "No sirve de nada estar alabando a Dios cuando estás desobedeciendo".[144] Dios se deleita no solo en palabras de adoración, sino en personas que obedecen Sus leyes (versículos 19 y 20; versículo 11). Si obtienes una experiencia emocional del servicio de adoración, pero no estás dispuesto a obedecer, entonces estás usando a Dios sin darle tu corazón. Los cristianos son salvos por fe, no por obedecer la ley, pero la ley nos muestra cómo agradar, amar y parecernos a Aquel que nos salvó por gracia.

Oración: Señor, el comportamiento ético sin adoración alegre, *o* la alabanza abundante sin completa obediencia son ejemplos de un cristianismo falso. Yo he ido en ambas direcciones. Mantenme en el camino correcto. Te ofrezco mi vida, mente, voluntad y emociones. Amén.

Diciembre 28

Salmo 148:1-6. ¹¡Aleluya! ¡Alabado sea el Señor! Alaben al Señor desde los cielos, alábenlo desde las alturas. ²Alábenlo, todos Sus ángeles, alábenlo, todos Sus ejércitos. ³Alábenlo, sol y luna, alábenlo, estrellas luminosas. ⁴Alábenlo ustedes, altísimos cielos, y ustedes, las aguas que están sobre los cielos. ⁵Sea alabado el nombre del Señor, porque Él dio una orden y todo fue creado. ⁶Todo quedó afirmado para siempre; emitió un decreto que no será abolido.

LA ALABANZA DE LA CREACIÓN. Dios es alabado por todo lo que ha creado. En la primera parte del salmo, Dios es alabado en los cielos más altos (versículos del 1 al 4); es alabado por el sol, la luna y las estrellas (versículo 3), por las nubes y la lluvia (versículo 4). En la segunda parte, es alabado por las criaturas marinas, las montañas, los árboles, los animales y las aves (versículos del 7 al 10). El salmista manda que todos alaben al Señor, incluso los habitantes de la tierra (versículos 11-13). Pero el lector de la Biblia sabe que la creación no humana ya está alabando a Dios completamente. Toda la naturaleza canta la gloria de Dios; nosotros somos los únicos desafinados. La pregunta es: ¿cómo podemos ser traídos de vuelta a esta gran música?

Oración: Señor, cuando intento alabarte puedo sentir que estoy desafinado, que soy un músico extremadamente inexperto. Pero *afina mi corazón para cantar Tu gracia*[145] por la verdad de Tu Palabra y la obra del Espíritu en mi corazón. Amén.

Diciembre 29

Salmo 148:7-14. [7]Alaben al Señor desde la tierra los monstruos marinos y las profundidades del mar, [8]el relámpago y el granizo, la nieve y la neblina, el viento tempestuoso que cumple Su mandato, [9]los montes y las colinas, los árboles frutales y todos los cedros, [10]los animales salvajes y los domésticos, los reptiles y las aves, [11]los reyes de la tierra y todas las naciones, los príncipes y los gobernantes de la tierra, [12]los jóvenes y las jóvenes, los ancianos y los niños. [13]Alaben el nombre del Señor, porque solo Su nombre es excelso; Su esplendor está por encima de la tierra y de los cielos. [14]¡Él ha dado poder a Su pueblo! ¡A Él sea la alabanza de todos Sus fieles, de los hijos de Israel, Su pueblo cercano! ¡Aleluya! ¡Alabado sea el Señor!

ALABANZA QUE UNE. En este salmo vemos extremos que son unidos en alabanza (versículos del 10 al 12): animales salvajes y reyes, ancianos y jóvenes. "Hombres jóvenes y criadas, hombres viejos y bebés".[146] ¿Cómo pueden los humanos unirse a esta música? "Él ha dado poder a Su pueblo" (versículo 14), un fuerte Libertador. Los evangelios nos dicen que este libertador es Jesús (Lucas 1:69), quien nos acerca a Dios (versículo 14). Cuando tu alma, mediante la gracia, comienza a alabar a Dios, puedes armonizar con el resto del universo que también alaba a Dios. Tu voz redimida contribuye con su acorde único y se añade a la abrumadora belleza. La alabanza nos une unos con otros. Aquí está "la única unión potencial entre los extremos de la humanidad: un anhelo gozoso por Dios".[147] ¡Alabado sea el Señor!

Oración: Señor, glorifícate a Ti mismo ante el mundo y usa Tu poder para unir a los extremos de la humanidad en la iglesia de Cristo Jesús. Une a las razas, clases, géneros, tribus —únelos a todos en alabanza. Tú has comenzado esta buena obra; ahora complétala en Cristo Jesús. Amén.

Diciembre 30

Salmo 149. [1]¡Aleluya! ¡Alabado sea el Señor! Canten al Señor un cántico nuevo, alábenlo en la comunidad de los fieles. [2]Que se alegre Israel por su Creador; que se regocijen los hijos de Sion por su Rey. [3]Que alaben Su nombre con danzas; que le canten salmos al son de la lira y el pandero. [4]Porque el Señor se complace en Su pueblo; a los humildes concede el honor de la victoria. [5]Que se alegren los fieles por su triunfo; que aun en sus camas griten de júbilo. [6]Que broten de su garganta alabanzas a Dios, y haya en sus manos una espada de dos filos [7]para que tomen venganza de las naciones y castiguen a los pueblos; [8]para que sujeten a sus reyes con cadenas, a sus nobles con grilletes de hierro; [9]para que se cumpla en ellos la sentencia escrita. ¡Esta será la gloria de todos Sus fieles! ¡Aleluya! ¡Alabado sea el Señor!

LA ALABANZA DE LOS REDIMIDOS. Su pueblo lo alaba porque Él los ha hecho Su pueblo (versículos 2 y 3) y porque Él se deleita en ellos y los honra (versículos 4 y 5) —aun cuando ellos no se lo merecen (versículo 4). Sabiendo esto, somos enviados al mundo para extender la causa de Dios. Para los israelitas esto significaba una guerra literal contra las naciones que rechazaban a Dios (versículos del 6 al 9). Pero la espada del cristiano es el evangelio de la Palabra de Dios, la cual penetra las defensas del corazón (Hebreos 4:12). Conquistamos a través de la sangre de Cristo y nuestro testimonio de lo que Él ha hecho en nuestras vidas (Apocalipsis 12:11). El gozo del evangelio y saber cuán honrados y amados somos en Cristo (versículo 5) nos alista para esta misión.

Oración: Señor, *toma mis pies y permite que sean ágiles y hermosos para Ti. Toma mi voz y permíteme cantar, siempre, únicamente para mi Rey. Toma mis labios y permíteles ser llenos con mensajes Tuyos.*[148] Amén.

Diciembre 31

Salmo 150. ¹¡Aleluya! ¡Alabado sea el Señor! Alaben a Dios en Su santuario, alábenlo en Su poderoso firmamento. ²Alábenlo por Sus proezas, alábenlo por Su inmensa grandeza. ³Alábenlo con sonido de trompeta, alábenlo con el arpa y la lira. ⁴Alábenlo con panderos y danzas, alábenlo con cuerdas y flautas. ⁵Alábenlo con címbalos sonoros, alábenlo con címbalos resonantes. ⁶¡Que todo lo que respira alabe al Señor! ¡Aleluya! ¡Alabado sea el Señor!

UNA ETERNIDAD DE ALABANZA. Los salmos son, al final de cuentas, una miniatura de la experiencia de la vida. Cada experiencia posible, si es acompañada por una oración al Dios que realmente está presente, está destinada a ser una alabanza. La confesión conduce a la alegría del perdón. Los lamentos llevan a un descanso más profundo en Él para encontrar nuestra felicidad. Si pudiéramos alabar a Dios perfectamente, lo amaríamos completamente y, entonces, nuestra alegría estaría completa. Los cielos nuevos y la nueva tierra son perfectos porque todos los seres humanos y todas las cosas creadas glorifican a Dios completamente y, por lo tanto, lo disfrutan para siempre. Así que el Salmo 150 nos da un vistazo de ese inimaginable futuro. ¡Alábalo en todo lugar (versículo 1), por todas las cosas (versículo 2), de todas las maneras (versículo del 3 al 5)! *¡Que todo lo que respira alabe al Señor!* (versículo 6).

Oración: Señor, me has dado tanto. Dame una cosa más —un corazón para alabarte, *no agradecido cuando me plazca, como si Tus bendiciones se tomaran descanso; sino un corazón cuyo pulso pueda ser Tu alabanza.*[149] Amén.

AGRADECIMIENTOS

Cuando se nos pidió hacer un libro devocional, Tim y yo inmediatamente pensamos en los salmos; después de todo, él tenía material acumulado por décadas. Sería pan comido, ¿no? ¡Jamás digas eso! Entre un año de muchas dificultades en cuanto a mi salud, los compromisos ministeriales de Tim y la muerte de nuestro querido amigo David, a quien dedicamos este libro, Tim comenzó a trabajar tarde en el proyecto. El primer manuscrito fue, desgraciadamente, terrible —estaba tan lleno de información que cada página parecía un poema difícil de entender, como lamentablemente le dije a mi esposo.

Pues bien, ese manuscrito fue desechado y apareció otro, pero nuestro editor, Brian Tart, sabia y correctamente, lo rechazó porque su formato era muy complejo y algo confuso. Para entonces estábamos desesperados (me incorporé para ayudar), pero finalmente simplificamos todo a la versión que ahora tienes en tus manos. Ha sido el libro más difícil de escribir por un lado, pero, por otro lado, el más dulce. Al final, este es el libro más íntimo y personal de Tim.

Cuando lo terminamos, nos miramos y nos preguntamos: "¿Qué haremos ahora que no pasaremos quince horas al día en Los Salmos?". La respuesta es, supongo, regresar e invertir cada día con un salmo o parte del mismo, tal como deberíamos hacerlo todos.

Para aquellos que nos apoyaron de distintas formas durante el tiempo que escribirnos (y escribimos y escribimos) este libro, muchas gracias. Gracias a Ray y Gill Lane por hospedarnos en *The Fischerbeck*, su hotel en Lake District, Inglaterra. Gracias a Lynn Land, a Jane y a Brian McGreevy en Charleston, a Janice Worth en Florida y a Louise Midwood.

Tim, en particular, quisiera reconocer su gran deuda al difunto Derek Kidner, cuyo comentario sobre el Libro de Los Salmos ha sido un recurso fundamental para entenderlo en las últimas cuatro décadas. Este comentario es insuperable por su sabiduría y elocuencia espiritual. La sensibilidad de Kidner hacia los matices de la poesía es maravillosa y ha sido una enorme ayuda para nosotros, que somos lectores menos capacitados. A Tim también le gustaría recomendar los comentarios de Alex Motyer (*El nuevo comentario bíblico: edición siglo 21*) y de Tremper Longman (*Salmos: introducción y comentario*, de la series de comentarios Tyndale). El comentario de Tremper otorga la mayor ayuda para leer Los Salmos desde la perspectiva del Nuevo Testamento y del evangelio de Cristo. El comentario de Motyer es el más conciso y rebosa de increíbles enseñanzas. Los corazones pastorales y las perspectivas centradas en Cristo de estos tres autores hacen que su lectura sea esencial para aquellos que deseen obtener el mayor beneficio de cada salmo.

También debemos dar gracias a nuestros hijos y nietos, quienes nos mantuvieron envueltos en la vida real: nuestro amor para David, Jen y Charlotte; Michael, Sara, Lucy y Kate; y para Jonathan, Ann-Marie y el pequeño niño Keller que aún no tiene nombre.

Damos gracias también a nuestro agente, David McCormick, quien tuvo el don para animarnos y quien, para este volumen, negoció los permisos para utilizar la traducción de *La Santa Biblia, Nueva Versión Internacional* en una gran cantidad de países. Eres el mejor, David.

También le agradecemos a Dios quien en Su sabiduría nos sumergió en los salmos a través de estos meses para aumentar nuestro amor por Él y nuestro amor el uno por el otro, y para darnos un vistazo de nuestro futuro y verdadero hogar.

Juntos tomaremos el camino que nos conduce hacia el oeste,
y allá a lo lejos encontraremos una tierra en donde
nuestros corazones encontrarán descanso.[150]

NOTAS

1. Gordon Wenham, *The Psalter Reclaimed: Praying and Praising with the Psalms* [*El Salterio recuperado: orando y alabando con los salmos*] (Wheaton: Crossway, 2013), 16.

2. John Calvin, *Commentary on the Psalms* [*Comentario sobre los salmos*] (Albany: Ages Software, 1998), comentario sobre el salmo 20:1-2.

3. Citado en Wenham, *The Psalter Reclaimed* [*El Salterio recuperado*], 15.

4. Alex Motyer, *A Christian´s Pocket Guide to Loving the Old Testament* [*Guía de bolsillo del cristiano para amar el Antiguo Testamento*] (Ross-shire: Christian Focus, 2015), 97.

5. Wenham, *The Psalter Reclaimed* [*El Salterio recuperado*], 34.

6. Wenham, *The Psalter Reclaimed* [*El Salterio recuperado*], 26. Wenham muestra cómo la teoría de "hablar actuando" explica por qué la recitación y la oración de los salmos es una experiencia transformadora.

7. Eugene Peterson, *Answering God: The Psalms as Tools for Prayer* [*Respondiéndole a Dios: los salmos como instrumentos para la oración*] (San Franciso: Harper, 1989), 5-6.

8. Derek Kidner, *Psalms 1-72: An Introduction and Commentary* [*Salmos 1-72: intoducción y comentario*] (Leicester: InterVarsity Press, 1973), 53.

9. John Newton, "Approach, My Soul, the Mercy Seat" ["Aproxímate, alma mía, al trono de la misericordia"], *Himnos de Olney* (London: W. Oliver, 1779). Disponible en http://www.hymntime.com/tch/htm/a/p/p/approach.htm.

10. Newton, "Approach, My Soul" ["Aproxímate, alma mía"].

11. Newton, "Approach, My Soul" ["Aproxímate, alma mía"].

12. Kidner, *Psalms 1-72* [*Salmos 1-72*], 113.

13. C. S. Lewis, "The Weight of Glory" ["El peso de la gloria"], (Sermón, Iglesia de Santa María la Virgen, Oxford, junio 8 de 1942). Disponible en http://verber.com/mark/xian/weight-of-glory.pdf.

14. Kidner, *Psalms 1-72* [*Salmos 1-72*], 121

15. Newton, "Approach, My Soul" ["Aproxímate, alma mía"].

16. Adaptado de Thomas Cranmer, "Second Collect for Good Friday" ["Segunda oración para el viernes santo"], en C. Fredeick Barbes y Paul F. M. Zahl, *The Collects of Thomas Cranmer* [*Las oraciones de Thomas Cranmer*] (Grand Rapids: William B Eerdmans, 2006), 48.

17. Kidner, *Psalms 1-72* [*Salmos 1-72*], 111.

18. Kidner, *Psalms 1-72* [*Salmos 1-72*], 133.

19. Lewis, "The Weight of Glory" ["El peso de la gloria"].

20. Kidner, *Psalms 1-72* [*Salmos 1-72*], 142.

21. De Cranmer, "Second Collect for Good Friday" ["Segunda oración para el viernes santo"] en Barbes y Zahl, *The Collects of Thomas Cranmer* [*Las oraciones de Thomas Cranmer*], 4.

22. Kidner, *Psalms 1-72* [*Salmos 1-72*], 128.

23. De Cranmer, "Second Collect for Good Friday" ["Segunda oración para el viernes santo"] en Barbes y Zahl, *The Collects of Thomas Cranmer* [*Las oraciones de Thomas Cranmer*], 58.

24. Tom LeCompte, "The Disorient Express" ["El expreso desorientado"], *Air and Space* [*Aire y espacio*], septiembre de 2008. Disponible en http://www.airspacemag.com/military-aviation/the-disorient-express-474780/

25. C. S. Lewis, *Reflections on the Psalms* [*Reflexiones sobre los salmos*] (San Diego: Harcourt Brace, 1964), 24.

26. La última frase ha sido adaptada de John Newton, "How Sweet the Name of Jesus Sounds" ["Cuán dulce el nombre de Jesús"], en *Himnos de Olney* (London: W. Oliver, 1779).

27. George Herbert, "Love (III)" ["Amor (III)"], *George Herbert and the Seventeenth-Century Religious Poets* [*George Herbert y los poetas religiosos del siglo diecisiete*] (W. W. Norton, 1978). Disponible en http://www.poetryfoundation.org/learing/poem/173632.

28. Kidner, *Psalms 1-72* [*Salmos 1-72*], 155-156.

29. Kidner, *Psalms 1-72* [*Salmos 1-72*], 158. También ver Sinclair B. Ferguson, *The Whole Christ: Legalism, Antinomianism, and Gospel Assurance: Why the Marrow Controversy Still Matters* [*Todo Cristo: legalismo, antinomismo y seguridad en el evangelio: por qué se sigue presentando la controversia*] (Wheaton: Crossway, 2016).

30. Lewis, "The Weight of Glory" ["El peso de la gloria"].

31. La comparación de las paradojas de Pablo en 2 Corintios con esta parte del Salmo 37 viene de Kidner, *Psalms 1-72* [*Salmos 1-72*], 169-170.

32. Newton, "How Sweet the Name" ["Cuán dulce el nombre"].

33. George Herbert, "Discipline" ["Disciplina"], en *The Temple* [*El templo*], (1633).

34. Newton, "Approach, My Soul" ["Aproxímate, alma mía"].

35. Kidner, *Psalms 1-72* [*Salmos 1-72*], 157.

36. John Newton, "We Were Once as You Are" ["Una vez fuimos como Tú"], en *The Works of John Newton* [*Las obras de John Newton*], vol. 3 (Edinburgh: Banner of Truth, 2da imp., 1985), 572.

37. Kidner, *Psalms 1-72* [*Salmos 1-72*], 179.

38. Isaac Watts, "O God Our Help in Ages Past" ["Dios nuestro, nuestra ayuda en tiempos pasados"], himno.

39. C. S. Lewis, *Perelandra* (New York: Macmillan, 1965), 121-122.

40. J. R. R. Tolkien, *The Return of the King* [*El retorno del rey*], (Nueva York: Del Ray Books, 1986), 209.

41. Kidner, *Psalms 1-72* [*Salmos 1-72*], 201.

42. Kidner, *Psalms 1-72* [*Salmos 1-72*], 207.

43. Alec Motyer, "The Psalms" ["Los Salmos"], en D. A. Carson *et. al* (eds.), *The New Bible Commentary: 21st Century Edition* [*El nuevo comentario bíblico: edición siglo 21*] (Downers Grove: InterVarsity Press, 1994), 523.

44. Treper Longman, *Psalms: An Introduction and Commentary* [*Salmos: introducción y comentario*] (Downers Grove: IVP Academic, 2014), 242.

45. James Proctorm, "It is Finished" ["Consumado es"], himno.

46. Para saber más acerca lo que significa contemplar a Cristo por fe de tal manera que llegue hasta lo más profundo del corazón, vea John Owen, "Meditations and Discourses on the Glory of Christ" ["Meditaciones y discursos sobre la gloria de Cristo"], en *The Works of John Owen* [*Las obras de John Owen*], vol. 1 (Edinburgh: Banner of Truth, 1965), 274-461.

47. Kidner, *Psalms 1-72* [*Salmos 1-72*], 227.

48. Kidner, *Psalms 1-72* [*Salmos 1-72*], 252.

49. John Newton, "Begone Unbelief" ["Aléjate, incredulidad"], en *Himnos de Olney* (London: W. Oliver, 1779).

50. John Newton, "Begone Unbelief" ["Aléjate, incredulidad"].
51. Este es el título de un libro que habla acerca de la confesión del pecado de Søren Kierkegaard.
52. C. S. Lewis, "A Word About Praising" ["Una palabra sobre la adoración"] en *Reflections of the Psalms* [*Reflexiones sobre los salmos*] (New York: Harcourt, Brace, and World, 1958), 95.
53. J. R. R Tolkien, *The Two Towers* [*Las dos torres*] (Nueva York: Del Ray Books, 1986), 327.
54. Kidner, *Psalms 1-72* [*Salmos 1-72*], 238.
55. George Herbert, "Time" ["Tiempo"], en John Tobin (ed.), *George Herbert: The Complete English Poems* [*George Herbert: La obra completa de sus poemas en inglés*] (Londres: Penguin Books, 1991), 114. Herbert habla acerca de la muerte así:

> *Y en Su bendición eres bendecida*
> *porque donde antes eras*
> *solamente como un juez;*
> *ahora eres guardián, y más,*
> *maestro que dirige nuestras almas*
> *más allá de las estrellas y de los polos.*

56. Kidner, *Psalms 1-72* [*Salmos 1-72*], 263.
57. John Newton, "Letter VIII to the Reverend Mr. R" ["Carta VIII al Reverendo Sr. R"], en *The Works of the Reverend John Newton* [*Las obras del Reverendo John Newton*], (Nueva York: Robert Carter, 1847), 337.
58. Kidner, *Psalms 1-72* [*Salmos 1-72*], 28.
59. C. S. Lewis (ed.), *George MacDonald: An Anthology* [*George MacDonald: antología*], (Nueva York: HarperCollins, 2001), 44.
60. Herbert, "Praise (II)" ["Alabanza (II)"] en Tobin, *George Herbert*, 137.
61. De Elisabeth Elliot, en David Howard, "The Intrepid Missionary Elisabeth Elliot" ["La intrépida misionera Elisabeth Elliot"], *Wall Street Journal*, junio 25 de 2015.
62. De Cranmer, "Collect for the Twelfth Sunday After Trinity" ["Oración para el doceavo domingo de la Trinidad"], en Barbes y Zahl, *The Collects of Thomas Cranmer* [*Las oraciones de Thomas Cranmer*], 92.
63. Motyer, "Psalms" ["Salmos"], en Carson, The *New Bible Commentary* [*El nuevo comentario bíblico*], 530.
64. John Newton, *The Letters of John Newton* [*Las Cartas de John Newton*], (Londres: Banner of Truth, 1960), 179.
65. De Cranmer, "Collect for the Twelfth Sunday After Trinity" ["Oración para el doceavo domingo de la Trinidad"], en Barbes y Zahl, *The Collects of Thomas Cranmer* [*Las oraciones de Thomas Cranmer*], 78.
66. Helen H. Lemmel, "Turn Your Eyes Upon Jesus" ["Pon tus ojos en Cristo"], himno.
67. Augustín de Hipona, *Confessions* [*Confesiones*], (Londres: Penguin Classics, 1961), Libro 2, capítulos del 4 al 8.
68. Augustín, *Confessions* [*Confesiones*], Libro 4, 61.
69. De Herbert, "Joseph´s Coat" ["La tunica de José"], en Tobin, *George Herbert*, 137.
70. Elisabeth Elliot, "Epílogo II en Portales de esplendor", (Grand Rapids, Michigan: Editorial Portavoz, 1959).
71. Longman, *Psalms* [*Salmos*], 242. "Con la llegada de Jesús, no era necesario un lugar santo, porque Jesús mismo es la presencia de Dios (Juan 1:14); y después de ascender al cielo, Jesús envió al Espíritu Santo, que mora en medio nuestro".

72. Adaptado de *The Poems of Robert Herrick* [*Los poemas de Robert Herrick*], (Biblio-Life, 2012), 379.

73. He mostrado el versículo 10 como aparece en la traducción alternativa del pie de página de *New International Version* [*La Santa Biblia, Nueva Versión Internacional*].

74. De Cranmer, "Collection for the First Sunday After Trinity" ["Oración para el primer domingo de la Trinidad"], en Barbes y Zahl, *The Collects of Thomans Cranmer* [*Las oraciones de Thomas Cranmer*], 70.

75. William Cowper, "Walking with God" ["Caminando con Dios"], en *Himnos de Olney* (London: W. Oliver, 1779).

76. Cowper, "Walking with God" ["Caminando con Dios"].

77. Charlotte Elliot, "O Jesus, Make Thyself to Me" ["Oh, Jesús, hazte real para mí"].

78. Derek Kidner, *Psalms 73-150: An Introduction and Commentary* [*Salmos 73-150: introducción y comentario*], (Downers Grove: InterVarsity Press, 1975), 324-325.

79. Kidner, *Psalms 73-150* [*Salmos 73-150*], 327.

80. Longman, *Psalms* [*Salmos*], 52.

81. Catecismo de Westminster: "*Pregunta 1:* ¿Cuál es el principal propósito del hombre? *Respuesta:* El principal propósito del hombre es glorificar a Dios y deleitarse en Él para siempre".

82. Kidner, *Psalms 73-150* [*Salmos 73-150*], 327.

83. George Herbert, "Discipline" ["Disciplina"], en Helen Wilcox, *The English Poems of George Herbert* [*Los poemas en inglés de George Herbert*] (Cambridge: Cambridge University Press, 2007), 621.

84. John Newton, "Glorious Things of Thee Are Spoken" ["Grandes cosas se dicen de Ti"] en *Himnos de Olney* (London: W. Oliver, 1779). Himno basado en el salmo 87.

85. Charlotte Elliot, "O Jesus" ["Oh Jesús"].

86. John Newton, "The Resurrection and the Life" ["La Resurrección y la Vida"] en *Himnos de Olney* (London: W. Oliver, 1779).

87. John Newton, "Let Us Love and Sing and Wonder" ["Amemos, cantemos y maravillémonos"] en *Himnos de Olney* (London: W. Oliver, 1779).

88. Herbert, "Virtue" ["Virtud"] en Tobin, *George Herbert*, 81.

89. Herbert, "Avarice" ["Avaricia"] en Tobin, *George Herbert*, 70.

90. Kidner, *Psalms 73–150* [*Salmos 73-150*], 374.

91. Charles Wesley, "Jesus, Lover of My Soul" ["Jesús, Amante de mi alma"], himno.

92. Kidner, *Psalms 73–150* [*Salmos 73-150*], 380.

93. Kidner, *Psalms 73–150* [*Salmos 73-150*], 349.

94. John Newton, "How Sweet the Name of Jesus Sounds" ["Cuán dulce el nombre de Jesús"] publicado bajo el título "The Name of Jesus" ["El nombre de Jesús"], en *Himnos de Olney* (London: W. Oliver, 1779).

95. John Newton, "Dagon Before the Ark" ["Dagón ante el Arca"].

96. Newton, "How Sweet the Name" ["Cuán dulce el nombre"].

97. Herbert, "Antiphon (I)" ["Antífona (I)"], en Tobin, *George Herbert*, 47.

98. Kidner, *Psalms 73–150* [*Salmos 73-150*], 359.

99. Motyer, "Psalms" ["Salmos"], en Carson, *The New Bible Commentary* [*El nuevo comentario bíblico*], 551.

100. Samuel Rutherford, *The Letters of the Rev. Samuel Rutherford* [*Las cartas del Rev. Samuel Rutherford*], (Nueva York: Robert Carter and Brothers, 1863), 40, 166.

101. Motyer, "Psalms" ["Salmos"], en Carson, *The New Bible Commentary* [*El nuevo comentario bíblico*], 552.

102. Jonathan Edwards, "Miscellanies" ["Misceláneas"], vol. 13 (Entrada: a–z, aa–zz, 1–500, W J E Online, 1722, apartado *a*). De "Of Holiness" ["De la santidad"]. Ed-

wards describe una experiencia espiritual en común: que cuando cantamos en alabanza a Dios, podemos sentir que las montañas, los océanos y los árboles también cantan (Salmos 19:1-5).

103. Robert Grant, "O Worship the King" ["Alaba al Rey"], himno.

104. Joseph Addison, "The Spacious Firmament" ["El espacioso cielo"], himno.

105. Esta es una frase que nosotros (Tim y Kathy Keller) escuchamos decir a Elisabeth Elliot en el Gordon-Conwell Seminary en 1974.

106. Isaac Watts, "When I Survey the Wondrous Cross" ["Al contemplar la excelsa cruz"], himno.

107. Watts, "When I Survey" ["Al contemplar"].

108. *Superman Regresa* (2006), Warner Bros. Pictures, dirigida por Bryan Singer

109. Josiah Conder, "Tis Not That I Did Choose Thee" ["Yo no te elegí"], himno.

110. David Lapp, "Do Scary Statistics Change People's Behavior?" ["¿Cambian las estadísticas intimidatorias el comportamiento de las personas?"], *Family Studies*, junio 16 de 2015. Disponible en http://family-studies.org/do-scary-statistics-change-peoples-behavior/.

111. Este es un tema que no puede considerarse en tan corto espacio. Para comenzar con una exploración del mismo, revisa a Tremper Longman y Daniel G. Reid, "When God Declares War" ["Cuando Dios declara la guerra"], *Christianity Today*, octubre 28 de 1996, y a Tremper Longman, "The God of War" ["El Dios de la guerra"], *Christianity Today*, mayo 1 de 2003.

112. Kidner, *Psalms 73–150* [*Salmos 73-150*], 418-419.

113. Charles Wesley, "And Can It Be?" ["Maravilloso es el gran amor"], himno.

114. Kidner, *Psalms 73–150* [*Salmos 73-150*], 420.

115. "De lo que nos retractamos no es del hecho de que [David] oraba, sino del realismo en el que descansaban sus oraciones. Cuando cualquier nivel de hostilidad interrumpe nuestra cómoda vida, nos levantamos para decir: 'Señor, ayúdame a amar a mis enemigos como Jesús nos enseñó y, por favor, trata con ellos'. El salmista era más realista: ¿cómo va Dios a tratar con ellos si no es como nos enseña por medio de Su Palabra? Los falsos acusadores deben recibir lo que se han propuesto conseguir (Deuteronomio 19:16-19, comparar con los versículos 2 y 6); aquellos que desobedecen no tienen lugar en la tierra (Deuteronomio 4:1, comparar con el versículo 8); los pecadores traen desastres sobre sus descendientes (Éxodo 34:7, comprar con los versículos del 9 al 12). Si nos retraemos hacia la irrealidad con una petición general en donde el salmista se aventuraba a expresar el realismo de las Escrituras, al menos deberíamos ser conscientes de lo que hacemos. Pero nuestra retracción es entendible y concuerda con la precaución de Pablo (Efesios 4:26), de que la ira es vecina cercana del pecado. J. L. McKenzie (*American Ecclesiastical Review*, III, 1994, 81-96) pregunta si 'los salmos imprecatorios no son un modelo, no por su menor grado de perfección, sino porque son demasiado elevados [...] para que los imitemos sin correr peligro". Moyter, "Psalms" [Salmos], en Carson, *The New Bible Commentary* [*El Nuevo comentario bíblico*], 551.

116. John Newton, "Father, Forgive Them" ["Padre, perdónalos"], en *Himnos de Olney* (London: W. Oliver, 1779).

117. Ernest Shurtleff, "Lead On, King Eternal" ["Guíanos, Rey eterno"], himno.

118. Vea el libro de Ray Bradbury, [*Something Wicked This Way Come*] [*La feria de las tinieblas*] (New York: Avon Reprint, 2006), así como la película de 1983 con el mismo nombre, protagonizada por Jonathan Pryce. La lista en esta página hace más referencia a los personajes de la película, los cuales no son idénticos a los del libro. Observa la frase de Bradbury citada por W. B. Yeats en la contraportada del libro:

"El hombre está enamorado, pero ama lo que se desvanece" y compárala con las enseñanzas del Salmo 115 sobre los ídolos.

119. Adaptado de John Newton, "I Asked the Lord" ["Le pedí al Señor"], en *Himnos de Olney* (London: W. Oliver, 1779).
120. Kidner, *Psalms 73–150* [*Salmos 73-150*], 409.
121. Herbert, "Easter" ["Pascua"] en Tobin, *George Herbert*, 37.
122. Herbert, "Easter" ["Pascua"].
123. Aquí estoy siguiendo la interpretación de Motyer, "Psalms" ["Salmos"], en Carson, *The New Bible Commentary* [*The Nuevo comentario bíblico*], 565.
124. Kidner, *Psalms 73–150* [*Salmos 73-150*], 421.
125. Conder, "Tis Not That I Did Choose Thee" ["Yo no te escogí"].
126. Motyer, "Psalms" ["Salmos"], en Carson, *The New Bible Commentary* [*El Nuevo comentario bíblico*], 569.
127. John Newton y Richard Cecil, *The Works of John Newton* [*Las obras de John Newton*], vol. 1, (London: Hamilton, Adams, 1824), 141.
128. Herbert, "The Holy Scriptures (I)" ["Las Sagradas Escrituras (I)"], en Tobin, *George Herbert*, 52
129. Motyer, "Psalms" ["Salmos"], en Carson, *The New Bible Commentary* [*El Nuevo comentario bíblico*], 570.
130. Timothy Ward, *Words of Life: Scripture as the Living and Active Word of God* [*Palabras de vida: la Biblia como la Palabra viva y activa de Dios*] (Downers Grove: IVP Academic, 2009), 177.
131. Edwin Hodder, "Thy Word Is Like a Garden, Lord" ["Tu Palabra, Señor, es como un jardín"], himno.
132. Herbert, "The Holy Scriptures (I)" ["Las Sagradas Escrituras (I)"], en Tobin, *George Herbert*, 52
133. Tremper Longman, *How to Read the Psalms* [*Cómo leer Los Salmos*] (Downers Grove: InterVarsity Press, 1988), 44-45; ver también Kidner, *Psalms 73–150* [*Salmos 73-150*], 43
134. Kidner, *Psalms 73–150* [*Salmos 73-150*], 430
135. Frances Havergal, "Take My Life and Let It Be" ["Que mi vida entera esté"].
136. John Milton, "Let Us with a Gladsome Mind" ["Esclarece nuestra mente"], himno.
137. Herbert, "The Sacrifice" ["El sacrificio"], en Tobin, *George Herbert*, 24.
138. Adaptado del himno "How Firm a Foundation" ["Cuán firme fundamento"].
139. Herbert, "The Sacrifice" ["El sacrificio"], en Tobin, *George Herbert*, 29-30. Observa que el "árbol" es la cruz. La cruz es un árbol de vida para nosotros puesto que fue un árbol de muerte para Él.
140. Charles Wesley, "And Can It Be?" ["Maravilloso es el gran amor"], himno.
141. Kidner, *Psalms 73–150* [*Salmos 73–150*], 483.
142. Peterson, *Answering God* [*Respondiéndole a Dios*], 128.
143. Addison, "The Spacious Firmament" ["El espacioso cielo"].
144. Esta anécdota fue obtenida de una charla de Elisabeth Elliot que nosotros (Tim y Kathy Keller) escuchamos en Gordon-Conwell Seminary en 1974.
145. Robert Robinson, "Come Thou Fount of Every Blessing" ["Fuente de la vida eterna"].
146. William Billings, "O Praise the Lord of Heaven" ["Alaben al Señor del cielo"], himno basado en el Salmo 148.
147. Kidner, *Psalms 73–150* [*Salmos 73–150*], 488.
148. Havergal, "Take My Life" ["Que mi vida entera esté"].
149. Herbert, "Gratefulness" ["Agradecimiento"], en Tobin, *George Herbert*, 114.
150. J. R. R. Tolkien, *The Two Towers* [*Las dos torres*] (New York: Del Ray Books, 1986), 81.